中学校
創作脚本集
2021

中学校創作脚本集2021編集委員会 編

晩成書房

『中学校創作脚本集 ２０２１』の発刊にあたって

中学校演劇の歴史に新たな1ページを切り拓く創作作品が今、次々と生まれている。

中学校創作脚本集・編集委員会
山下秀光
大沢　清

中学校演劇を愛する全国のみなさん。

今、ここに新しいシリーズの第４作目である「中学校創作脚本集 ２０２１」が発刊できたこと、まず何よりうれしく思っています。今回この作品集には中学生のみなさんが書かれた作品や、顧問の先生による作品など、昨年から今年にかけて全国で上演され話題となった最も新しい12作品が収録されています。執筆されたみなさんをはじめ、この創作脚本集の出版にご協力いただいた多くのみなさまに編集委員会を代表して心よりお礼を申し上げます。

みなさん。

私たちは先に２００９年より10年に渡って「最新中学校創作脚本集」を刊行してまいりました。このシリーズでは、その年度の最も新しい創作作品を60編以上収録し、全国の多くのみなさまに好評をいただきました。そして、この10年間中学校演劇の活動に熱気と創作の風を巻き起こしてきました。中学生をとりまくさまざまな問題を深く掘り下げ、その中で強く生き抜こうとする彼らの姿をいきいきと描いた顧問の先生方の最新の作品がありました。また、特に注目したいのは、今を生きる中学生のみなさん自身の手によって書き上げ、その後演劇部のみなさんの討論の中で練りあげられ上演されて1編の作品が生み出されてきたということです。中学生のみなさんの新鮮な、中学生のみなさんでしか表現できない感性ゆたかな作品が全国各地の中学校から生まれてきているのです。これらの流れは今、ひとつの大きなうねりとなって中学校演劇の歴史に新しい1ページを切り拓くエネルギーとなっています。

全国のみなさん。

私たちは、新型コロナウイルスの感染拡大という、未だかつて経験したことのない事態に襲われ、1年半が過ぎようとしています。感染が全国に広がった当初(昨年3月～5月)学校は臨時休校処置がとられました。

この中で私たちの演劇部の活動も大きな影響を受けました。分散登校などで学校は再開しましたが部活動は活動時間や活動内容に大幅な制限が課せられるようになりました。校内での活動に限定され、発表会やコンクールなどの交流、校外での活動は原則として禁止となりました。このため全国各地で開かれていた演劇発表会やコンクールは中止や延期の処置が相次いでとられました。昨年3月下旬の関東中学校演劇コンクールは中止となり8月の全国中学校総合文化祭福岡大会(北九州市)の開催も中止となりました。

その一方で「演劇の活動をつづけたい」「ぜひ発表したい」という子どもたちの熱い声に応えて全国の先生方は知恵と工夫を出し合い、無観客ではありますが地区発表会を開催したり、東京や神奈川では都大会や県大会などを実施してきました。それらの活動を受けて今年3月の関東大会は、規模を縮小、映像での審査ということになりましたが、コンクールを開催してきました。

さらに今年の8月には全国中学校総合文化祭岩手大会の開催が準備されていると、きいています。あの東日本大震災から10年。かつてない自然災害を乗り越え、復興と新たな文化の創造が、地域の人々を励まし元気づけてきたと、きいています。〝文化の持つ大きな力〟は人々の心にしっかり届き、勇気と生きる力を与えてくれたとも、きいています。

新型コロナ感染という状況の中ではありますが、私たちの持っている文化や演劇の力はその困難を乗り越えて、再びいきいきした活動を生み出していくことを信じています。

こうした状況を乗り越えて、やがて、中学校演劇の全国大会が開かれるとしたら、あの高校演劇の全国大会のようにそれは中学校演劇の創作作品による全国大会しかありません。私たちはその日が一日も早くやってくることを強く願っています。その意味でも私たちはこのシリーズを２０２２年までを第１期として毎年１冊ずつ刊行していく決意であります。

中学校演劇を愛する全国のみなさん。

この新シリーズである「中学校創作脚本集」への絶大なご支援を心よりお願い申し上げます。そして中学校演劇活動、中学校創作劇の運動をより一層大きく全国に広げていこうではありませんか。その中から全国の中学生のみなさんや、さらには顧問の先生方による新鮮でエネルギーに満ちた創作作品が生みだされ、優れた作品を私たち編集委員会に届けてくださることを、心より願っています。

最後に、新企画「中学校創作脚本集」へのさまざまなアドバイスをいただき、その上で出版を快く引き受けてくださった晩成書房の水野久社長、関係者のみなさまに心からお礼を申し上げて、発刊のごあいさつとさせていただきます。

２０２１年6月

もくじ

応援歌（マスク・バージョン）

斉藤俊雄

登場人物

★生徒会グループ

猪野千鶴　前生徒会長・前合唱部部長・三年

神山さくら　前生徒会役員・前合唱部員・三年

星　結月《ゆづき》　前生徒会副会長・前演劇部部長・三年

影森花音《かのん》　現生徒会長・二年

★合唱部グループ

石川未希　合唱部部長・三送会実行委員長・二年

乃木由香里　合唱部員・二年

千歳加奈　合唱部員・二年

野々村理沙　合唱部員・一年

宇多田光一　合唱部員・二年

竹内マリ　合唱部員・一年

★演劇部グループ

広田弘美　【バタフライ】・二年

柊《ひいらぎ》 裕次郎　【グラスホッパー】・二年

諸星段次郎　【アメンボ星人・レッド】・二年

円谷夢乃　【演出】・二年

石森ジュン　【ダメダシン】・一年

友里《ゆり》安奈《あんな》　【マンネリン】・一年

早田 進《すすむ》　【ボウヨミン】・一年

初演日

２０２１年２月11日

初演校

久喜市立太東中学校

久喜市立太東中学校、2021年３月14日。

今回の劇の舞台になる七つ森中学校の四つの教室について説明する。

まず、七つ森中学校は三階建ての校舎が二棟あり、南側に一号棟、北側に二号棟が建っている。一号棟と二号棟の間には中庭がある。

演劇部が活動を行っているのは、一号棟三階の一番東側の視聴覚室で、そこは演劇部の部室でもある。視聴覚

◆七つ森中学校校舎案内

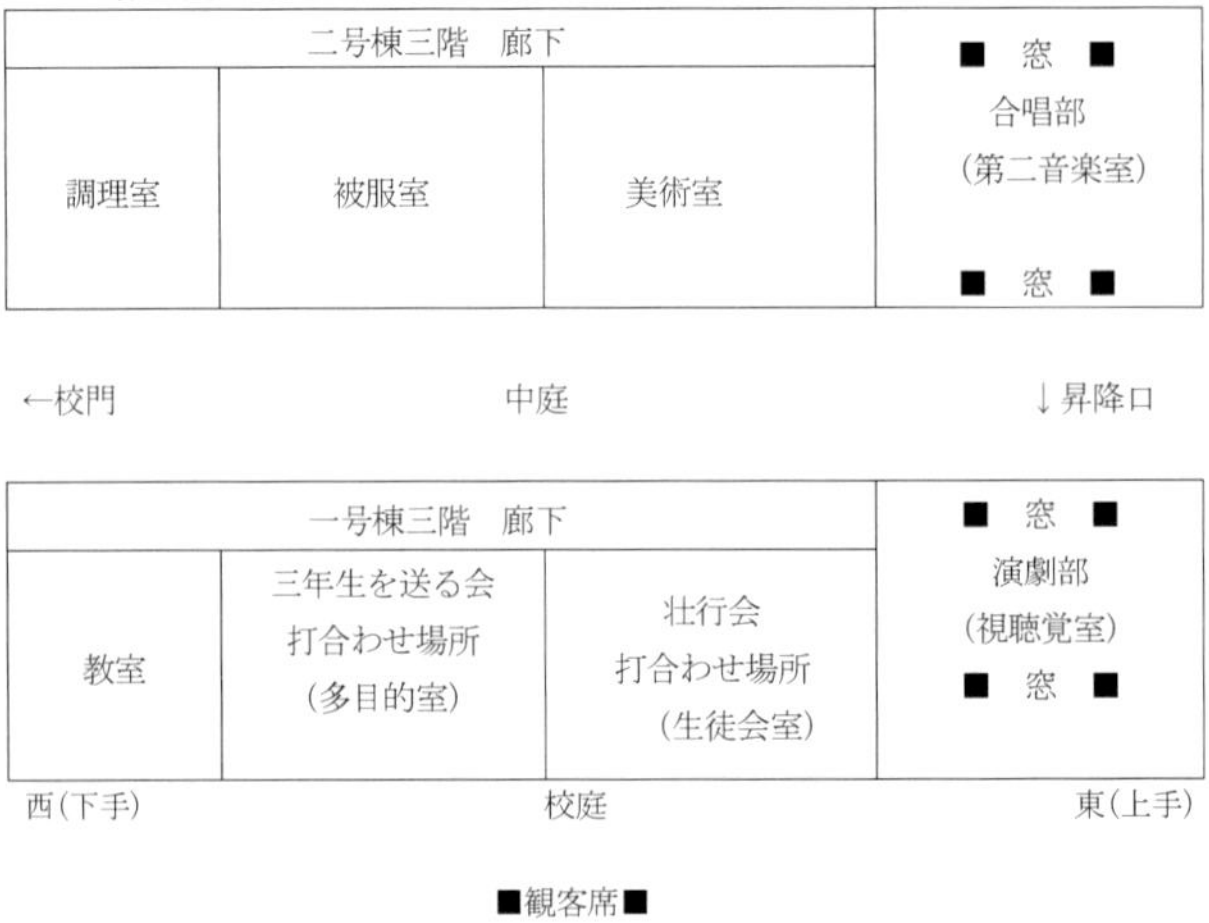

室のドアは下手側一か所のみで、下手側が教室前方、上手側が教室後方である。舞台の前と奥には窓があり、舞台奥の窓から中庭と向かいの二号棟の教室を見ることができる。舞台前の窓から見えるのは校庭である。

旧生徒会が壮行会についての打ち合わせを行っている場所は、一号棟三階にある生徒会室である。下手側隣は多目的室、上手側隣は演劇部部室である。

三年生を送る会実行委員会が行われている場所は、一号棟三階の多目的室である。上手側となりは多目的室である。

合唱部が活動を行っているのは二号棟の一番東側の第二音楽室である。第二音楽室その教室のドアは下手側一か所のみである。下手側が教室前方、上手側が教室後方である。舞台の前と奥には窓があり、舞台前の窓から中庭と向かいの一号棟の教室を見ることができる。舞台奥の窓から見えるのは七つ森である。

演劇部と合唱部の活動場所は中庭をはさんで向かい合っており、互いの活動を見ることができる。

舞台になる教室はすべて特別教室であり、そこで使われているのは長方形の二卓のテーブルと椅子である。二卓のテーブルの置き方を変えることで、教室の違いを表現する。

■プロローグ　２０２０年２月14日㈮
演劇部部室

『悪の帝王のテーマ』が流れ幕が上がると、そこは演劇部部室。

七つ森中学校演劇部がそこで劇の練習をしている。

劇のタイトルは『応援歌』。

『応援歌』は特撮ヒーローを描いた劇である。

特撮ヒーローのグラスホッパー（演じるのは柊裕次郎）と悪の帝王アメンボ星人・レッド（演じるのは諸星段次郎）が対峙している。

グラスホッパーは特撮ヒーローのコスチュームを身につけている。

アメンボ星人・レッドの横には、アメンボ星人のダメダシン（演じるのは石森ジュン）、マンネリン（演じるのは友里安奈）、ボウヨミン（演じるのは早田進）が立っている。

グラスホッパーとアメンボ星人達の戦いが始まる。

グラスホッパーはレッドの攻撃を受けて倒れる。

レッド【諸星】　追い詰めたぞ、グラスホッパー。
グラスホッパー【柊】　戦いはこれからだ。アメンボ星人・レッド。
レッド【諸星】　ははははは。強がりもそれくらいにしておけ。今日２０２０年２月14日は、お前達特撮ヒーローがアイデンティティーを失った日として記録されるだろう。
グラスホッパー【柊】　特撮ヒーローのアイデンティティー？　それはなんだ？
レッド【諸星】　特撮ヒーローが特撮ヒーローであるために、なくてはならないものだ。
グラスホッパー【柊】　友情！　絆！　そして、仲間！
レッド【諸星】　違う！　違う！　違う！　それは仮面だ。英語で言えば、マスク。今日からそのマスクが役に立たなくなるのだ。
グラスホッパー【柊】　そんなこと……
レッド【諸星】　できるはずないとでもいうのか。それではその証拠を見せてやろう。（魔術をかける動きで）アメンボ赤いな
レッド【諸星】・**ダメダシン【ジュン】**・**マンネリン【安奈】**・**ボウヨミン【早田】**　あいうえ・オー！

グラスホッパーが光線を浴びて倒れる。

グラスホッパーが立ち上がるとマスクが消えている（マスクは何らかの形で外した後処理する）。

グラスホッパー【柊】　マスクが……消えた。
レッド【諸星】　ははははは、レッドアメンボ光線のパワーを見たか。お前はもう顔を隠すことができない。
グラスホッパー【柊】　でも、マスクはここに存在する。こうして触ることもできる。
レッド【諸星】　マスクは消えたのではない。見えなくなったのだ。

グラスホッパー【柊】　ありがとう、アメンボ星人。
レッド【諸星】　なんだと。
グラスホッパー【柊】　お前は、俺達特撮ヒーローが正体を隠すためにマスクをしているとでも思っているのか。それは違う！
レッド【諸星】　ならば、何のためにマスクをしている！
グラスホッパー【柊】　インフルエンザの予防だ！
レッド【諸星】　なに！
グラスホッパー【柊】　更に現在はコロナの予防まで加わった。
レッド【諸星】　素顔の特撮ヒーローなど、特撮ヒーローではない。
グラスホッパー【柊】　俺達は、透明なマスクを着け、素顔で戦うＮｅｗ特撮ヒーローになるんだ。
レッド【諸星】　おのれー。

『ヒーローのテーマ』がかかる。

グラスホッパー【柊】　『ヒーローのテーマ』。この曲がかかるのを待っていたぜ。この曲が俺の背中を押してくれる。アメンボ星人、本当の戦いはこれからだ！

再び、グラスホッパーとアメンボ星人達の戦いが始る中で、暗転。

★２０２０年２月14日㈮
多目的室（三年生を送る会・打合せ）

舞台が明るくなると、そこは多目的室。

そこで三年生を送る会の実行委員会が行われている。

実行委員会に参加しているのは生徒会長・影森花音、三年生を送る会実行委員長・石川未希、実行委員の円谷夢乃、千歳加奈、宇多田光一。

全員がマスクをしている。

演劇部部室から『ヒーローのテーマ』が聞こえてくる。

宇多田がその曲を口ずさんでいる。

柊裕次郎と諸星段次郎が、前のシーンで身につけていた衣装を着たまま多目的室に入ってくる。

諸星　ごめーん。
花音　遅い！　実行委員会、もう始まってるよ。
諸星　劇の練習に夢中になっちゃって。
花音　もっと真剣に三年生を送る会のこと考えてよ。で、何、その恰好？
諸星　あー、着替えるともっと遅れちゃうから。
宇多田　演劇部、ずっとこの曲かけてるな。これ、なんて曲？
柊　俺たちは『ヒーローのテーマ』って呼んでる。
宇多田　ヒーローって誰？

柊が『ヒーローのテーマ』に乗って、ヒーローが戦いで使うアクションを演じる。

柊　俺だよ。

諸星　はははは、俺は悪の帝王、アメンボ星人・レッド！

（レッドを反響させる）

宇多田　アメンボ星人・レッド。なんだそれ？

『ヒーローのテーマ』が聞こえなくなる。

柊　会長、ごめん。俺、実行委員会に出られなくなった。

花音　どうして？

柊　結月先輩に、今すぐ生徒会室に来てくれって言われて。

諸星　なんか、びっくりすることらしいぜ。

夢乃　裕次郎、その恰好で行くの？

柊　着替えないでいいって言われたんだ。

花音　裕次郎、マスクは？

柊　あー、後でする。それじゃ。

そう言って、柊が多目的室を出ていく。

花音　段次郎、マスク、マスクして。

諸星　会長、君には俺がつけている透明マスクが見えないようだな。俺が生み出したレッドアメンボ光線のパワーが、この教室まで及んでいるとは。

花音　バカなこと言ってないで、マスク、マスク、マスク。

諸星　私、マスクありません（英語的なイントネーションで）。

花音　それじゃ、（カバンから未使用のマスクを取り出して）このマスク使って。

諸星　わかったよ。すればいいんだろ。

諸星がマスクをする。

夢乃　未希、合唱部、壮行会で歌うことになったんだって？

未希　うん、毎日練習してる。でも、大変。今、一年のマリがインフルエンザで休んでるんだ。これでソロパートがある加奈が休んだらアウトだよ。

加奈　私は大丈夫だよ。

宇多田　未希、オンリーワン男子部員の俺が休んでもアウトだよな。

未希　うーん。

宇多田　えっ、迷うの。それってひどくない。

諸星　合唱部、どこの部の壮行会で歌うんだ？

花音　部じゃなくって、千田千尋さんの壮行会だよ。

諸星　あー、オリンピック日本代表の。

花音　今日はその打合せで、千田さんこの学校に来ることになってる。

夢乃　すごいよね、七つ森中学校の卒業生から東京オリンピックの代表選手が生まれるって。

加奈　ねっ、話それてるよ。明日の三年生を送る会の練習について確認しないと。

花音　その前に、マスクについてはっきりさせようよ。

未希　マスク？
花音　合唱の時、先生はマスク外してもいいって言ってたけど。私は全員マスクをして歌うべきだって思う。
未希　花音、マスクして歌うと、声響かないよね。歌ってる表情もよく見えなくなるし。
花音　でも今大切なのは感染防止じゃない。どんなに歌がうまくても本番がなくなったらアウトだよ。
未希　今日の練習の後、「今年の歌は最高だ」ってマッチー先生言ってくれたよね。あの歌声、三年生に聞かせたいって思わないの。
花音　思うよ。でも、それとマスクは別の話。私は歌うとき絶対マスク外さないよ。
未希　花音、マスク大好きだもんね。
花音　……
未希　このコロナの騒ぎが始まる前も、ずっとマスクしてたよね。
花音　それって悪いこと？
未希　そうじゃないけど。花音のマスク好きに巻き込まれるの嫌だなって。
花音　マスクが好きなわけじゃないよ。ずっとマスクをしてたのは……
未希　ピアノのコンクールのため？
花音　……
未希　すごいレベルなんでしょ。市長から表彰されたって千鶴先輩から聞いたよ。
花音　……
未希　ピアノはいいよね、マスクしても弾けるから。
花音　……
未希　でも、歌は違うんだよ。マスクをしたら歌声は響かない。花音だって、わかるよね。
花音　中止になってもいいの？　三年生を送る会。
夢乃　七つ森市はまだ感染者ゼロだよ。
花音　いつ感染者が出るかわからないじゃない。
夢乃　中止なんて絶対ないよ。

校内放送が入る。

放送（アナウンス）（女性の声で）連絡します。猪野千鶴さん、星結月さん校長室に来てください。猪野千鶴さん星結月さん校長室に来てください。
諸星　（悪の帝王のイメージで）嘆かわしい！　元生徒会長と副会長が、校長室に呼び出されるとは！
花音　壮行会の打合せだよ。
諸星　影森、生徒会長が壮行会の打合せに行かなくっていいのか？
花音　壮行会担当は、旧生徒会。千田さんへの応援メッセージは、元会長の千鶴先輩。
未希　（加奈に）やっぱ、千鶴先輩だよね。

加奈がぐったりしている。

未希　加奈！　どうしたの？　（加奈に触れて）熱あるんじゃない。
夢乃　（加奈の額を触って）熱あるなんてもんじゃないよ。
宇多田　加奈、まさか……まさか……
花音　どうして熱あるのにここにいるの？
加奈　さっきまでは何ともなかったから。急に気持ち悪くなって……
未希　加奈、一緒に保健室いこ（う）。
加奈　うん。（歩こうとして倒れこむ）
未希　加奈。しっかりして。
加奈　未希ちゃん。ごめんね。
未希　そんなこと、どうでもいいから。ほら、行くよ。

未希と加奈が多目的室から出ていく。

諸星　加奈、コロナじゃないよな。
宇多田　もし、コロナだったらやばいな。壮行会で、俺のビューティフルな歌声、聞かせられなくなっちゃう。
花音　それだけじゃすまないよ。明日から休校だよ。
夢乃　三年生を送る会、中止ってこと？
宇多田　そうなったら、俺、加奈のこと恨んじゃいそう。
花音　だから、そんなことが起こらないように、マスク、マスクって言ってるんじゃない。

そこに乃木由香里が現れる。

由香里　光一、すぐ部室に来て。
宇多田　なんで？
由香里　光一、合唱部員だよね。今の状況わかってる？会長、ごめん、ちょっと光一借りるね。（宇多田の手をつかんで）ほら、光一。
宇多田　ヒエー。

由香里と宇多田が多目的室から出ていく。

夢乃　（花音に）もし、加奈がコロナだったらどうなるのかな？
花音　……イノッチだったら、どうするかな。
諸星　イノッチ？　誰だよ、それ。
花音　イノッチは、私のヒーロー。
諸星　ヒーロー？

花音はゆっくりうなずいた後、窓から外を眺める。
花音の目には、イノッチが映っているのだろう。
『ヒーローのテーマ』が演劇部部室から聞こえてくる。

暗転

★2020年2月14日㈮
生徒会室（壮行会打合せ場所）

舞台は生徒会室。

そこで前・生徒会長の猪野千鶴、前・生徒会副会長・星結月、前・生徒会役員・神山さくらが壮行会の打合わせをしている。
全員マスクをしている。
生徒会室の隣の演劇部部室から『ヒーローのテーマ』が流れてくる。
次の千鶴の言葉の中で舞台は明るくなる。

千鶴　「私達は、七つ森中学校から東京オリンピックの日本代表選手が誕生したことを誇りに感じています。千田さん、東京オリンピックでは私達七つ森中学校のヒーローというだけでなく、日本のヒーローとして活躍してください」

千鶴が礼をする。

千鶴　って感じかな。

さくらと結月が拍手をする。

さくら　日本のヒーローって、かっこいいね。
結月　この後、合唱部の歌が入るんだ。
さくら　うん、千田千尋さんへの応援歌。
千鶴　今、必死に練習してる。
結月　千鶴とさくらも歌うのか？
千鶴　歌いたいけど、私達引退しちゃったからね。

結月　で、なんで私達旧生徒会の三年生に壮行会の依頼がきたわけ。
千鶴　今の生徒会は、三年生を送る会で手がいっぱいじゃない。
結月　あー、それは口実だな。校長先生は応援メッセージ、千鶴にやってほしいんだと思う。今の会長の影森じゃなくて。
千鶴　そんなことないよ。
結月　いやいや、そんなことあるよ。大ありだよ。影森と千鶴じゃ、なにからなにまで千鶴が上だよ。
千鶴　結月。ピアノは花音のほうがずっと上だよ。
結月　またまた謙遜して。ピアノだって千鶴のほうが上だろ。三年連続の合唱コンクール伴奏者賞。

さくらが拍手をする。

千鶴　そっか、二人とも花音のピアノ聴いたことないのか。合唱コンクールでピアノ弾かなかったからね。
結月　影森って、そんなにうまいのか。
千鶴　うまいなんてもんじゃないよ、プロ並みだよ。リストとかプロコフィエフ弾いちゃうんだから。
さくら　チーちゃんは弾けないの、そのプロなんとか？
千鶴　無理無理、プロコフィエフってプロのピアニストだってミスタッチするほど難しいんだから。
結月　なんか悔しいな、千鶴よりうまいって。
千鶴　結月が悔しがることないじゃない。

さくら　影森さん、そんなにうまいのに何でピアノ弾かなかったのかな。
結月　お高くとまってるんじゃない。「私、中学の合唱コンクールレベルではピアノ弾けませんの」って。
千鶴　花音はそんな子じゃないよ。
結月　どうしてそう思うわけ？
千鶴　花音と私、ずっと同じピアノ教室に通ってたんだ。もう、憧れたよ、花音のテクニック。
さくら　チーちゃんが憧れたんだ。

そこに演劇部の広田弘美が入ってくる。
弘美は特撮ヒーロー・バタフライの衣装を着ている。

弘美　こんにちは。
千鶴・結月・さくら　こんにちは。
弘美　あー、すいません。結月先輩に衣装のままでいいって言われたんで、こんな恰好で来ちゃいました。
さくら　弘美さん、すっごく似合ってるよ。
弘美　ありがとうございます。
結月　あー、弘美、生徒会長の影森と同じクラスだったよね。
弘美　はい。
結月　影森、なんで合唱コンクールでピアノ弾かなかったの？
弘美　……
結月　なんか気になっちゃって。

弘美　立候補しなかったんです。
結月　なんで？
弘美　久美が立候補したからかな。
結月　でも、久美って子より、影森のほうがうまいんだよね。
弘美　……電子ピアノなのかな。
結月　電子ピアノ？
弘美　教室の歌練習、電子ピアノ使うじゃないですか。それが嫌だったらしいです。
千鶴　そうなの？
弘美　鍵盤が軽すぎて、電子ピアノ弾くとピアノが下手になるって。
結月　さすが、さすがの生徒会長。お高くとまってますね。
千鶴　花音、ほんとにそんなこと言ったの？
弘美　あくまでも噂なんですけど。

そこに柊裕次郎がグラスホッパーの衣装を着たまま入ってくる。

柊　こんにちは。
千鶴・結月・さくら　こんにちは。（弘美は軽く「よっ」という感じで挨拶をする）
柊　弘美、俺達どうしてここに呼ばれたか分かったか？
弘美　あー、まだ聞いてないんだ。それより、裕次郎、マスクは？
柊　あー、忘れちゃった。

千鶴　（マスクを出して）これ使っていいよ。
柊　ありがとうございます。（そう言いながらマスクをつける）
千鶴　ごめんね。びっくりさせようと思って何も伝えなくって。
弘美　びっくりすることってなんですか？
千鶴　千田千尋さん知ってるよね。
弘美　オリンピックの日本代表で、この学校の卒業生ですよね。
千鶴　その千田さん、今、壮行会の打合せに学校に来てるんだ。でね、学校との打合せが終わった後、二人に会いたいって。
弘美　私に?!　なんで私なんですか？（柊は同時に「俺に?!　なんで俺なんですか？」）
千鶴　演劇部の部長と副部長だから。
弘美　千田さんってソフトボール部に入ってたんですよね。
千鶴　うん。
弘美　一年の時からレギュラーで、全国大会に出場したんですよね。
結月　まっ、ソフトボールの日本代表に選ばれるほどの人だからね。
千鶴　でも、二年の時、ソフトボール部やめてるんだよ。
弘美　えっ、そうなんですか。
千鶴　で、その後、別の部に入ったんだけど、その部が……
柊　えっ、まさか……
千鶴　そっ、まさか、まさかの演劇部なんだ。
柊　なんで、演劇部なんかに？
結月　裕次郎、演劇部なんかって何？　私が演劇部員だったこと忘れてない？
柊　……結月先輩、すいません。
弘美　でも、それ本当なんですか？
千鶴　その時の生徒会長に確認したから間違いない。
結月　その生徒会長って、誰だと思う。
弘美　……
結月　さくらの叔父さんなんだ。
弘美・柊　ほんとですか？
さくら　うん。
千鶴　ほら、これ。

千鶴が「別れの言葉」を見せる。

弘美　「別れの言葉」神山勲。
千鶴　今年の「別れの言葉」の参考にさせてもらってるんだ。勲さんの「別れの言葉」、なんかいいんだよ。特に最後のところが。

千鶴が、神山勲の「別れの言葉」を読む。

千鶴　「みなさんは、図書室の奥から二番目の窓から眺める夕日を浴びた富士山が、どんなに美しいか知っていますか。僕は、何年たっても、仲間と眺めた、あの富士山を忘れないでしょう」。

弘美　わー、ロマンチックですね。
柊　弘美、なんか、あの伝説みたいじゃない。
弘美　あー、そういえば。
さくら　なに、その伝説って?
結月　「図書室の奥から二番目の窓から二人で夕日を浴びた富士山を見ると、その二人に恋が芽生える」
さくら　結月ちゃんも知ってるんだ。
結月　演劇部に代々伝わる伝説だからね。演劇部員だったらみんな知ってるよ。
さくら　そうなんだ。実は、勲叔父さんも演劇部に入っていたんだ。
弘美　演劇部に。
さくら　うん。千田さんと同じ代だよ。生徒会選挙の応援演説、千田さんがやってくれたんだって。
弘美　千田さんと勲さん、仲良しだったんですね。
柊　(弘美に)千田さんって演劇部でどんな役やってたのかな?
さくら　悪と戦うヒーローだよ。
柊　ヒーロー!
弘美　千田さんって、劇の世界でもヒーローだったんですね。
千鶴　弘美さんもヒーローだけどね。
弘美　千鶴先輩、何わけわからないこと言ってるんですか。
千鶴　弘美さん、劇でヒーロー役やってたよね。あっ、裕次郎君も。
柊　俺達の劇、観てくれたんですか。

結月　あー、私が誘ったら、生徒会で観に来てくれて。
さくら　『応援歌』、面白かったよ。
千鶴　東日本大会出場、おめでとう。
弘美・柊　ありがとうございます。

ここで演劇部部室から『ヒーローのテーマ』が流れてくる。

千鶴　これって、ラストシーンでかかってた曲だね。
弘美　すごいですね、千鶴先輩の記憶力。
千鶴　悪の帝王に倒された二人が、この曲の力で立ち上がるところ感動しちゃった。
さくら　ねっ、あのシーンやってよ。
弘美　今ですか?
さくら　(うなずいて)お願い。
結月　ヒーローが二人ともそろってるんだから、リクエストに応えたら。ほら、『ヒーローのテーマ』かかってるし。

柊が突然、『ヒーローのテーマ』に乗って、ヒーローが戦いで使うアクションを演じる。

柊　弘美、やるぞ。
弘美　えっ、やるの?!
柊　【グラスホッパー】(グラスホッパーを演じて)本当のヒーローは、バタフライ、君だ。

弘美　……

結月　ほら、弘美、やるよ。

結月はそう言って、弘美の手を取って、柊の隣まで連れていく。

弘美【バタフライ】　（突然、柊に向かって）私はヒーローなんかじゃない。

みんな、最初それが演技だとわからず、一瞬静まり返る。

千鶴　弘美さん、それって演技だよね。

弘美　もちろん、そうです。

さくら　（拍手をして）続き、続き。

弘美【バタフライ】　（『ヒーローのテーマ』に耳を傾けて、立ち上がりながら）……なに、なに、この響き、私の魂を揺さぶるこの響き。応援してくれるの？　こんな弱い私を応援してくれるの？　そうね、そうだわ。まだ終わってない、まだ終わってなんかいない。

柊【グラスホッパー】（立ち上がりながら）驚いたな。まだ、立ち上がる力が残ってたなんて。

弘美【バタフライ】　この曲のおかげね。この曲は、私達への応援歌ね。

二人が戦いを始めるポーズをとって静止する。

千鶴とさくらが拍手をする。

弘美　（『ヒーローのテーマ』のテーマを聴いて）この曲、応援歌にならないですよね。

さくら　なんで？

弘美　応援歌っていうからには歌じゃないと。

結月　なるほど、弘美、深いね、

弘美　さっきの台詞、オリジナルでは「この曲のおかげね」じゃなくて、「この歌のおかげね」なんですよ。でも、ここ裕次郎が作者に断らずに勝手に変えちゃって。

柊　いい応援歌が見つからなかったんだから、仕方ないじゃん。

弘美　この台詞だと、感情移入できないんだよね。

千鶴　弘美さんは、どうしたいの？

弘美　できれば、心から立ち上がりたくなる応援歌を見つけたいんです。

放送（アナウンス）　（女性の声で）連絡します。猪野千鶴さん、星結月さん校長室に来てください。猪野千鶴さん星結月さん校長室に来てください。

結月　きっと壮行会のことだね。

千鶴　ごめん、ちょっと校長室に行ってくるね。

千鶴と結月が教室から出ていく。

『ヒーローのテーマ』が響く。
柊が、再度ヒーローが戦いで使うアクションを演じる。

柊　神山先輩。
さくら　なに？
柊　神山先輩の好きなヒーローって誰ですか？
さくら　えっ？　ヒーロー？
柊　俺は、誰がなんと言ってもウルトラマンですけど。
弘美　裕次郎、先輩に変な質問するのやめなよ。

『ヒーローのテーマ』が響く。

さくら　チーちゃんかな。
柊　えっ、好きなヒーローが猪野先輩？
弘美　なんで千鶴先輩なんですか？
さくら　うん。さくら、チーちゃんに何度も助けられたから。前のクラスでいじめられた時も、チーちゃんが助けてくれた。
柊　猪野先輩、神山先輩のために戦ったんですか？
さくら　戦ったって、ちょっと違うな。
弘美　どうやってさくら先輩のこと助けたんですか。
さくら　マッチー先生に相談してくれた。
柊　えっ、先生に言いつけたんですか？
弘美　先生が入ると、いじめってひどくなりますよね。
柊　なるなる。
さくら　さくらの場合は、その日のうちにいじめなくなったよ。
柊　（弘美に）あー、それドラマじゃつまらないな。先生が入ってすぐ解決するなんて。ヒーローは、助けを呼ぶ人が「もうだめだ、おしまいだ」っていう、ぎりぎりのところで現れないと。
さくら　でも、ヒーローがちょっと遅れて来たら、助けを求めた人死んじゃうんだよね。
柊　神山先輩。ヒーローは遅れないんです。
弘美　裕次郎、この前のリハで遅れたよね。
柊　あー。
さくら　遅れたんだ。
弘美　裕次郎が私を敵の殺人光線から守るシーンあるじゃないですか。
さくら　うん。
弘美　裕次郎、私の目の前でこけて、倒れちゃったんです。私、思いっきり殺人光線浴びちゃいました。
さくら　チーちゃんは、いつもすぐ助けに来てくれるよ。そして、守ってくれるよ。

千鶴と結月が戻ってくる。

千鶴　さくら、私がどうかした？
さくら　えっ……
弘美　さくら先輩のヒーローって千鶴先輩なんだそうです。
千鶴　私がヒーロー？　（笑って）私はヒーローなんかじゃないよ。あっ、千田さん、生徒会の先生との打合せが終わったら、ここに来るって。
弘美　なんか、ドキドキします。

その時、合唱部員の石川未希、乃木由香里、野々村理沙、宇多田光一が生徒会室に入ってくる。

未希　千鶴先輩。
千鶴　未希、どうしたの？
未希　加奈が、すっごい熱で……たった今帰っちゃったんです。
千鶴　えっ……
未希　どうしたらいいかわからなくなって。
千鶴　……大丈夫、みんなならできるよ。
理沙　でも、加奈先輩、ソロ担当なんですよ。
千鶴　ソロは未希がやる。
未希　そしたら、ピアノ伴奏がいなくなります。
千鶴　大丈夫。
未希　……
千鶴　ピアノ伴奏は私がやる。
未希　千鶴先輩が?!
千鶴　今日から練習する。
未希　でも、千鶴先輩、受験前ですよね。
千鶴　そんなこと心配しなくていいよ。勉強もちゃんとするから。
合唱部員　……
千鶴　大丈夫。みんなならできる。
由香里　でも……もし、加奈がコロナだったら。
千鶴　……もしそうだったら、やることは一つしかないよ。
由香里　一つ？
千鶴　（うなずく）考えてみて。もし、加奈がコロナだったら、明日から学校は休校、千田さんの壮行会も中止か延期。三年生を送る会だって中止になるかもしれないよね。
由香里　そんなことになったら、加奈……
千鶴　だから、やること、一つしかないんじゃない。
合唱部員　……
千鶴　加奈を守る。
合唱部員　！
千鶴　どんなことがあっても、加奈を守る。
合唱部員　はい！

演劇部部室から再び『ヒーローのテーマ』が聞こえてくる。

さくら　（弘美と柊に）やっぱりチーちゃんはヒーローだよ。
千鶴　えっ？
さくら　（千鶴に）チーちゃんはヒーローだよ。

『ヒーローのテーマ』が響く。
暗転

★2020年2月21日㈮
演劇部部室

舞台が明るくなると、そこは演劇部部室。
演劇部員(広田弘美、柊裕次郎、諸星段次郎、石森ジュン、友里安奈、早田進)が三年生を送る会で演じる劇の練習をしている。円谷夢乃はそれを手持ちのビデオカメラで撮影している。
全員マスクをしている。
三年生の星結月がそれを見学している。
『ヒーローのテーマ』とクロスして『悪の帝王のテーマ』が流れてくる。
特撮ヒーロー・バタフライとアメンボ星人・レッドが対峙している。レッドの隣にはアメンボ星人・ダメダシン、マンネリン、ボウヨミンが立っている。

レッド【諸星】 ついに、この言葉を君に贈る時が来たようだ。さようなら、バタフライ。
バタフライ【弘美】 私はお前を倒す。
レッド【諸星】 ははははは、ヒーロー気取りもそのくらいにしろ。お前はただの虫けらだ。虫けらには虫けらにふさわしい死を与えよう。(魔術をかける動きで)柿の木栗の木
4人【諸星、ジュン、安奈、早田】 かきくけ・コー!

バタフライが光線を浴びて、倒れる。

夢乃 ストップ!
諸星 なんで止めるんだよ。いいとこ(ろ)なのに。
夢乃 ごめん、バッテリー切れて、録画できなくなっちゃった。
諸星 俺のアメンボ光線のパワーでか?
放送(アナウンス) (男性の声で)連絡します。猪野千鶴さん、大至急職員室に来てください。猪野千鶴さん、大至急職員室に来てください。
夢乃 私も職員室行ってくる。充電器借りに。みんな、この後のところ練習しといて。
演劇部員 はい。

夢乃が演劇部部室を出ていく。

弘美 それじゃ、続きやるね。

弘美が合図すると『悪の帝王のテーマ』がかかる。
バタフライが苦しむ。

レッド【諸星】 どうだ、アメンボ光線を浴びた気分は。さあ、とどめだ! わいわいわっしょい
3人【ジュン、安奈、早田】 わゐうゑ・ヲー!

そこにグラスホッパーが現れ、バタフライの代わりにアメンボ光線を浴びる。

グラスホッパー【柊】 うっ……

バタフライ【弘美】 グラスホッパー！

グラスホッパーが倒れる。

レッド【諸星】 ははははは、きっと来ると思ったよ、グラスホッパー。バタフライが絶体絶命の時、お前は必ず助けに来る。しかし、それがお前の最大の弱点だ。さて、立ち上がれるかな、今のお前に。

グラスホッパーが立ち上がろうとして、再び倒れる。

レッド【諸星】 ははははは、ついに、グラスホッパーを倒したぞ。

グラスホッパー【柊】 （バタフライに）俺はヒーロー失格だ。

バタフライ【弘美】 あなたは強いからヒーローなんじゃない。あなたの優しさが、あなたをヒーローにしているの。

グラスホッパー【柊】 それなら、本当のヒーローは、バタフライ、君だ！

バタフライ【弘美】 私はヒーローなんかじゃない！

ここで『ちょうちょ』がかかる。

バタフライ【弘美】 ……なに、なに、この響き、私の魂を揺さぶるこの響き。応援してくれるの？ こんな弱い私を応援してくれるの？ そうね、そうだわ。まだ終わってない、まだ終わってなんかいない。

バタフライが立ち上がる。

続いて、グラスホッパーが立ち上がる。

グラスホッパー【柊】 驚いたな。まだ、立ち上がる力が残ってたなんて。

バタフライ【弘美】 この歌のおかげね。この歌は、私達への応援歌ね。

二人が決めのポーズで静止する。

結月 （拍手しながら弘美に近づいて）弘美おめでとう。希望かなったじゃない。ラストシーンの音楽変えたいっていう。

弘美 「ちょうちょ」は三年生を送る会限定です。「ちょうちょ」が応援歌じゃヒーロー立ち上がれませんよ。東日本大会までにもっといい歌探します。

結月 今年の三年生、いつも以上に演劇部の発表期待してるよ。

弘美 千田さんがいた部ですからね。

結月　いただけじゃないよ。高校で、もう一度ソフトボールをやる気になったのは、この演劇部で充電できたからだって、壮行会ではっきり言ってくれたじゃない。
柊　千田さんの頃からあったのかな、演劇部伝説。
結月　あー「図書室の奥から二番目の窓から二人で夕日を浴びた富士山を見ると、その二人に恋が芽生える」ってあれね。
諸星　俺、チャレンジしてみようかな。二人で見る夕日の富士山。
安奈　段次郎先輩に夕日の富士山は似合いませんよ。
諸星　だよなー。
弘美　東日本大会、私達の『応援歌』で沸かせたいな。
結月　みんなでなら、その先の全国だって行けるよ。
柊・弘美　全国?!
諸星　あー、なんかやる気がみなぎってきた。

諸星が中庭(舞台奥)の窓を開ける(観客席からは背中を向けることになる)。

結月　段次郎、どうしたの。
諸星　なんか、外に向かって叫びたくなって。
結月　叫べば。
諸星　(窓の外に向かって)俺達の『応援歌』で、つらい思いをしてる誰かを応援するぞ。
演劇部員　オー。
結月　悪の帝王って心の中で、そんなこと思ってたんだ。
諸星　ははははは、ばれちまったか。

演劇部員が笑う。
合唱部が歌っている『いのちの歌』が、諸星が開けた中庭側の窓から聞こえてくる。

♪生きてゆくことの意味　問いかけるそのたびに
胸をよぎる愛しい　人々のあたたかさ♪

弘美　これって、千田さんの壮行会で合唱部が歌った歌だよね。
結月　『いのちの歌』。
弘美　『いのちの歌』……

ジュンと安奈が窓から二号館を見て。

ジュン　ねっ、合唱部、みんな、窓の外に向かって歌ってるよ。
安奈　なんか、いつもより気合入ってるんじゃない。
弘美　(中庭を指差して)あそこ、中庭にいるの千鶴先輩じゃないですか。
結月　(中庭を見て)合唱部、千鶴に向かって歌ってるんだ。
弘美　千鶴先輩、泣いてませんか。
結月　泣いて、手振ってる。何かあったのかな。

夢乃が部室に入ってくる。

夢乃は泣いている。

結月　夢乃、どうした。

夢乃　古関先生の机にファックスが置いてあって、それに……（泣いている）「東日本大会中止のお知らせ」って書いてあって……

演劇部員　！（「中止……」「えっ」といった驚きの声）

夢乃　私達が初めて勝ち取った東日本大会なのに、みんなで勝ち取った東日本大会なのに……

夢乃が泣き崩れる。
結月が夢乃の肩を抱きしめる。

弘美　なんで、なんで中止なの。

弘美が泣き崩れる。
ジュン、安奈、早田が弘美の後に続いて泣き崩れる。

柊　（弘美の横まで歩いていき、そこでひざをつき、床を叩いて）なんで、なんでなんだよ！

諸星　『応援歌』で、応援したかったのに……

演劇部員の泣き声が響く。
まるで、そのバックミュージックのように合唱部が歌う『いのちの歌』が響く。
弘美が窓のほうに歩いていき、歌っている合唱部員を見る。

弘美　『いのちの歌』……

弘美は、合唱部の歌う『いのちの歌』を聴いている。

弘美　（ハッとして）見つかった。ヒーローへの応援歌。

結月　その応援歌って、『いのちの歌』？

弘美　（うなずく）でも、東日本大会は……

結月　東日本大会が中止になっても、きっと何かできる。あきらめちゃだめだよ、弘美はヒーローなんだから。

弘美　私はヒーローなんかじゃない……

結月　それ、その台詞。

弘美　……

結月　探してた歌見つかったんだよね。今、その歌が流れてるんだよね。だったら、その歌に乗せて、ラストの台詞言ってみなよ。

諸星　俺も聴きたい。どんなに倒されても、立ち上がるのが…ヒーローだろ。

弘美がみんなの顔を眺める。
みんなが「聴きたい」という意味で、弘美に向かってうなずく。
弘美がうなずき返し、ゆっくりとひざまずき、演技を始める。

弘美　（バタフライを演じて）……なに、なに、この響き、私の魂を揺さぶるこの響き。応援してくれるの？　こんな弱い私を応援してくれるの？　そうね、そうだわ。まだ終わってない、まだ終わってなんかいない。

弘美が立ち上がる。

続いて、柊が立ち上がる。

柊　（グラスホッパーを演じて）驚いたな。まだ、立ち上がる力が残ってたなんて。
弘美　（バタフライを演じて）この歌のおかげね。この歌は、私達への応援歌ね。

その台詞に心が震えて、演劇部員が更に大きな声で泣く。

みんな、弘美と柊が立っている舞台中央に集まってくる。

先ほどまではばらばらだった泣き声が、一つの大きな塊の泣き声となる。

その泣き声と『いのちの歌』の響きが重なり合う。

暗転

★２０２０年２月21日㈮
合唱部部室

舞台が明るくなると、そこは合唱部部室。

合唱部員（石川未希、乃木由香里、野々村理沙、竹内マリ、宇多田光一）と一緒に千鶴とさくらがいる。

合唱部員はマスクをして『いのちの歌』を歌っている。

伴奏は千鶴が電子ピアノで行っている。

加奈が教室に入ってくる。

未希が歌を止める。

千鶴　加奈、復帰おめでとう。
合唱部員　おめでとう。
加奈　あー、壮行会出たかったな。で、千鶴先輩、どうだったんですか、壮行会。
千鶴　歌の途中で、千田さんの涙が見えたんだ。その瞬間、胸が熱くなっちゃって、もう大変。危うく、伴奏間違えるところだった。
加奈　あー、一緒に歌いたかったなー。
千鶴　三年生を送る会で歌えるじゃない。今度こそ合唱部全員で。
さくら　さくら、絶対泣いちゃうよ。
千鶴　私もハンカチ何枚も用意しておく。
放送（アナウンス）　（男性の声で）連絡します。猪野千鶴さん、大至急職員室に来てください。猪野千鶴さん、大至急職員室に来てください。
千鶴　（笑って）大至急職員室って、私、なんか悪いことしたかな？
さくら　チーちゃん、引っ張りだこだね。

千鶴が合唱部部室を出て行く。

未希　加奈、よかったね、インフルエンザで。あっ、ごめん。インフルエンザでよかったって、ひどい言葉だね。

加奈　でも、ほんとインフルエンザでよかったよ。

由香里　加奈、ＰＴＡ受けたってホント？

未希　由香里、ＰＴＡじゃないよ、ＰＣＲだよ。

由香里　あっ、そっか。

理沙　で、どんな感じなんですか、その検査。

加奈　思い出したくない。陰性ってわかるまで、部屋でずっと泣いてた。

マリ　加奈先輩。ごめんなさい。私が先輩にうつしちゃったってことですよね。

加奈　マリ。もういいよ。

そこに花音が入ってくる。

未希　花音、なにか用？

花音　千鶴先輩に、相談したいことがあって。

未希　放送聞かなかったの？　今、千鶴先輩、職員室に行ってる。

花音　ここで待たせてもらっていい？

未希　いいけど……

さくら　影森さん、ピアノ、プロ並みなんだって？　チーちゃんもかなわないなんてすごいね。

花音　千鶴先輩のほうが上です。壮行会の伴奏聴いてそう思いました。

さくら　本気で言ってるの？

花音　当り前です。私、千鶴先輩のピアノにずっと憧れてました。響きがあったかくて、人の心をグイってつかんで離さなくって。

未希　花音、千鶴先輩にどんな相談。

花音　東京都が、今後、屋内イベントをすべて中止にするって……

みんな　！

未希　三年生を送る会、中止になるってこと……

花音　そうなる可能性があるのかなって……

加奈　そんなの嫌だよ。今度こそ歌えるって思ってたのに。

さくら　加奈、まだ中止って決まったわけじゃないよ。

花音　そのことで、千鶴先輩に相談したいの。

千鶴が戻ってくるが、表情が暗い。

さくら　あれ？　チーちゃん、早かったね。

千鶴　そこで保健の先生に話聞いたから。

さくら　チーちゃん、どうしたの？　なんか変だよ。

千鶴が少しよろめく。

未希　（千鶴のところに駆け寄ろうとして）千鶴先輩。

千鶴　近寄らないで！

未希　えっ？
千鶴　私に近寄っちゃダメ。
未希　千鶴先輩、どうしたんですか？
千鶴　……みんなには隠しちゃいけないよね。
未希　隠す？
千鶴　保健の先生に、誰にも言わないほうがいいって言われたけど……みんなには、ほんとのこと伝えるね。
未希　……
千鶴　私のお父さん、コロナに感染した。
合唱部員　！
さくら　チーちゃんのお父さんって、お医者さんでしょ。
千鶴　（うなずく）ずっとコロナの患者さんの対応してて……すっごく気を付けてたんだけど、感染しちゃったんだね。でも私、お父さんのこと、恥ずかしいって気持ち、全然ないよ。コロナにかかっても、お父さんのこと尊敬してるよ。
未希　千鶴先輩、これからどうなるんですか？
千鶴　すぐにうちに帰るように言われた。私、濃厚接触者ってことで、自宅待機になるんだって。
花音　イノッチ！
千鶴　久しぶりだね、花音からイノッチって呼ばれるの。猪野千鶴でイノッチ。私この響き好きだ。
花音　私、イノッチに相談したいことがあるの。私一人じゃどうにもできなくって。
千鶴　花音、ごめんね。後で電話して。その時話そ（う）。
花音　……

千鶴　みんな、ごめんね。
未希　千鶴先輩、謝らないでください。
さくら　そうだよ、謝っちゃだめだよ。
千鶴　……みんな……ありがと（う）。
さくら　チーちゃん……（未希は「千鶴先輩……」）
千鶴　それじゃ、私、帰るね。

千鶴が教室を出ていく。
合唱部員が、ドアのところまで千鶴を追いかけて。

合唱部員　千鶴先輩！（さくらは「チーちゃん！」）

合唱部員達は千鶴が帰っていく廊下を眺めている。

宇多田　もし千鶴先輩が、コロナだったら。
由香里　コロナじゃないよ。
宇多田　でも、もし……
さくら　もしそうだったら、やることは一つしかないよ。
合唱部員　……
さくら　チーちゃんを守る。
合唱部員　！
さくら　チーちゃんは、さくらが助けを呼べば、すぐ来てくれた。ずっとさくらのこと守ってくれた。だから、今度はさくらが……
未希　私も守ります。……後輩の私に千鶴先輩を守るなんてできないかもしれないけど、でも、守ります。そして、応援します。

合唱部員達がそれぞれの思いを言う。
千鶴が昇降口から中庭に出てくる。

さくら　（窓から中庭を指さして）あそこ、チーちゃん、歩いてる。（合唱部員に）ねっ、ここからみんなで歌お（う）。『いのちの歌』でチーちゃん、応援しよ（う）。

合唱部員　はい！

未希　伴奏は私がやるね。

花音　待って！

未希　なに？

花音　伴奏、私にやらせて。

未希　部外者がよけいなことしないで。

花音　私、未希に歌ってほしいの。

未希　……

花音　イノッチのために、合唱部全員で歌ってほしいの。

さくら　影森さん、合唱部のピアノって、電子ピアノだよ。

花音　（えっ……）それがどうかしましたか……

さくら　……

花音　この楽譜通りに弾けばいいなら初見で弾ける。テンポは壮行会と同じでいいでしょ？

未希　……

花音　イノッチのために、私に弾かせてよ。

未希　……わかった、お願い。

花音　（ニコッと笑ってうなずく）

さくら　（中庭にいる千鶴に向かって）チーちゃん。

未希　千鶴先輩。ここからなら感染とか関係ありませんよね。だから聴いてください。私達からの千鶴先輩への応援歌。

さくら　チーちゃん、手振ってる。

未希　さあ、みんな、歌うよ『イノッチの歌』。あっ……

さくら　未希。それ、間違いじゃないよ。『いのちの歌』は『イノッチの歌』だよ。そうでしょ、影森さん。

花音　……はい。

花音が『いのちの歌』の伴奏を弾き始める。
これは前の演劇部のシーンで、ヒーローへの応援歌となった『いのちの歌』でもある。
ピアノ伴奏の途中で演劇部部室から声が聞こえてくる。

諸星（声）　俺達の『応援歌』で、つらい思いをしてる誰かを応援するぞ。

演劇部員（声）　オー。

合唱部が『いのちの歌』を歌い始める。
その歌の響きの中で、暗転。
『いのちの歌』の合唱は、『いのちの歌』のメロディーラインを弾いていくバックミュージックに変わる（演奏は花音が担当する）。

■エピローグ

舞台が明るくなるとそこは教室。

登場人物全員が、その教室にいる。

花音が弾く『いのちの歌』のメロディーをバックに、登場人物それぞれの思いが語られていく。

千鶴　結局、私はコロナに感染していなかった。七つ森中学校も休校にはならなかった。しかし、3月になって、全国の学校が休校となった。
未希　三年生を送る会は、なくなってしまった。成功させようと、あれほど熱く意見を戦わせたのに。
宇多田　俺のビューティフルな歌声が、体育館に響き渡るはずだったのに。
未希　三年生を送る会は、なくなってしまった。
千鶴　そんな中、卒業式は縮小して開催された。
マリ　残念ながら一・二年生は卒業式に参加できなかった。
理沙　私達合唱部員は、卒業式の前に、千鶴先輩の「別れの言葉」を読ませてもらった。
加奈　そこには、三年間で一番の思い出が書かれていた。
千鶴　「私の一番の思い出は、中庭で聴いた合唱部が歌ってくれた『いのちの歌』です」
由香里　私はそれを読んで、嬉しくて泣いてしまった。
結月　そして千鶴は、こんな言葉で「別れの言葉」を締めくくった。
千鶴　「もし誰かが感染した時、七つ森中学校がその人に優しい学校であることを心から願っています」
弘美　7月、私達演劇部は、『応援歌』を、自主公演という形で上演した。
夢乃　観客は関係者だけの、小さな発表会だった。
早田　僕たちは、生徒会と合唱部も招待することにした。
ジュン　千田千尋さんも演劇部の先輩として客席にいた。
さくら　東京オリンピックは延期となった。
未希　けど、千田さんはオリンピックを諦めていなかった。
柊　やっぱり、千田さんは本当のヒーローだ。
加奈　千田さんの隣には、さくら先輩の叔父さんの神山勲さんが座っていた。
安奈　二人はとっても楽しそうに話をしていた。
結月　「図書室の奥から二番目の窓から二人で夕日を浴びた富士山を見ると、その二人に恋が芽生える」
諸星　代々伝わる演劇部伝説の始まり。それは、千田千尋と神山勲なのではないか。俺はそうにらんでいる。
夢乃　東日本大会はなくなってしまった。
柊　でも俺達は、そこで終わったりはしなかった。
弘美　『応援歌』の幕が下りた時、会場は、拍手とすすり泣きで包まれた。
さくら　千田さんも、勲叔父さんも泣いていた。
未希　私達はそんな二人に歌をプレゼントすることにした。
結月　演劇部、合唱部、そして生徒会による合同合唱団が急遽結成された。
千鶴　そこで歌われた歌は、もちろん
全員　『いのちの歌』。

『いのちの歌』のピアノ伴奏が聞こえてくる。

千鶴　あの日、私を応援してくれた『いのちの歌』。私は、「ありがとう」という思いを胸に、この応援歌を歌い始める。二人のため、そして私達自身のために。

千鶴が「いのちの歌」を歌い始める。
それに登場人物が、一人また一人と加わっていく。

♪生きてゆくことの意味　問いかけるそのたびに
胸をよぎる愛しい　人々のあたたかさ
この星の片隅で　めぐり会えた奇跡は
どんな宝石よりも　たいせつな宝物
泣きたい日もある　絶望に嘆く日も
そんな時そばにいて　寄り添うあなたの影
二人で歌えば　懐かしくよみがえる
ふるさとの夕焼けの　優しいあのぬくもり

本当にだいじなものは　隠れて見えない
ささやかすぎる日々の中に
　かけがえない喜びがある…♪

ピアノは間奏を弾く。
弘美と柊が舞台に登場して、舞台中央で倒れる。

弘美【バタフライ】　（立ち上がりながら）そうね、そうだわ。まだ終わってない、まだ終わってなんかいない。
柊【グラスホッパー】　（立ち上がりながら）驚いたな。まだ、立ち上がる力が残ってたなんて。
弘美【バタフライ】　この歌のおかげね。この歌は、私達への応援歌ね。

♪いつかは誰でも　この星にさよならを
する時が来るけれど　命は継がれてゆく
生まれてきたこと　育ててもらえたこと
出会ったこと　笑ったこと
そのすべてにありがとう
　この命にありがとう♪

幕

応援歌（ノーマスク・バージョン）

「応援歌」は当初、マスクをしないで上演するノーマスク・バージョンで構想していた。
感染が収まった際は、ノーマスク・バージョンでの上演が可能である。その場合、多目的室の場面の一部を、次のように変える必要がある。

◆◆◆

花音　段次郎、マスク、マスクして。

諸星　会長、君には俺がつけている透明マスクが見えないようだな。俺が生み出したレッドアメンボ光線のパワーが、この教室まで及んでいるとは。（観客を見て）きっと、この世界を見ている観客の目にも、ここにいるみんなのマスクが見えなくなっていることだろう。

花音　観客ってどこにいるの？

諸星　（観客を手で指し示して）ほら、こうして私達の目の前に座っているじゃないか。

花音　バカなこと言ってないで、マスク、マスク。

諸星　私、マスクありません（英語的なイントネーションで）。

花音　それじゃ、（カバンから未使用のマスクを取り出して……パントマイム）このマスク使って。

諸星　わかったよ。すればいいんだろ（マスクをつける……パントマイム）。

登場人物全員がマスクをしているが、それがオープニングのアメンボ光線の影響で観客には見えないという設定である。

これ以降、虚構と現実が舞台上に共存する形で劇は進行していく。

「いのちの歌」作詞：Miyabi　作曲：松村崇継

日本音楽著作権協会（出）許諾第２１０５３３９－１０１号

僕らと未来と演劇と

原案・佐藤 翔／作・あいおか太郎

登場人物

市井《いちい》 和《ヤマト》　演劇部部長代行。姉のどか、妹なごみ。兄弟姉妹、漢字は全部「和」。

仁藤《にとう》聖議《セイギ》　市井と同学年。熱い。……パソコンも。

山東《さんとう》順之祐《ジュンノスケ》　市井と仁藤の一学年下。妹が人気地下アイドル。秘密だ。

大沢《おおさわ》智輝《トモキ》　初代部長。（役者が足りない場合は、市井役と同じ人がやっても良い）

南波《なんば》零《レイ》　現部長。ナンバさん。作中には登場しない。

浅野中学・高等学校、2020年９月27日、令和２年度 神奈川県高等学校総合文化祭、
第57回横浜市高等学校演劇発表会　Ａブロック会場、初演。

一場　ビデオテープ・①

M①「スマイル」　ホフディラン（1996年7月発売）

Q①「ホリゾントに緑、中央単サス」が緞帳の中で既に点いている。本当は上手からのSSが欲しい。暗転は極力しない。カメラで撮る発表会の場合、暗転はピントがボケるし、そもそも暗転はお客さんの集中を切るから。話が「少し飛ぶ」とき以外、暗転は避ける。時間経過だけでは、暗転しない。

緞帳、開き始める。

センターにひとり、若い男が立っているのが見えたら、ゆっくり、Q②「ホリゾントに緑、中央単サス」に加え、「顔に、正面客席上部からフォローの明かり」。

M①、フェードアウトしていく。

大沢智輝　そろそろ？　え、もう撮ってるの？……ッ、……いや、いい、舞台は一発勝負。そう決めてたから。こんばんは。演劇部初代部長のおおさわともきです。今日は平成7年1月23日夜の……23時3分。さっき、部員23人で校長室に、部活動結成届を出してきました。……え？ああ、校長先生の顔、固まってたね。まだドキドキしてます。……でも、きっと、これからもっとワクワクすることが始まるんだと思います。後輩のみんなは、芝居楽しんでいますか。君たちが10年後か、25年後か、何年後の誰か、僕たちには分からないけれど、君たちの演劇部が君たちにとってかけがえのない場所になっていることを願っています。ところで僕たちは最初に「演劇部の、二つの約束」を決めました、それは……、

M②「スマイル」　森七菜（2020年発売。これで、時間の経過を表す）

Q③「中央単サス」、セリフきっかけで消え、「ホリゾントに緑だけの明かり」になる。

二場　リモート部活・起

四角い枠が3つ。初演では金属のフレーム（※）を使用。

※パイプスタンド・イレクタージョイント・イレクターパイプ。大きさは、各々、たたみ1畳ほど。

舞台上に1人、次々に人が入ってくる。計3人。市井はビデオテープを手に取る。

枠の中で、台本を持ち、芝居をしている3人。上手から市井やまと、山東順之祐、仁藤せいぎ。

Q④「ホリゾントは青、正面から生っぽい明かり」

M②、フェードアウト。

順之祐　市井先輩、じゃあ、そろそろ、

市井　それじゃあ……、令和2年度秋の発表会は仁藤聖議君が持ってきた小説を脚色するってことで決定。

順之祐　異議なーし。

仁藤　長かったーー。

市井　聖議はさっそく、台本のプロットを固めてきてください。
順之祐　おめでとうございます、仁藤先輩。
仁藤　ってか、なんか俺のパソコン、メチャクチャ熱いんだけど。
順之祐　古いからじゃないですかね、先輩のパソコン、時々、固まってましたし。
市井　俺のは熱くないぞ。
仁藤　固まってた？　いつ？
順之祐　主人公が拳銃を、扱《あつか》っている説明のとき。
仁藤　……ッそれ1回目の部活じゃんよー、ちょ、マジむかつくわー。
市井　なんか「白目」を剥いたところでね、
順之祐　固まってましたね。
仁藤　言えよ、その時。
順之祐　でも、先輩メチャクチャ熱かったから。
市井　声は普通に聞こえてたし、な。
仁藤　バカじゃん、俺、こういう（白目）顔で、夢がどうの、愛がどうのって。
順之祐　バカ、ではないですよ、ね、市井先輩。
市井　ん、1周回って笑えたし。
順之祐　それバカにしてるんじゃ……。
仁藤　いいわ、もう……、いいッ。今度固まってたら、教えて。
順之祐　分かりま……。
市井　！　おい、いま、固まってね？
順之祐　市井先輩に……あきれてるんだと思いますが。
仁藤　市井のそういう感じ、あきらめてるから、いいッ。
順之祐　怒ってないんですか？
市井　ああ、あと、あれ、Meet（グーグル・ミート）で見ると聖議って、あれに似てね？
仁藤　ええ？……なに？　だれ、役者？
市井　じゃなくて……んと。やば。ここまで出るんだけど。
仁藤　誰かに似てるって言われたことなんてないぞ、俺。
順之祐　スポーツ選手ですか、
市井　いや、
順之祐　政治家、タレント……、歌手、もてるバンドマン、金遣いが荒いホスト、博打にハマってる芸人、
仁藤　後半、結婚すると女子が苦労しそうなメンツになってる気がするんだが。
市井　そっち方面じゃなくて、そういえばKing Gnu（キングヌー）の曲にさ「白目」ってあったな。
仁藤　「白日」な。
順之祐　代表作とか分かりませんか？　ＣＭとかあれば……。
市井　ＣＭってあんまり見ないんだよな、俺。
仁藤　歌ってたろ、今日。オロナミンＣのＣＭ。
市井　歌ってた？　いつ？
仁藤　今日の最初。お前なかなか動画繋がらなくて。市井まだかなーって待ってたら、なんか鼻歌で。
順之祐　スマイル！　声だけ聞こえてましたね。
市井　言ってよー。あれ、聞こえてたの？……ああ、顔が

熱くなってきた。

仁藤　あれ、だれ？

順之祐　かわいいですよね、生徒会長役の女の子。

仁藤　いやいや。……いや、あの子はかわいいけども。歌ってたの、誰？

順之祐　森《もり》七菜《なな》さんですよ。

市井　え、あれ、七つの（菜っぱの）菜って書いたよな、だから、「森なな」って読むンじゃないの？

仁藤　それ人の名前じゃないだろ。聞いたことがあるか、おまえ、同じ文字が３つ続くなまえ。

市井　……らら、ら？

順之祐　れれれ？

仁藤　げ・げ・げ、……って、手塚《てづか》（治虫）と赤塚《あかつか》（不二夫）と水木かッ。じゃなくて、お前のパソコンから聞こえた。お前と歌ってた女の子の声。あれ、だれ？

市井　妹。

順之祐　市井先輩、妹さんがいらしたんですか？

市井　いらしたんですよ。妹、機械強いから繋いでもらってた。

仁藤　のどかさんじゃなく？　妹？　なごみちゃんか？

お前なごみちゃんと仲悪かったんじゃなかったっけ？

市井　１回……３千円なんだよ、イモートに頼むと。

順之祐　リモート部活のたびに？……今日までで１万２千円になりますね。

仁藤　なごみちゃん、上機嫌だったわけか。

市井　俺は歌わなければやっていけないというか。

順之祐　市井先輩、スマイル！……です。

市井　ありがとー。

仁藤　事実は小説より奇なり、ってあれ、ホントなんだな。

順之祐　あの歌いいですよね、あれって何かの主題歌じゃなかったでしたっけ。海賊か何か出てくる人形劇の……。

仁藤　『ひょっこりひょうたん島』かぁ？　歌、全然違うぞ。

順之祐　つらくても負けずに笑顔で、っていう前向きな感じ、似てません？

仁藤　似てません。

市井　去年もみんなで見学に行ったな、元住吉のひとみ座。

……いつ行けるかな……、今度は。

仁藤　いつか行けるよ。俺がどこへでも連れてってやる。

順之祐　仁藤先輩、格好いいッ。

市井　あ。

仁藤　どした？

市井　聖議、あそこで見た人形に似てるんだ～。やっと思い出した。

仁藤　……それは……喜んでいいのか？

順之祐　仁藤先輩、怒ってます？

市井　……ん？

仁藤　……フッー。

順之祐　（焦る）しっかしッ、何とかなるもンですね～、リモートで部活。

市井　あー。最初リモート部活しようぜって言われたときは、ちょっとびっくりしたけどな。

仁藤　ナンバさんの話？

順之祐　突然休校になって、部活も集まれなくなって、あのときはキツかったから……、僕は驚くよりうれしかったです。

仁藤　いい人だよなナンバ部長。

市井　……、くじけない人だし、それに、

順之祐　演劇部、「二つの約束」（ですね）。

市井　ひとつ、「我々演劇部員は、演劇部に　かかわってくれた全ての人の笑顔のために、

全員　努力と工夫を積み重ねる！（七場の最後と同じポーズにすると格好いい）」

仁藤　その象徴みたいな人だからな（ナンバさんは）。

順之祐　それ決めた時、最初の人たちって……。

仁藤　……？

順之祐　どんな気持ちでいたんでしょうね。

仁藤　最初に部活作ったっていう先輩たちのこと？　あれは？　１９９……？

市井　５年。平成７年１月23日。25年前。あれ（約束）ってホントは、

仁藤　生まれてねー。

順之祐　市井先輩はなんか生まれてそうです。

市井　わしは何歳じゃ。……それでさ、あれ（約束）は……。（言おうとするが言わせてもらえない）

仁藤　分かンないけど。めちゃくちゃ前向きだったんじゃね？……なに？

市井　いや、いい。……な、ナンバ部長が戻るまでに、舞台、形にして、びっくりさせちゃおうぜ。

仁藤　前向きじゃんよ、部長代行様。

市井　演劇、命かけてますから。

順之祐　ナンバ部長……、お加減、まだ悪いんですかね。

市井　いい加減、飽きたって言ってたよ、入院生活。

仁藤　この時期、入院は怖いだろうな。お見舞いにも来《く》んなって言われたし。

市井　暇すぎて死にそうってＬＩＮＥ来たし。

仁藤　入院患者に死にそうとは言われたくない。

順之祐　……市井先輩、じゃあ、そろそろ、

市井　……ああ、うん。えと……。ナンバ部長も、いつも言っていたけれども。稽古を本番のように、本番を稽古のように。……頑張っていきまっしょー。こんな状況ですが、僕らは演劇をあきらめない。ありがとうございました。

全員　ありがとうございました。

順之祐　仁藤先輩、僕に見せ場くださいよ、僕、パルクール出来ます。

　画面（フレーム）の中で、順之祐は、脚や腕のストレッチをしている。

市井　（片づけながら）パルクールって、高いトコを飛ぶ奴だろ？　無理無理、見てるだけでヒュンってなる。

順之祐　高いトコ、苦手なんですか？

市井　ああ、死んでも嫌だ。……なあ、聖議、プラン、膨らみそうか？

仁藤　う〜ん。なんかパソコンのバッテリーが膨らんで来てるように見えるんだけど。
市井　見てもらうよう頼んでみようか、妹に♡
仁藤　それは断る。
市井　（とぼけた顔でうなずく）

市井、オンラインの稽古から退室。順之祐が横を向いているのを、仁藤が気に掛ける。

仁藤　どうした？　順之祐？
順之祐　あー、妹です（小声）、聞こえました？　僕に何か届いたみたいで。
仁藤　お前も妹いるの？
順之祐　ええ……まぁ……このことは内密に……内緒にしてほしいんですけど。
仁藤　なんで？
順之祐　えーと、ああ……。
仁藤　ああ、そうかそうかそうか、
順之祐　はぁ、まぁ何というか、
仁藤　あれか、大変だぞ、お前も、
順之祐　はい、ありがとうございます、……えーと？
仁藤　なんかエロイもん注文したんだろ？
順之祐　……え？
仁藤　ああいうのは1回注文すると、次々ＤＭが来るからな、気をつけないと。
順之祐　……！　……いやいやいやいや、変なものなんて注文してないですよ！
仁藤　万が一ヤバい業者来たら、俺に言えよ。ぶん殴ってやるから。
順之祐　違うんですけれどもぉ……、仁藤先輩って……いい人ですね。
仁藤　（変なこと言われたら）固まるから。なに、突然。
順之祐　仁藤先輩が部長代行すればよかったのに。
仁藤　ばーか。そういうのは市井のバカに任せておけばいいんだよ。あいつ変な奴だけど頼りになるし。
順之祐　市井先輩とは長いんでしたっけ。
仁藤　そんなでもないよ、小学……2年生からか、そんなもん。前は良くお互いの家で遊んでたな。
順之祐　10年間っていったらメチャックチャ長いですよッ。
仁藤　うちの部の25年に比べたら、半分もいってないけどな。……ま、困ったら、俺に言えよ。
順之祐　ありがとうございます。
仁藤　順之祐。
順之祐　はい？
仁藤　困ったことが起きた、ノートパソコンのバッテリー、メチャックチャ膨らんできた。
順之祐　ええっー、冷やして冷やして！

三場　ビデオテープ・②

ＰＣを冷やそうとバタバタするふたりの前に、市井、登

場。

明かりがＱ⑤に。この明かりは、Ｑ②と同じ明かり（緑&中央単サス）。

市井と入れ違うように、仁藤と順之祐は去る。

Ｍ③「New York City」Owl city とか。

市井　おはようございます。市井やまと、演劇部部長代行です。コロナで来月から部活中止になるっていう日の前日、俺は部室で古いビデオテープを見つけた。中身は25年前の先輩のメッセージだった。メチャクチャ驚いた。ナンバ部長が26代目の部長だから、それまでの積み重ねがあることは知ってたけどちゃんと悩んで、考えて生きた高校生がいたって事に。俺にも悩みはある。部長の代わりを頑張らなくちゃいけないんだけど、公演……できるのかな。聖議はいい奴だ。でも家族のことは相談できない。妹のことはまぁいい。……でも姉ちゃんは。頭を冷やそうと思って初代部長の真似してこの動画を残しています。どういう事かというと、

順之祐　えっーー！

四場　リモート部活・承・翌日

順之祐が飛び出してくると、即、Ｑ⑥（Ｑ④「ホリゾント青、正面から生っぽい明かり」と同じ）

Ｍ③、フェードアウト。

順之祐　どういうことですか、市井先輩。

市井　耳痛いよ。もう少し小さな声で。

順之祐　すみません……

市井　だから、妹。居るんだって？

順之祐　いや、その、昨日仁藤先輩に口止めし……。（絞りだす）てなかった……妹の方は……。

市井　メチャクチャ怖い？

順之祐　あ（妹のことか）、いえ……、怖くはないです。

市井　いいな。

順之祐　はぁ……、

市井　言ってなかったんだけど、うち、上にひとり、下にひとり、どっちも女でさ……俺、女性はそれほど得意じゃないんだ。あ、姉ちゃんはいま留学中で家にいないんだけれども。

順之祐　はぁ……あの……。（妹のことを口止めしたい）

市井　（ふと）聖議に口止めするなら何を口止めするか、分かるように言わなくちゃダメだよ。

順之祐　なんで？……えッ、仁藤先輩何か言ってました？

市井　何も。順之祐が言ったんじゃん、妹の方「は」口止めしてなかったって。聖議って約束破る事絶対ないからさ。伝わってなかったんじゃない？　分かるように伝えるのが、演劇部でしょ。

順之祐　耳が痛いです。

市井　Insect（インセクト）っていうの？　変な奴だけど、聖議、バカ正直で無邪気な奴だから。

順之祐　Innocent（イノセント）じゃないんですか？
市井　え？
順之祐　Insect（インセクト）は……虫、……昆虫？
市井　言ってなかったんだけど。……俺、英語、それほど得意じゃないんだ。
順之祐　知ってます。
市井　ところで、そこどこ？　背景が昨日の部屋じゃないみたいだけど。
順之祐　マンションの屋上です。部屋に籠ってると、ストレスたまって。そうだ、下、観ます？
市井　やめて、（股間が）ヒュンってなるから（;゜Д゜）、
仁藤　ただいま（濡れた手を擦り合わせながら戻る。１度ＰＣを繋いだ後、手洗いに行っていた）。
順之祐　おはようございます。
仁藤　おはよー（服とかで拭いちゃう）。何が得意じゃないって？
順之祐　え？
仁藤　なんとなく音は聞こえてたから。で？
市井　……英語。聞くのは何とかなるんだけど、単語が分からん。
仁藤　おいおい、のどかさん♥は留学してるんだろ。
市井　姉ちゃんはコミュニケーション能力の怪物だから。お前だって英語の時間に、
順之祐　のどかさんっていうんですか、お姉さん。
仁藤　うん。ウェリントンだっけ。
市井　ああ、ニュージーランド。よく覚えてるなぁ〜。で、英語、
仁藤　まだ帰れないって？
市井　移動できないからね。寮で隔離っていうか、ほぼ謹慎みたいになってるって。
仁藤　家族（＝近親・キンシン）的には心配だよな。
市井　ああ、それは……（一瞬真顔）……でも、テレビ電話みたいなので１日１回は繋いでる。ほら、妹、そういうの強いから。姉ちゃん、人と話していないと死ぬ人だから。
仁藤　コロナ時代の留学生が　死にそうとか言われたくない。
市井　そんで、お前英語の時間にさ、
順之祐　あのぉ仁藤先輩？……昨日はすみませんでした。
仁藤　……！　……なにが？
順之祐　分かりにくい口止めをして……。
仁藤　ななな、なに？
順之祐　くち……。
仁藤　なななッ
順之祐　口止……。
仁藤　んなななあッ、
順之祐　口止め……。
仁藤　ぬのののおッ〜、知らない知らないッ、何のことかッおじさんは何も知らないッ！
市井　ぷっ。
順之祐　ホントですね。
仁藤　な、なんだ？

順之祐　仁藤先輩、妹の話をですね、本当は口止めしたかったんです。
仁藤　え？……えええええっ！　すまんごめん、うわぁぁッ、ホントごめんッ。
順之祐　いえ、こっちこそ、すみません。
市井　聖議は隠し事（カクシゴト）、下手だな。
仁藤　うるさいなぁ、放っておいてくれよ。
市井　もうひとつのカクシゴト（書く仕事）の方は？
仁藤　小説？……あ、脚本？　８割完成ってとこ。
順之祐　速ッ、昨日の今日ですよ。見たいです、共有のドライブに上げてもらえますか？
仁藤　演劇部のドライブに？　どうやるんだ？
市井　妹に教えてもらおうか。
仁藤　金無いからいい。
順之祐　トップ画面のドライブをクリックして、演劇部のフォルダーを開けて、ファイルをアップロードを選んで、次に、
仁藤　ごめん、ごめんごめんッ、日本語で頼む。
順之祐　日本語ですが。
市井　やっぱり妹に、
仁藤　やる、とにかくやってみる、ちょっと待ってろ。

フレームアウト。

順之祐　市井先輩、英語の時間に何かあったんですか。
市井　何が？
順之祐　英語の時間に何とかって、さっき言いかけて……。
市井　ああ、まるで小説なんだけど、聖議がさ、去年の英語の時間に、
仁藤　送った。見てみて。
順之祐　（仁藤に意識を向ける）はーい。
市井　うん……、そんな気はしていた。
仁藤　あ、市井、もう1回、トイレ良い？
市井　また？　大丈夫か？
仁藤　ごめんな（腹を押さえつつ、退室）。
市井　……なぁ、Meetやりながら共有ドライブを見るのってどうやるんだ。
順之祐　簡単ですよ、まず、……。（横を向いている市井に気づく）どうしました？
市井　なごみぃ大丈夫、なんとかするから、ホントに。……お金ないから、もう一銭も、ちょっとホントに待って待って。（退室）
順之祐　なごみ？　あ、妹さんか。……えーと先に見ておこうかな（クリック）。「25年後の僕へ」。

袖の奥から仁藤の声。

仁藤（声）　25年後の僕へ。
順之祐　……（〃ノωノ）……（中二病的な言葉を読み、恥ずかしくなる）、
仁藤（声）　25年後の僕へ。令和2年の僕は、恋をしています。

順之祐　……（〃〃）……。（秘密を知り、恥ずかしい。共感性羞恥）
仁藤（声）　その人は、美人です。メチャクチャ陽キャで、友達が多くて、僕もあんな人になりたい、って思わせるような人です。彼女のことを考えると、誰か人にやさしくしたい、と思えます。自然に笑顔になれます。彼女の名前は、
順之祐　市井、のどか様。」……。（笑）……仁藤せんぱぁい……。（やだ、もぉ）♡
仁藤　（戻ってくる）呼んだ？
順之祐　うわぁぁぁぁぁぁッ、読んでませんッ！
仁藤　読んだら感想聞かせてもらおうと思ったんだけど。読んでないの？
順之祐　呼んでないし、読んでません。……何もッ！
仁藤　（結構時間あったのに）なにもォォ？
順之祐　……さわりだけ読みました。
仁藤　じゃあ、感想聞かせてよ。どうだった？
順之祐　びっ……くりしましたぁー。
仁藤　へぇー。どんなところが？
順之祐　どんな?!
仁藤　うん。
順之祐　書き出しとか……あと、予想しなかった登場人物とか、その、事実は小説よりも奇なりというか……。
仁藤　そこなんだよ、書き出しはホントこだわってさ。1行書くのに、25分くらい考えた。
順之祐　25年後の僕へ。
仁藤　なんて？
順之祐　25分間の苦労が、僕にも伝わってきます。
仁藤　ありがと。……。（きょろきょろ）……市井は？　あいつにまず読ませたかったんだけど、
順之祐　え、いや、それはやめた方が、
仁藤　いや、ごめん、順之祐がダメとかじゃないからな、気を悪くしないでね、
順之祐　そういうことじゃなくて、
仁藤　なんて言うかな、あいつ。
順之祐　びっくりすると思います。
仁藤　やっぱり？　楽しみだな。な。
順之祐　はあ……僕も本当は、怖いもの見たさがあります。
仁藤　あとさ（カチカチ、ＰＣをいじる）ここのところも、こだわってさ、……あ？
順之祐　いま……演劇部のドライブ、見てらっしゃったり……します？……よね。
仁藤　え？……あ、あれ？……え?!
順之祐　仁藤先輩、仁藤センパイッ、仁藤センパぁイッ！
（右のセリフと同時に）
仁藤　違う、違う違う違う、
順之祐　はい、はい、はい、（右のセリフと同時に）
仁藤　ん、そうか、ま、なんというか、
順之祐　とりあえず！、これ、消しましょう。
仁藤　おう、おう、おう、……あ、
順之祐　先輩、それは、コピー（の操作）です。（手紙が）増えちゃった、

仁藤　わかってる、分かってた、知ってた、知っててやった、……消えた。はい、消した。
順之祐　はい、よかった、よかったです、はい。
仁藤　…………。
順之祐　…………。
仁藤　…………。
順之祐　…………。
仁藤　…………。
順之祐　…………。
仁藤　無いよな。
順之祐　え？
仁藤　25年後の僕へ。とか無いよなって思ったべ。
順之祐　え？
仁藤　正直に、いや、正直に。正直に言って。
順之祐　………はい♡
仁藤　違くて。人の気持ちって、変わるじゃん。
順之祐　はい、はいはいはい、
仁藤　で、この気持ちを。持ち続けることの意味っていうか、いや、ひとを好きな気持ちとかじゃなくて、誰かにやさしくしたいと思っていたこの気持ちをずっと持っていたら、一生、なりたい自分でいられるんじゃないかな、という。……わかる？
順之祐　わかります。
仁藤　わかる？
順之祐　素敵です。
仁藤　ありがとう、ありがとう。
順之祐　内緒にしますから、
仁藤　うん、そうしてもらえると……なんかごめんね。熱くなっちゃった……パソコンも。
順之祐　保冷剤で冷やすといいみたいです。
仁藤　保冷剤って、タルトとか買うときについてくる奴？
順之祐　仁藤先輩、スイーツ系男子なんですか？
仁藤　それって肉食系女子とか、総書記系男子の流れ？
順之祐　そっちじゃなくて甘党というかケーキ派とか、そういう感じの、……今総書記っていいました？
仁藤　ごめん、俺、なんとか派って簡単に使いたくない男子なんだよな。
順之祐　え、そうなんですか、はい、すみません、
仁藤　ヤバいな、本格的に熱ッ、保冷剤、やってみるよ。（一瞬ハケ、保冷剤を持って帰ってくる）
順之祐　……。（仁藤を待ってる）……25年……。（仁藤戻る）……それで……台本、の方は……。
仁藤　ああ！、アップするアップする、
順之祐　ッ今度は！　慎重に……。
仁藤　ＯＫＯＫ、……と、……これでどうだ？
順之祐　無事です、よかったー。……。（読み始める）……これが噂の書き出しですね。格好いい。
仁藤　だべ？
順之祐　……（読んでる）……元になった小説もお好きなんですか？
仁藤　ああ、ナンバさんから紹介されてな。ユーチューブでもバズってるんだって。この小説家新人なんだけど、

陰キャをこじらせてる感じにメチャクチャ共感性があるというか。
順之祐　ああ、どこかで体験したような感覚とか、どこかで聞いたことがあるようなエピソード満載ですもんね。
仁藤　おいおい、それじゃ何かのパクリみたいじゃんか。
順之祐　ネットニュースになっちゃいますよね。
市井　（入ってくる）大変だ、ネットのニュースになってる！

五場　ビデオテープ・③

慌てて立ち上がる3人。市井が前に立つ。仁藤と順之祐は後ろで悩んでいる。
明かりがQ⑥からQ⑦に。この明かりは、Q②・⑤と同じ明かり（緑）。
M④「春の物語が始まりそうな、癒しの音楽【リラックスBGM】」　BGMメイカーとか。

市井　演劇部が出来た年。阪神淡路大震災と地下鉄サリン事件があったそうだ。予期せぬ事、というのは、いつも起きる。忘れなくてもやってくる。昨日の夜、部長からのLINEの後、姉ちゃんとスカイプで話した。ちょっと体調が悪いって言ってて。……親がさ、しんどい顔をすると子どもは不安になる。だからなのか、姉ちゃんは平気そうにしていたけど。……部長代行も演劇部の親だ。ここでしんどい顔は出来ない。しちゃいけない。

六場　リモート部活・転

市井が去ると、Q⑧（Q④・⑥「ホリゾント青、正面から生っぽい明かり」と同じ）
M④、フェードアウト。仁藤は後ろ向き。

順之祐　仁藤センパイ、どうです？　似てませんか？（似てませんと言ってほしい）
仁藤　（振り返る）似てる。元の小説と俺たちがやろうとした小説、メチャクチャかぶってる。
順之祐　設定が似るってよくあるじゃないですか、展開が違っかったらぎりぎりセーフなんじゃ、それに、僕たちはこれ、原作にしただけで、元の小説の作者さんに脚色の許可をもらえば……。
仁藤　設定だけじゃなくて、展開もオチも登場人物の名前まで、同じだ。それに、元の小説家の人、許可出さないんで有名な人らしい。
順之祐　ッ……。
市井　ああ、どっかの私立中学が入試問題に使おうと言ってきたの、断ったってウィキペディアに書いてあった。……どうする？　もう1度台本探しから始める？
仁藤　間に合うのかよ。
順之祐　……。

市井　……。
仁藤　……。
順之祐　……。
市井　……！
仁藤　……？
市井　そのままやっちゃおうか。
仁藤　……？？
順之祐　……？
市井　こんな展開、想像できないよ、そのままやっても俺たち悪くないよ。
仁藤　市井、
市井　だって、聖議、これ、一生懸命書いてきたんだろ、順之祐だって聖議の頑張り、知ってるよな?!
仁藤　市井ダメだ。見てるお客さんが集中できなくなる。楽しめない。笑顔のために努力と工夫をするのが演劇部だろ。
順之祐　演劇部、一つの約束！
市井　お客さん、……いないかもしれないじゃん。
仁藤　え？
市井　シアターエルドールとかさ、色々な劇場で新型コロナの騒ぎだろ？　きっと無観客の公演になるよ。公演だって中止になるかもしれない。
順之祐　市井先輩！
仁藤　それでも！　最後までやれることをやろうぜ、先のことは分かンないじゃん。
市井　先のこと？
仁藤　できる未来があるかもしれないし。
市井　かも？　じゃあ、できないかもしれないじゃん。
仁藤　んだよそれッ。
市井　ッ、
順之祐　あの……ッ、いったん休憩しません？　僕のパソコンも熱くなってきた感じで……。
市井　ダメだ、ここは大事なとこだから、悪いけど冷やすとかして続けて、
仁藤　市井ィ、そういうことじゃないだろ、順之祐は、頭を冷やせっ（て言っ）てんだよ、
市井　なんだって？
仁藤　（悲愴）なんかあったのかよ……。
市井　……なにが。
仁藤　焦んなよ、俺たちは「こんな状況でも演劇をあきらめない」んだろ？　な、市井、
市井　……。……姉ちゃん、体調悪いんだ。
仁藤　え……。
市井　それで冷静じゃないかもな、……でも、大会までの残り時間とか、仮に大会がなかった場合にそこまで時間を掛けられるかとか、考えたら、このままやるのが1番合理的じゃないか？　俺は部全体のことを考えて、考えて言ってる。
仁藤　のどかさんっ……、大丈……夫なのか？
市井　関係ないだろ、今は。
順之祐　あ、ほんと、ちょっと時間、取りましょう、こんなの、演劇部じゃないですよ、

市井　お前（＝順之祐）どっち派なんだ。
仁藤　……ッ。
市井　どっちの味方なんだ。

仁藤、立ち上がる。

仁藤　……あたま、冷やしてくる。（退室）
市井　……。（見送った後、突っ伏す）……。

M④「春の物語が始まりそうな、癒しの音楽【リラックスBGM】」BGMメイカーとか。

順之祐　市井先輩。
市井　ごめん、今日の部活、これで終わりな。
順之祐　終わりじゃないですよね、これで。（泣）
市井　……。
順之祐　嫌ですよ、僕。……僕、演劇部好きだし、市井先輩も仁藤先輩も、ナンバ部長も好きだし。嫌いじゃないのに、部活終わりとかなしですよ。（泣）
市井　部活が終わるわけじゃないよ。
順之祐　でも、でも……。（泣）
市井　聖議とは後でもう1度話すから。大丈夫だよ。
順之祐　仁藤先輩と、小学校から一緒なんですよね。（泣）
市井　……ああ。
順之祐　なんとか派って、なんで嫌いなんです？　仁藤先輩。頼りになるっていってましたよ、市井先輩のこと。どうしてお姉さんのこと、関係ないって言ったんです？（泣）
市井　なんとか派が嫌いって言ったの？　あいつが？
順之祐　なんか、そんな感じのことを。（本当は、簡単に使うのが嫌だ、と言った）（泣）
市井　そっか……。姉ちゃんが聖議に関係ないンじゃなくて、それは今、部活の話に関係ないって話で、
順之祐　それ、伝わってなかったと思います。（泣）
市井　だってそれは、
順之祐　「分かるように伝えるのが演劇部だ」って僕の尊敬する先輩が言ってました。（泣）
市井　それ……それ言ったの……わかったよ、悪かった。
順之祐　……（泣）……。
市井　でもあいつが心配する話、ひとつ内緒にしてたんだよ。
順之祐　ナンバ部長の話ですか？
市井　どして？
順之祐　こんなに大変なのに、ナンバ部長に相談しようって言わなかったから。何かあるのかな、って。
市井　お前、すごいな。
順之祐　演劇部員の人間観察力、舐めちゃだめですよ。
市井　さっき、ナンバ部長からＬＩＮＥ来てさ、「退院が伸びた。発表会に行けない。ごめん」って。聖議、ナンバ部長のこと慕ってたから、それ言ったら動揺するな、って思って。

順之祐は思う。市井先輩には仁藤先輩を大切に思う気持ちがあるんだな、と。少し安心する。

順之祐　それいったら、のどかさん？　お姉さんの話も、しちゃマズかったと思います。

市井　なんで？

順之祐　とりあえず、少ししたら必ず仁藤先輩に連絡してくださいね。

市井　……順之祐。

順之祐　はい？

市井　また明日な。……部活で。

順之祐　はい。……あ、先輩、僕の特技、覚えてます？

市井　？

順之祐　……パルクール。（ポーズ）

七場　クライマックス。

2人が去ると、Q⑨。
この明かりはホリがオレンジ＋下手単サス。
下手単サスに向かい、仁藤が歩いていく。ＳＳがあれば、と33ページで言ったのは此処のため。
仁藤、下手単サスに腰を下ろし、膝を抱える。

仁藤　小学校の頃、正義のヒーローになりたいと思っていたことがある。空から街を見下ろして、困ったことがあればどこにでも飛んで行って笑顔を守る。あっという間に問題を解決する。みんなに愛される、正義のヒーロー。……叶ったのは、マンションのちょっと高い自分の部屋から街を見下ろしていることくらいか。ダサいよなぁ、俺……。

順之祐（声）　……せんぱい……にとうせんぱぁい……。（遠くから聞こえる）

仁藤　？

立ち上がって、窓を開ける。すると、Q⑨の明かりに加えて、Q⑩「上手単サスも点く」。

上手明かりの中に、順之祐。

順之祐　仁藤先輩、おはようございます。

仁藤　おまっ、え?!　どこに立ってるんだぁ?!

順之祐　（下から数え、）マンションの15階です。

仁藤　バカ、危ない、今から行くから、ゆっくり、……いや、そこを動くな。

順之祐　おっと。（よろける真似）

仁藤　ひッ。

順之祐　せんぱーい、ソーシャルディスタンスですよ、知らないんですかぁ。

仁藤　離れすぎだろッ、

順之祐　そうですね、じゃあ、近づきます。

順之祐、中央単サス位置へジャンプ。
Q⑪「中央単サスも点く」。
M⑤「Sunburst」Tobu & Itroとか。ハラハラするような曲。

順之祐　よっと。
仁藤　心臓が止《と》まるから、止《や》めろよ。
順之祐　この辺がちょうどいい距離ですかね。……僕も、最後までやれることをやろうと思うんですよ。先のことは分かンないから。
仁藤　え？
順之祐　笑顔のために　努力と工夫をするのが演劇部ですから。
仁藤　何言ってるんだよ？
順之祐　先輩は、いつも僕のヒーローだったって言ってるんです。
仁藤　何言ってるんだよぉ〜。
順之祐　ヒーローが、固まってたらダメじゃないですかぁ、先輩は先輩のパソコンですか。
仁藤　俺はヒーローじゃねぇよ、ヒーローは、……。（正面を向く）そのとき、順之祐がよろけたように見えた。地上45メートル。永遠にも思えた1秒。俺はあの日の思い出を、見た。

Q⑫「順之祐のいる中央単サス消え、上手と下手単サスが残る」。M⑤、少し大きく。
上手単サスに市井、下手単サスに仁藤。

市井　それは小学校の教室、
仁藤　子どもにありがちな、些細《ささい》な諍《いさか》い、
市井　お前はタカちゃん派なのかよ、
仁藤　ノリちゃん派なのかよ、
市井　けんかの仲裁に入っていた聖議は　クラスの全員から詰め寄られた。
仁藤　当時は俺も体も小さい。怖くて、泣きそうだった。そこに、
市井　せいぎぃ〜、遊ぼうぜ。
仁藤　市井が来た、飛んできてくれたように見えた。
市井　周りの奴らが詰め寄る、
仁藤　お前はどっち派なんだよ、
市井　おれ？　おれは、……。（ひらめく）……せいぎの、味方だ。（……にっこり）
仁藤　！

Q⑬「中央単サス点き、Q⑪と同じ明かり」。M⑤、消えていく。

順之祐　……ひゅー。（セーフって、している）
市井　順之祐は無事だった。
仁藤　力が抜けた。力が抜けて、思い出す。キョトンとするクラスメイトの中を、小さな俺の手を引いて歩いてい

くあいつは、俺の中のヒーロー。第1位になった。

市井　聖議。悪かった、演劇部らしくなかった。ちゃんと話をしよう。（正面に向かい、手を差し出す。演劇部一つの約束と同じポーズにすると格好いい）

仁藤　ああ。（手を差し出す）。

八場　リモート部活・結

ベストは暗転、かもしれないが、撮影での発表の場合、暗転直後はピンボケするから、見ている人が嫌だよね。役者が意識して動けば、暗転しなくても、いける！

3人立ち上がり、後ろへ。

Q⑭（Q④・⑥・⑧「ホリゾント青、正面から生っぽい明かり」と同じ）

仁藤　というのが、新しい台本のプロットです。

市井　……なぁ、この、「平台を縦に2枚立てて、その上に平台を乗せ、そこに乗る」って俺が……やるの？

仁藤　昨日はもっと高いトコに上ってたじゃない？

市井　あれは必死だったから。

順之祐　市井先輩も舐めちゃダメだって思いました。

市井　2度とのぼら（nobora）ないからな。

仁藤　でもよかったじゃない、のどか（nodoka）さん、ただの風邪で。

市井　お騒がせして……申し訳ありません（〃ノωノ〃）。

順之祐　よかったですね、仁藤先輩も。……あ。

仁藤　……ッ！

市井　そういえば　なんで聖議に姉ちゃんのハナシしちゃあ、ダメだったんだ？

順之祐、つい口を滑らす。仁藤が市井の姉に片思いしている話は、内緒だった。

順之祐　仁藤先輩、……笑顔！（サムズアップするが、笑っちゃっている）

仁藤　笑顔、じゃねぇよ。

市井　「演劇部にかかわってくれた全ての人の笑顔のために、努力と工夫を積み重ねる！」、演劇部一つの約束って元々二つの約束だった、って知ってた？

仁藤　うそ？

市井　（VHSのテープを取り出す）じゃーん。初代部長の動画を手に入れてました。

順之祐　何が映ってるんです？

市井　それはぁ、

仁藤　おおっ、

市井の画面、フリーズしている。

仁藤　固まった？　おいおい、気になるじゃないか。（電話を持って掛けようとすると、こちらもフリーズ）

順之祐　えっ、こっちも？

順之祐、悪戯っぽく笑い、画面から抜け出してくる。語り掛けるのは、客席へ、あなたへ。

順之祐　これで僕らの物語は終わりですが、でも、きっと、これからもっとワクワクすることが始まる、そう思います。……みなさん、じゃあ、そろそろ……。

市井と仁藤も画面から出て来る。

順之祐　僕らは決して演劇を、
全員　あきらめないッ。

M②、カットイン。緞帳降りていく。
Q⑮、前明かりが消え、ライトカーテンを避ける。

劇終

演劇部、二つの約束

「我々演劇部員は、演劇部にかかわってくれた全ての人の笑顔のために、努力と工夫を積み重ねる！」
「我々演劇部員は、部員やお客さんたちと丁寧に話すことを大切にし、決して演劇をあきらめない！」

ある日の部員の言葉から

令和2年。2月の終わりに停止になった部活動が、ようやく7月最終週に再開となり、とてもうれしかったのですが、突然、8月、夏休み中の部活が全面禁止になりました。
コロナでいろんなものを奪われた？　コロナのせい？
そんなの、僕らは認めない。
そんなの、僕らは言い訳にしない。
演劇は奪われない。青春は奪われない。

演者の間を1メートル取る、絶対に接触しない、誰かに向かって話すときは2メートル、という大会規定を聞いて、部員と先生、みんなで作ったお芝居です。ですので、このお話は創作台本ですが、結構本当です……パルクールとか以外は。

10years～永遠の桜～Ⅱ

仲間 創

登場人物
菜見子
夏実
楓
美雪
駅長
駅長妻
保線員
看護師
老人
夫婦夫
夫婦妻
語り手Ａ～Ｊ

桐光学園中学校演劇部、2020年12月６日、初演。

音響（「花を咲く」吹奏楽バージョン）C・I
同時に、緞帳アップ

語り手たちが、舞台に点在している。

語り手A　私たちの国では、今年大きなお祭りがありました。世界中から人々が集まり、走ること、投げること、泳ぐこと、いろいろな人間の力を競いました。

語り手B　それをまた世界中の人々が観て、自分たちの国の人は当然のこと、全ての競技者を応援しました。そして感動しました。

語り手C　私たちはいったい何に感動したのでしょうか？

語り手D　それは人間が持っている力の偉大さのように思います。人間が持っている限りない力に私たちの心は動かされたのだと思います。

語り手E　私たちは大きな力を持っています、そしてそれを使う知恵ももっています。

語り手F　でも、時として私たちは自分たちが無力であることを思い知ります。今年のお祭りを私たちの国で開くことが決まったのは、今から8年前のことです。更にその2年前、つまり今からちょうど10年前、私たちの国は、地の神、海の神の怒りにふれました。

語り手G　地の神は、大地を大きく揺らし、海の神は大波を私たちの町に向かわせました、その時、私たちは無力でした。地の神、海の神の怒りを私たちは受け止めきれずにいました。多くの人が命を失いました。多くのものが消滅しました。そして多くの人たちが考え、助け合い、再び歩き始めました。

語り手H　それから10年、今、私たちは地の神、海の神の怒りを理解できたのか、まだ答えはみつけられません。ただひとつ確かなことは、私たちはあの日のことを忘れていないということです。

語り手I　私たちは忘れていない。そう信じます。そうでなければいけないのです。

語り手J　季節は10回めぐりました。そして今年もまた、春がめぐってきました。あの年と同じ春です。あの年と同じ春を、私たちは同じ思いで迎えています。そう信じています。

照明ダウン

音響（「花を咲く」吹奏楽バージョン）Ｆ・Ｏ
音響（「潮騒」ＳＥ）クロスでＦ・Ｉ

照明アップ
海辺の駅がある。待合室。
菜見子、夏実がベンチに座っている。
離れて美雪が帽子、サングラス、マスク姿で座っている。
看護師もベンチに座り、本を読んでいる。
駅長が、掃除をしている。

夏実　懐かしいわ。なんか時間が止まっているみたい。
菜見子　まあ、田舎だから、そんなに変化するものもないからね。
夏実　やっぱり、私にはここのペースが合っているのかな。
菜見子　えっ、どうしたの？
夏実　いや、別に。ただ都会のペースは、ちょっと私にはついていけないところがあってね。
菜見子　ふーん。

駅事務室で電話が鳴る。駅長が対応する。
音響（「電話音」Ｃ・Ｉ　＆「潮騒」Ｃ・Ｏ）

菜見子　ところで楓と美雪は？
夏実　楓はたまに東京で会って、ご飯を食べたりしている。今日も必ず来るってこの前逢った時に言っていた。
菜見子　美雪は？
夏実　美雪は……何年か前から連絡がつかなくなって……。
菜見子　やっぱり、私も連絡しているんだけど、スマホを変えたみたいで全く音信不通。

駅長が待合室に現れて、客に話し出す。

駅長　お客様に申し上げます。ただ今、総合指令所より連絡があり、この先の峠付近で、線路に何者かが立ち入ったという情報があり、これより全線で運転を見合わせます。ご迷惑をおかけして申し訳ありません。情報が入りしだい、お知らせいたします。

保線員が登場する。

保線員　駅長、駅長さんはいる？
駅長　はいはい、いますよ。ご苦労様。何があった？
保線員　指令所から連絡があっただろう。
駅長　ああ、人が立ち入ったと連絡があったけど、あんな峠のところになんで人がいるんだ？
保線員　そういうことなんだよ。ともかくこれから現場へ向かうから、新しい情報が入ったら連絡を頼む。
駅長　おお、了解。気をつけてな。熊かもしれないぞ。
保線員　まあ、季節的にはあり得るが、でも人間とは間違えないだろう。
駅長　それも、そうだな。じゃあだれだ？

保線員　だから、それを確認しに行くんだ。連絡頼むぞ。
駅長　ああ。

保線員が退場する。

夏実　駅長さん、長引きそうですか？
駅長　うーん、正確なことはわかりませんが、人間が立ち入っているとすれば、その人の安全が確認できるまでは列車を動かすわけにはいかないですから、ちょっと時間がかかるかもしれません。
夏実　そうかぁ、じゃあ、当分楓と美雪は来れないね。まあ、楓は遅刻癖のせいだから仕方ないけど、美雪は来るのかなぁ。
菜見子　約束だもん、必ず来るよ。私たちのつながりは、上っ面なものじゃないんだから、きっと来るよ。
駅長　約束ですか？
菜見子　私たち、中学を卒業するときに約束したんです。10年後に必ず岬の桜を見に来ようって。もともと毎年、お花見は私たちの恒例行事だったんです。でも高校に行くとそれもできないかなって、じゃあ1年後、いや5年後、いや10年後ならきっとまたお花見ができるって。できるようにしようって、みんな約束したんです。でも、そのあとあの日があって……。
夏実　でも、その約束の日が今年、今日なんです。
駅長　そうだったんですか。そんな約束が……。毎年そんなことをしていたんですね。

若い夫婦が登場する。妻は妊婦のようである。

夫　あの、すみません。次の列車は何時でしょうか？
駅長　はい、予定ではあと40分後ですが、現在、この先で人が線路に立ち入ったという情報があって運転を見合わせています。
夫　いつ動くんですか？　時間がかかるんですか？
駅長　申し訳ありません。今係の者が現場に向かっていますので、その者から連絡を待っている状況です。現状ではいつ運転再開かは見通しが立っていません。
夫　そんな、こっちにも予定があるんだ、見通しくらいわからないのですか？
妻　あなた、やめて。駅長さんに文句言ったって何もならないでしょ。
夫　君こそ、そんなに感情的になるな。体に障るじゃないか。
妻　そう思うなら、検査なんかしないで、名物の桜を見て帰りましょうよ。
夫　その話は決着が着いたことだろう。
妻　一応は承諾したけど、やっぱり私は嫌なの。列車が止まったのもそういうことだと思うの。
夫　何をこじつけているんだよ。偶然だろう。
妻　でも、やっぱり。
夫　どうする？　もし子どもが障害を持って生まれてきたら、私たちは一生その子を面倒見るんだぞ。それに順番からすれば、私たちが先にいなくなる。その子は１人でどうやって生きていくんだ。
妻　わかるわよ、あなたの考えは、でもたとえそうであっても、私たちの子どもなのよ。やっと授かった子なのよ。
夫　それも何度聞いたよ。でも現実的に考えようよ。感情論では片づけられないことがあるだろ。
妻　でも、ひとつの命なの、それを私たちの勝手でどうこうするのはいやなのよ。
夫　だから、もうこのことは話がついたじゃないか。もうやめようよ。
妻　そういっても、私にはどうしても納得できないの。
夫　もう、やめよう。この話はおしまいだ。
妻　じゃあ、わかってくれたのね。
夫　そうじゃない、もう話し合い終わりということだ。
妻　（感情的になって）何で、わかってくれないの。（お腹に触れて）ここに、ここにいるのよ。私の子どもがここにいるの。

静かに本を読んでいた看護師が立ち上がる。

看護師　悪いんですけど、静かにしてもらえませんか。これ以上続くなら、他の場所やってください。
夫　すみません。もう終わりましたから。しばらく、別々に考えよう。
駅長　どうかされましたか？
看護師　いや、もう大丈夫のようです。

看護師は再び本を読みだす。

菜見子　東京はどう？
夏実　どうって……。
菜見子　楽しくやっているの？
夏実　別に、そういうところじゃないから。
菜見子　なんか、困っているの？
夏実　何で？
菜見子　だって、夏実は隠し事すると右のえくぼがふたつになるんだもの。
夏実　なにそれ。
菜見子　なにって、そうなんだもの。
夏実　（ふふっと笑って）久しぶりだわ、笑ったの。
菜見子　だから、何があったの？
夏実　何もない。なにもないのよ。
菜見子　何もないって？
夏実　東京というところは、何もないの。
菜見子　……。
夏実　私の名誉のために言うけど、別に私が東京で友達もできず、１人ぼっちで暗い生活をしているなんてことはないのよ。
菜見子　あなたの名誉は私が守ります。
夏実　あなたに守ってもらう気はないけど、ともかく東京にはいろいろな人が集まってくるの、だから基本他人のことなんかどうでもいいのよ。その点では不要な気遣いもいらないし、その日その日を楽しく生きていくには最適のところなの。現実私も普段の生活では、辛いことや苦しいことは何もなくやっているわ。

菜見子　じゃあ何？

夏実　いや、私が勝手にこだわっているだけなんだけど、必ず出てくるのよ、最初に、あの日のことが。

菜見子　あの日って、あの日？

夏実　そう。仕事でも、遊びでも、初めて会う人とは何か共通の話題を探すでしょ。そうすると必ずあの日のことが話題になるの。

菜見子　確かに、誰もが経験したことだから……。

夏実　話題にして、「それ知らない」ということにはならないじゃない。安心して話題に出来る。その時、そこにいたって言うと、話題が盛り上がってひとしきりその場が和んで、人間関係もうまく出来上がって、そして……。

菜見子　そして？

夏実　最後に「大変だったね」とか「人間って微力だよね」なんてまとめの言葉が語られて、私はとても苦労をした人という位置づけをされるの。

菜見子　どうしてそんな風になるの。

夏実　結局、多くの人は同じ体験はしたけど、でもあの時のこの町の風景を見た人はごく少数だということ。

看護師　日本中の人が経験して、いかにも自分も苦労したと思っていながら、所詮時間が経って自分が元の生活に戻れば他人事なのよ。そして体験談は初対面の人間のコミュニケーションツールにしかならない。オリンピックの話ですら、2年はもたない話題なのに、あのことは10年経っても話題に出来る。こんな便利なことはない。そういうこと。

菜見子　ここには、どうしていらしたのですか？

看護師　特別な理由はないわ、ただ桜を見に来ただけ。

菜見子　ここの桜は、初めてですか？

看護師　いや、昔1度だけ来たことがある。ちょうど10年前。

菜見子　そうですか、もしかしてあの時に？

音響（「トラックの止まる音」ＳＥ）Ｃ・Ｉ

舞台袖から「ありがとうございました。お気をつけて」という楓の元気な声。

楓登場。

楓　（超早口で）おまたせぇ、もう大変だったのよ。途中まで来たらいきなり、列車が止まっちゃって、どうしたのかなと思ったら、車内アナウンスで「人が線路内にはいりました」とか言っちゃってさ、「しばらく停まります」とか言ったまんま、10分、20分、30分って経って、そのうち私さぁ、トイレ行きたくなっちゃって、だからって車掌さんにそれを言ってもなんとかなるものでもなく。もう車内でもじもじしていたのよ。（大笑い、豪快）そうしたらちょうどいい具合に次の駅まで動いたので、そこからは国道に飛び出して、こっちにくるトラックを捕まえて、そうしたらそのドライバーさんがいい人で、いいっていうのは心の問題ね、顔はちょっと私の好みじゃないんだけど、でもここまでの時間、もう大笑いしながらで、あぁ面白かった。あっ、ということで遅くなっちゃった。ごめん。あっトラックに乗る前にトイレは済ませたわ、それ言い忘れちゃった。

菜見子　相変わらずだね。その早口。

夏実　まったく、もう少し落ち着いて話しなよ。

楓　別に早口でも、焦ってもいないわよ。これが当たり前でしょう。夏実だって、東京で仕事していて同じでしょ。

夏実　なにが？

楓　だから、ペースよ。時間のペース。のろのろしていたら会社クビになっちゃうわ。

菜見子　楓はコンピューターの会社で仕事しているんだよね。

楓　ＩＴ関連って言ってくれるかな。

夏実　なに、格好つけているのよ。

菜見子　いや、十分に格好いいわ。田舎の学校の仕事とは大違いだ。

楓　でも、昔は菜見子のそののんびりしている話し方にイライラしたけど、今こうして話していると何か落ち着くね。

夏実　それって、菜見子のことを褒めているの？

菜見子　まあまあ、楓が来れてよかった。これであとは美雪だけだね。

夏実　どうしたかな。

楓　美雪？

夏実　そう、全然連絡がつかないのよ。何か知っている？

楓　うーん。いや、美雪は来ないの？

夏実　来る、来ないじゃなくて、もう何年も連絡がなくて、それも突然に連絡できなくなったんで心配しているのよ。

楓　ふーん、そうなんだ。

菜見子　大丈夫だよ。美雪のことだから、約束を忘れたりしないよ。たぶん列車が止まって、困っているんだよ。

夏実　約束ね。

楓　約束か。

菜見子　どうしたの？

夏実　いや、あの時は何気なくした約束だったけど、何か今は結構、大きな約束だったなと思って。

楓　そうだね。忙しく仕事していても、忘れなかったもの。

菜見子　それはそうよ。私たち5人の大切な約束ですから。

楓　そうだけど、普通は若かったなって思って、忘れちゃうと思うんだけど……。

菜見子　だって、５人の約束だから。

夏実　そうよ。５人の約束。

駅長妻、登場。両手にお稲荷さんをいれた重箱を抱えている。

駅長妻　(重箱を置いて) よいしょっと。ああ重い。さすがに10人分となるとそれなりに重たいわ。

駅長　遅いじゃないか。どうかしたか？

駅長妻　いや、栗木浜のおじいちゃんが、朝からお稲荷さんを作るのを手伝ってくれていたんだけど、急にやらなければならないことを思い出したって言い出して帰っちゃったのよ。だからそれからひとりでご飯を揚げに詰めていたら、意外と時間がかかってしまって。ごめんなさい。

駅長　そうだったのか。それは大変だったな。

駅長妻　それで、みなさんはお揃いですか？　準備が良ければ出発ですよ。

駅長　いや、峠のところで人が線路に入ったと連絡があって、今列車を止めているんだ。

駅長妻　あら、そう。でもみんないるみたいじゃない。

駅長　いや、どうかな。

駅長妻　（菜見子たち）菜見子ちゃん、お待たせ。みんなそろっているわよね。

菜見子　いや、まだ美雪が来ていないんです。

駅長妻　えっ、まさか。美雪ちゃんでしょ。（美雪の方に向かって）

夏実　えっ、まさか。さっきからみんなで話していたのに。

駅長妻　だって、この座っている恰好は、美雪ちゃんでしょ。

菜見子　（美雪に）美雪なの？

美雪　……。

夏実　美雪？

美雪　……。

妻の具合が悪くなる。

夫　おい、どうした、大丈夫か？

駅長妻　ちょっと、大丈夫？

妻　ええ、ちょっとめまいが……。

駅長　こちらに横になってください。

看護師が近寄る。

看護師　どいて、右手だして。

看護師がてきぱき対応をする。

夫　あなたは？

看護師　大丈夫、心配しないで、ちゃんと看護師の免許もっているから。きのうまで東京近代病院の救命救急センターで働いていたから。

駅長　それは、助かります。

看護師　助かるのは、この人。邪魔だから、どいて下さい。

駅長　あぁ、すみません。

看護師　（駅長妻に）奥さん、あったかい飲み物ありますか？

駅長妻　ええ、お茶でよければ、ポットに詰めてきましたけど。

看護師　それを1杯いただけますか。やはり体が冷えてしまっていますね。

妻　赤ちゃんは？

看護師　心配ないですよ。夕方になって、少し冷えてきたので、貧血気味になっただけです。でも一応、お宅に戻ったら、かかりつけのドクターに見てもらってください。

夫　ありがとうございました。

駅長妻　それにしてもお見事な処置でしたね。本当にありがとうございます。

看護師　別に、立場上、無視するわけにもいかないので……。

駅長妻　立場上？　そうかしら、別に誰もあなたが看護師だということは知らないのだから、黙っていれば良かったかもしれませんよ。

看護師　何か、私に？

駅長　（駅長妻に）おい、折角協力してくださったお客さんに何を言い出すんだ。

駅長妻　こんな優秀な看護師さんが、仕事をやめて、こんな田舎の桜をみに来るには、いろいろ考えがあるんじゃないかって？　田舎のおばさんたちは、そういう話に飢えているから、なんせ毎日変化のない平和な時間がゆっくり過ぎていくだけだから。刺激がね。もしよければ話してみなさいよ。看護師辞めて、どうしてここに？

音響（「花を咲く」インストロメンタル）F・I

看護師　実は私、あの時被災地救援で、ここに来たんです。それから3週間、ただ、ただ、患者のみなさんのお世話をしました。でも最初のうちはケガをした方やもともと病気を抱えている方が運ばれてきましたが、その方たちの処置が終われば、あとはもうなくなった方ばかり、私は本当に辛かったんです。逃げ出したかったんです。私は自分が何もできないっていうことを突き付けられて、逃げ出そうとしたんです。そしてそれでも何とか派遣期間が終わり、私は帰りました。職場戻って、今度は気持ちが落ち着かなくなってしまって、毎日、毎日、救急車で運ばれてくる人たちの対応をして、もちろん急に具合が悪くなった方が来るけれど、中には自分で勝手なことをして運ばれてくる人もいる。そういう人に、私は気持ちをこめて仕事が出来ない事に気が付いてしまったんです。そうしたら、私はここでのことを思い出して、ふとここでお世話をしたおばあちゃんが、見事な桜があるから是非見に戻っておいでと話をしてくれたことを思い出して、そうしたらどうしてもその桜が見たくなって……。

駅長妻　そうだったの。随分辛い思いをしたのね。あの時は世界中の人たちが助けに来てくれた、あなたもそうだったんですね、ありがとうございました。それにもしここに来なければ、仕事を続けていられてというのに、本当にごめんなさい。

看護師　謝らないでください。これは誰のせいでもない、私自身のことですから。それより桜、見に連れて行ってください。お願いします。

駅長妻　もちろんです。ご案内しますよ。

音響（「花を咲く」インストロメンタル）F・O

楓が美雪に近づく。

楓　美雪、美雪なんでしょ。顔みせなよ。何かくれているのよ。
美雪　……。
楓　美雪、隠れていたってしょうがないでしょ。
美雪　やめて、やめて。いや、私を見ないで。

夏実が楓をとめる。菜見子は美雪を抱きとめる。

楓　美雪、ごめんね。でも私、知っているんだよ。
夏実　何？
美雪　やめて、言わないで。
菜見子　美雪どうしたの？　何があったの？
美雪　いや、聞かないで？　お願いやめて。（泣き崩れる）
菜見子　大丈夫だよ、落ち着いて。
夏実　どういうこと、楓、何を知っているの？
美雪　やめて、言わないで。
夏実　楓、やめなよ、美雪がかわいそうだよ。
菜見子　いや、話して、みんなに美雪のことを聞かせて。
夏実　でも……。
菜見子　大丈夫、私たちがいる。
楓　美雪、話すよ。いいね。
美雪　……。
楓　美雪ね。2年前に「自分の不幸をネタに、世の中を渡り歩く女」って写真付きでSNSに、情報をばらまかれたの。
美雪　ちがうわ、私、そんなつもりしゃ……。
楓　そうね。あなたがそんな子じゃないことは、私たちが1番知っている。でもあなたを知らない人たちは、情報を信じて拡散し、批判、誹謗、中傷の嵐。顔写真も指名手配のように広がった。
菜見子　「炎上」ということ？　ひどい。
楓　ひどいわよね。でも書き込んだ人間は、わからずじまい。世の中も次のターゲットを見つければ、美雪のことなんか、もう興味なし。そして忘れ去られる。
夏実　ひどい。許せない。
楓　美雪、そういうことよね。
美雪　さみしかったのよ、都会の真ん中で1人ぼっちで、みんないなくなっちゃって……でも生きていかなきゃならなくて、東京で仕事を見つけて、ひとりで必死に生きていて、ただそれを「さびしい」「つらい」と書き込んだら、励ましてくれる人が現れて、そういう人が増えていって、私、うれしくて、うれしくて……。
楓　ところが、だんだん、反応が変わっていった。励ましから、批判になり、脅迫になり、顔写真も知らない間に撮られて、晒されて、あっという間の出来事よね。
美雪　（頷く）
夏実　でも、美雪、もう収まったんでしょ。みんな忘れたんでしょ。
楓　炎上は収まった。みんなも忘れた。でも1度流れた写真は回収できない。

菜見子　そんな……。
楓　それが、ＳＮＳの世界なの。美雪の写真は世界中の電柱に張り紙されたようなもの。もうどうしようもない。だから私にも見つけられてしまう。
夏実　ひどい、ひどすぎるよ。
菜見子　美雪、辛かったね。
夏実　楓、あなたの仕事は専門なんでしょ、何とかならないの？
楓　残念ながら、無理ね。でも、
夏実　でも？　何か手立てはあるの？
楓　手立てはない。泣き寝入りするしかない。でも写真は１枚だけみたいだし、ＳＮＳ上の画像の数から考えれば、まず美雪の知り合いがこの写真を見る確率は限りなくゼロ。私は仕事上特別なので例外。この種の事件はだいたいそう。それより問題は、美雪の心の方。
菜見子　心？
楓　電車に乗っていても、街中を歩いていても、廻りの人が見ているスマモにいつその写真が表示されて、「あれ、これあなたですよね」って言われないかという恐怖。
美雪　そうよ、そのとおり。私はずっと隠れていたの。でももう限界、こんな生活していたって生きているって言えない。恐くて、怖くて、もう耐えられない。
菜見子　美雪、戻っておいでよ。私と一緒に暮らそうよ。ここなら大丈夫だよ。ここのみんなは、本当の美雪のことを知っている。だから、お願い、もっと怖いことを考えたりしないで。

夏実　美雪、
楓　美雪。そうだよ。
美雪　わかんないよ、私、どうしたらいいか？　もうわかんない。
菜見子　いいよ、わかんなくても、わかるまで一緒に考えるから。だから、ね。
美雪　（頷く）

保線員が、戻ってくる。老人を連れてくる。

保線員　駅長、侵入者確保。
駅長　おお、ご苦労さん。
駅長妻　えっ、侵入者って？　じいちゃんなの？
保線員　はい、ちょうど峠のところから、線路をとぼとぼ歩いていて……。
駅長妻　じいちゃん、急にいなくなって、どうしたの、心配していたんだよ。
老人　（急に泣き出し）すまん、すまんです。でも、でも、今日どうしても駅長に花見を行ってほしかったんだ。そうしなければ、私は、私は……。
駅長　どういうことですか？　なぜ私が花見に……。
老人　私は、駅長に殺されても仕方ないのに、駅長は何も言わず、ただ、ただ黙っている。私のことを恨んでも、恨んでも、恨みきれないはずなのに。奥さんだってそうだ、いつも私に気を使ってくれる。私が大切な千波ちゃんを殺したのに。

駅長妻　じいちゃん、それは違うでしょ。
老人　いや、違わない、あの時、私のことを気にしなければ、千波ちゃんは助かった。きっとそうだ。私がひとりで暮らしているので、大丈夫かって、様子を見に来ようとしたばかりに、私さえいなければ千波ちゃんは……。
駅長妻　ずっと、そんな風に考えていたんですか？

音響（「花を咲く」インストロメンタル）Ｆ・Ｉ

老人　そうだ、若い千波ちゃんがなくなって、年寄りの私が生き延びて、何て理不尽なことを神様はなさるんだって、毎日神様にお尋ねしているけど、何にも答えてくれない。私はどうやって、駅長にこの罪を償ったらいいのか。私が死んで済むなら、いつでも死ぬが、こんなじいさんの命じゃ、千波ちゃんの命には到底及ばない。そんなことを考えているうちに、もう10年もたってしまった。どんなに苦しんでもいいから、とっとと死なせてくれれば、少しは駅長の気も晴れるものを、神様はなかなか私を死なせてくれんのよ。
駅長妻　じいちゃん、私も主人もじいちゃんのことを恨んだりしていませんよ。あの日のことは神様が決めたこと。千波のことも神様が決めたこと。誰のせいでもありません。
老人　みんな、そういってくれるけど、私の気持ちがそれでは許せないのだよ。それに……。
駅長妻　それに？

老人　それに、駅長はあれ以来、花見をやめてしまった。町中で1番花見が好きだったのに……。何にもないこの町の観光名所にするんだって頑張っていたのに……。
駅長妻　それは……。
老人　駅長は、千波ちゃんと花見をするのが本当に楽しそうだった。私はそれを取り上げてしまった。

音響（「花を咲く」インストロメンタル）Ｆ・Ｏ

駅長　それは違います。おじいさんのせいではありません。私は、ただ自分のことが許せないだけです。
駅長妻　あなた……。
老人　駅長さんは、いつも仕事だって言って花見に行かないから、仕事がなくなればと思って……。
保線員　それで列車をとめようとしたのか？
老人　すみません。あさはかでした。
保線員　じいちゃん、列車とめちゃったんだから、すみませんじゃ、すまないんだよ。駅長、どうしますか？
駅長　いや、私はじいちゃんがときどきわけのわからないことをお話しするので、お年だし、ちょっと心配していました。たぶん今回のことも、ご自分ではよくわからないうちに線路に迷い込んだのだと思います。あなたは現場に行ったのですから、1番状況を正確に確認できたはずです。いかがでしたか？
保線員　ご本人を前に失礼ですが、私の目には意識もうつろで、まともな判断ができるような状況には見れませんでした。

駅長　そうですか、それでは列車をとめた責任は問えませんね。

老人　そんな、ちゃんと責任はとるから……だから、もしそんなに私のことを温情かけてくれるのなら、どうか、私のお願いを聞いてください。ぜひ花見に行ってくださ い。あなたが楽しみにしていた千波ちゃんとの花見に行ってください。このとおりです。

駅長妻　あなた、行きませんか？

駅長　（首をふる）

老人　駅長さん。

駅長　（首をふる）

駅長妻　あなた。

駅長　私にはあの桜を見に行く資格はありません。私は千波の父親としては失格なんです。

駅長妻　そんなことは……。

音響（「花を咲く」インストロメンタル）F・I

駅長　千波が生まれた時も、私はここで仕事をしていました。この仕事はどんなことがあっても離れることはできません。もし離れれば、お客様みなさんに迷惑をかけます。ですから、千波が熱を出した時も、千波が小学校に入学する時も、私は父親として何もしてやれませんでした。千波が生まれた時も私は妻のそばにいてやることもできず、千波に会ったのは何日も後でした。「千波」という名前は、生まれたという知らせを聞いて、うれしくて、うれしくて、思わず駅長室を飛び出して、ホームに立ったら目の前にこの穏やかな海が広がっていて、春の暖かく、優しい海が私の目の前に遠くまで広がっていて、私はきらきらと輝く海を見て、こんな輝かしい、そして穏やかな人生を歩いて行ってほしいと思ってつけたんです。どこまでも、いつまでもキラキラ輝くさざ波が続きますようにと願って、「千波」と名付けたんです。でも私があの子にしてやったことは名前を考えてやったくらいしかありません。仕事に明け暮れて父親としては本当に何もしてやれなかった。あの日もそうです。妻から千波と連絡がつかないと言われても私は、ここを離れることはできなかった。レールが曲がり、瓦礫が線路を埋め尽くし、それでもお客さんは運転再開を待っている。千波を探しに行ったのは、翌日のことでした。町は地獄のようでした。実際に地獄に行ったことなどありませんが、これを地獄というのだな感じました。千波はすぐに見つかりました。バス通りの倒れ掛かった電柱の根元によりかかって寝ていました。決して起きることのない眠りです。私は千波を抱きかかえて、駅に戻りました。駅で私は千波の身体をきれいに洗ってやりました。髪の毛は泥まみれでした。耳も鼻も真っ黒でした。ひとりで怖かったと思います。苦しかったと思います。寒かったと思います。それなのに私は何もしてやれなかった。私は泣きながら千波に謝っていました。でも遅かったのです。私は父親失格です。

駅長妻　あなた、そんなに自分を責めないで……。
菜見子　夏実、楓、美雪。約束のことを駅長さんにお話ししていい？
夏実　（頷く）
楓　（美雪に）美雪、いいよね。
美雪　（頷く）

菜見子はスマホを持ち出し、駅長に見せる。

菜見子　あの日の前の日に千波が私にくれたメールです。（間）高校を卒業したら、お父さんと同じ鉄道会社に就職すると決めたと書いてあります。それを中学の卒業式の日にお父さんへのお礼の手紙に書くんだと。駅長さん、いや千波のお父さん。あの日から千波は待っています。あの桜の下で、ずっとお父さんを待っています。行ってあげてください。今すぐに。
夏実　駅長さん。
楓　駅長さん。
駅長　しかし、私は仕事が……。
保線員　それは私が代わりにやっておく。
駅長妻　みなさん、お待たせしました。世界一の夜桜見物に出発します。ぜひご参加ください。（看護師に）悪いけど、こちらの妊婦さんに付き添ってもらえるかしら。念のため、大切な身の上だから。
看護師　わかりました。
駅長妻　それと、町の診療所で看護師さんを探しているの、よかったら働いてみない？
看護師　ありがとうございます。桜を眺めながら考えさせてもらいます。

いつしか、夕焼け空が広がっている。海は夕凪。

駅長妻　あなた、行きましょう。千波に会いに行きましょう。
駅長　（頷く）

音響（「花は咲く」）Ｃ・Ｉ

保線員に見送られて、人々は花見に向かう。

照明、溶解。
キャストは、後方の平台へ移動。
照明、アップ。

人々は思い思いに桜を見上げている。

菜見子　（駅長に）あの日、亡くなった多くの人々の中で、自分が今日死ぬと思っていた人はひとりもいないと思います。私には、この10年、毎年この桜の散る花びらを見るたびに、亡くなった人たちの涙のように感じていました。千波の夢も断たれました。とても無念だったと思います。そして亡くなったすべての人もみんなそうだったと思います。あれから10年。時は経ちました。でもこうして毎年、花は咲き、そして散ります。日本人で、桜の花に心をとめない人はいません。だから咲き誇る満開の桜を見るたびに、私は、千波の分まで生きようと思います。思いもよらず、亡くなった人たちの思いを残った者が受けとめて。命のはかなさを悟らせるように、桜はもう散り始めます。舞い散る桜の花びらに、私たちは生きることを誓います。生きること、生きていることの大切さをかみしめながら。

菜見子　（間）千波、お待たせ。お父さんが来たよ。

照明、溶解

舞い散る桜の花びら。

緞帳　ダウン。

音響（「花は咲く」）Ｆ・Ｏ

花は咲く

板垣珠美

登場人物

川畑風湖《ふうこ》　中３　けっこう泣き虫
壱羽菜々子　中３　割と前向きな頑張りや
万知《まち》　中３
川畑航海《わたる》　小５
折原かおる　風湖の祖母
先生　25歳
友人（生徒）Ａ〜Ｅ（名前は役者が考える）
麻美先生　保育園の先生
川畑春子　風湖の母

初演日
２０１３年８月４日
初演校
厚木市立厚木中学校

プロローグ　あの日

海鳴りが辺りを包んでいる。遠くから「ふるさと」の曲が聞こえて来て海鳴りを飲み込んで行く……。幕が開くと、そこは海の底を思わせるかのようなブルーの世界だが、場所は小高い丘の上の公園である。そこは震災時、避難場所でもあった。中学3年生の川畑風湖《ふうこ》と壱羽菜々子と同級生の生徒たちが、遠くを見つめたたずんでいる。

風湖　……その朝は普段と変わらない朝だった。
生徒A　いつもと同じ朝。
生徒B　お母さんの「早くしなさい」という声。
風湖　背中で聞くお母さんの小言に「うるさい」と言って家を出た。
生徒C　明日も明後日もそんな朝が繰り返されることを、疑うこともなかった。
菜々子　疑うこともなかった。
生徒D　そして、それは突然だった。
風湖　その時、あたしは崖の上から　押し寄せる海を見ていた。
菜々子　町がいとも簡単に波にのまれ、知っていたはずの道はなくなり、3階建てのビルさえ流されていった。家は、あっという間に水にのまれ、沈み、影も形も見えなくなっていった。
風湖　その波の中に母はいた。小学校へ弟を迎えに行こうとする母の車は、倉庫やビルのはるか向こうから押し寄せる波にのまれた。
菜々子　海からの波は。
生徒A　家を。
生徒B　車を。
生徒C　妹を。
生徒D　牛を。
菜々子　人を。
風湖　そして母を。
菜々子　当たり前だったすべての生活を。
全員　流していった。……………。
菜々子　そして原発。
風湖　大きくて。何が来てもびくともしなそうになかった未来の発電所。
生徒A　この国を支え。
生徒B　未来を支える発電所。
生徒C　町の多くの人が。
生徒D　そこで働いていた発電所。
風湖　こわれた。
菜々子　こわれた。
生徒たち　こわれた。
風湖　そして、私たちの生活が。
全員　こわれた。

みんな、遠くを辛く悲しい瞳で睨みつける……。
暗転。

第1場　戻って来た町で――秋

丘の上の公園。風湖と同級生の女子A・B・C・D・Eが万知《まち》を囲んでいる。みんな笑顔だが、どことなく淋しさが見え隠れしている。笑い声の中、灯りが入る。

風湖　ねえねえ、万知。ジャンっ！　これ餞別。あっちでさ、ここ思い出しながら食べて。
万知　ありがとう。
みんな　えっ、なになに？

みんな、風湖と万知の周りに集まる。

友人A　おお、ご当地プリッツ！……って、これ牛タン味じゃん。
友人B　牛タンって言ったらさ、仙台でしょ。
友人A　どこが、ここのご当地ものよ？

みんな、笑う。

風湖　まあ、さ、東北一帯ってことで。
友人C　それにしたって、広すぎでしょ。風湖さ、福島と宮城じゃ全然違うと思わない？
風湖　確かに……。
友人C　もう一度勉強し直し！
風湖　（不満げに）はーい。

再び、みんな笑う。

風湖　ねえ、万知。今度行くとこ、三重県なんだって？
万知　うん。ほら、お父さんの工場流されたでしょ。それで、三重県に新しく工場作ったんだ。
友人D　三重県って関西の方だよね？
万知　そう。
友人D　どんなところなの？
万知　それがさ、……エヘへへ、あたしも良く分かんないんだ。
友人A　げっ、知らないで引っ越すの?!
万知　まあ、ね。
友人A　信じられなーい。
友人C　三重って、やっぱ遠いよね。
万知　（少し淋しく）うん……。
みんな　……。

するとそこに、壱羽菜々子が走り込んで来る。菜々子は、ジャージ姿で髪の毛を無造作にまとめている。重そうなリュックを背負い、手には重そうなトートバックを下げている。息を弾ませながら、

菜々子　よかったぁー、間にあったー。
風湖　菜っちゃん！

菜々子　久しぶり、風ちゃん。みんなも。
万知　来てくれたんだ。
菜々子　うん。先生から万知が転校するって聞いてね。
万知　ありがとう。
菜々子　あのさ、渡したい物があるんだけど……。（手提げの中に手を入れる）
万知　え、なに？

みんな、興味を持って菜々子の手提げを見る。
菜々子、アルバムを取り出して、

菜々子　はい、これ。柳田写真館特製の思い出アルバム！
みんな　おおーー！
万知　でもアルバムって、家も何もかも流されちゃって……。
菜々子　まあ、見てよ！

万知、アルバムを開く。みんな、覗きこむ。

友人A　これってー……、小学校の時の運動会の写真よね！
友人B　遠足のもある！
友人C　（ページをめくって）ほらほら、こっち、修学旅行の写真！
万知　でも、どうして？
菜々子　うちのおばあちゃんちって写真館じゃん。昔っから学校のアルバムとか作ってたから、「ネガ」があったの。
万知　わざわざ、あたしのために探してくれたの？
菜々子　あたしさ、今、おばあちゃんの手伝いで、水につかった写真とか流された家の中から見つかった写真の修正をしてて。それで、万知のもね。
万知　ありがとう、嬉しい。（しみじみとする）
友人B　風湖の「牛タン味」とは違うねぇ〜。
風湖　（明るく）すんませんでした。
友人B　さすが委員長！
菜々子　やめてよ。委員長だったの中1の時だけ。それにもう2年も学校行ってないし。エへへへ……。
友人B　何か、明るいね。
友人A　不登校って、もっと暗いイメージなんだけど……。
万知　菜っちゃん、本当にありがとう！　大切にするね。
菜々子　喜んでもらえて良かった。三重に行っても元気でね。
万知　（明るく）うん！　じゃあ、お母さん、心配するから、そろそろ行くね。
菜々子　（家来みたいに）万知さま。公園の下まで、皆でお送りいたしましょう。
万知　（偉そうに）ありがと。
菜々子　では、参りましょう！
友人ＡＢＣＤＥ　ははーーっ！

みんな、大笑いしながら歩き出す。風湖だけがたたずんだままでいる。
菜々子、動かない風湖を見て、
菜々子 あれ、風ちゃん。どうしたの？
風湖 （無理やり笑顔で）ごめん、万知。あたしはここで。ずっとずーっと、元気でね。
万知 ……うん。風湖もね！　じゃあ、バイバイ！
風湖 （明るく）バイバイ！
みんな （風湖に）バイバイ！
みんな、いろいろな事をしゃべりながら、ワイワイと去る。見送る風湖は、次第に淋しさがあふれて来て、涙がこぼれそうになる。涙をこぼすまいと、空を見上げる。するとそこに、風湖の弟の川畑航海《わたる》がやって来る。
風湖に気がつき、
航海 姉ちゃん！
風湖 あ、航海。
航海 ばあちゃんが、姉ちゃんなかなか帰って来ないって心配してたぞ。
風湖 もう、ばあちゃん、心配性なんだから。
航海 心配するに決まってるだろ。朝出かけたっきり帰って来ないってソワソワしてるばあちゃんの気持ち、少しは考えろよな。
風湖 チビが偉そうに。はいはい、分かってますよーだ。（周りを見ながら）あーあ、見えない放射能、大迷惑よ。避難解除されたのに、まだそんなに危ないのかな？
航海 知るかよ。でもしょうがないだろ。見えないからこそ、ばあちゃん心配してるんだからさ。
風湖 まったく生意気になって。分かってるって言ってるでしょ！　で、あんたは今日も浜に行ってたの？
航海 （ごまかそうとする素振り）……。
風湖 知ってるよ。浜に行っては、母さんがどこかにいないか、母さんの何かが落ちてないか探してるんでしょ。
航海 ……。（うつむく）
風湖 何か見つかった？
航海 ……。（首を横に振る）
風湖 あのさー。母さんが波にのみ込まれたのは、あんたのせいじゃないんだからね。たまたま、たまたまのことなの。
航海 分かってるよ。でも、車は浜に上がったのに、どこにも母さんいないなんて変じゃないか。
風湖 そんなの、仕方ないでしょ！　まだ3千人ぐらいの人たちが見つかってないんだから。
航海 でも、でもさ、車は見つかったのにどうして……。
風湖 （からかう様に）母さんさ、あんなに海好きだったから、きっとイルカになって泳いでるんだよ。そうそう。きっとそうだよ。
航海 （怒って）姉ちゃん、バカじゃないのか！　もう中3なのに！　人は死んだら……。
風湖 ……死んだら？
航海 知るかよっ！　バカ姉貴っ‼

風湖　ムカつく！　このチービっ!!!!

2人、口喧嘩を始める。そこに菜々子が戻って来て2人に驚き、

菜々子　ちょ、ちょっと風ちゃん！　なに、どうしたの？

2人、菜々子に気がつき、航海は菜々子に背を向ける。風湖はその場をごまかすように、

風湖　(笑顔で) なーんでもないよ。ちょっとこのチビが生意気言ったからさ。
航海　何が生意気だよ！　人は死んだら、いなくなるんだよ。死んじゃうってそう言うことなんだよ！
菜々子　(心配して航海に寄りながら) 航海君……。
風湖　(菜々子を制して) 心配しないで、菜っちゃん。そのー、ちょっとした兄弟喧嘩だから。
菜々子　でもー……。
風湖　(航海に向いて優しく) 分かってるよ。分かっていても、そう思いたいってこと。
航海　………。
風湖　あたし、もう少ししたら帰るから、先に帰ってて。

航海、何か言おうとするが、何も言わずに走り去る。菜々子、航海を見送りながら、

菜々子　いいの？　航海君、一人で帰して……。
風湖　いいのいいの。それより菜っちゃん、戻って来て、どうしたの？
菜々子　お父さんに夕飯、届けないといけないんだ。
風湖　夕飯って、役場に？
菜々子　そう。
風湖　おじさん、相変わらず忙しいの。
菜々子　何かね。避難解除されても元に戻ったわけじゃないから、いろいろあるみたい。帰りが遅い時は、お弁当、届けてるんだ。
風湖　そうだ。いつだったか、おじさん、倒れたって聞いたけど？
菜々子　ほら、あの時は、役場にも水が来たし、町長さんやたくさんの人たちが亡くなったでしょ。
風湖　そうだね。役場もぐちゃぐちゃだったもんね。
菜々子　お父さんさ、助かったのに何かに取りつかれたみたいに仕事しちゃって。結局、過労で倒れちゃったんだ。もう大丈夫なんだけどね。
風湖　大変だったね。
菜々子　まあね。でもね、おばあちゃんに怒られてすぐに復活したんだよ。
風湖　菜々子のおばあちゃん、結構きついもんね。
菜々子　うちね、妹が流されて、お母さんはまいっちゃうし、お父さんは倒れるし、何か見てない内に、2人とも、どっかに行っちゃいそうで、あたしもまいっちゃって……。実はね、おばあちゃんちの一部屋に家族引きこも

り状態だったんだ。
風湖　おばあちゃんちって、柳田写真館？
菜々子　そう。お母さんの実家なの。それで、家族みんな、おばあちゃんに怒られちゃったんだ。
風湖　ふーん……。
菜々子　（大きな声で）「せっかくの命、そんなんで亡くなった人たちに恥ずかしくないのかー！　お天道様が見てるぞーっ！」ってね。
風湖　「おてんとうさま」って？
菜々子　えーと、「太陽」のこと。って言うか「太陽神」とか「神様」？って感じかな。
風湖　神さまかー……。
菜々子　それでね、怒られた翌日から、強制的にあっちこっち連れまわされて、いろいろな事をやらされて。
風湖　ふーん。
菜々子　おばあちゃんさ、人使いあらくて、まずは避難所のボランティアから始まって、町のイベントのスタッフやらされたり、流されたいろいろな作業所の復興の手伝いと、写真館の手伝いもして、家事までやってるんだよ。
風湖　すごいすごい！
菜々子　言われるままにやってるだけだけどね。でもね、本当にすごいのは、人間の生きようとする力だと思うんだ。
風湖　生きようとする力……？
菜々子　避難所のボランティアに行ったらさ、ほんとに何もかも失くした人たちがいっぱいいてね。でも、不思議にみんな明るいし、いつも笑ってるの。
風湖　笑ってる……。
菜々子　でね、あたしを慰めてくれるの。お菓子もくれたりするの。
風湖　きっと強いんだね、その人たち。
菜々子　そうじゃないと思うな。
風湖　えっ……？
菜々子　その人たちって、声に出して、「悲しい」とか「辛い」とか言わないだけで、毎日をとりあえず一生懸命に生きているだけなんだと思うんだ。そんな姿を見てわかったんだ。あたしにはその一生懸命さが無かったなって。
風湖　あんなことがあって、家族を無くして、普通笑えないよね。
菜々子　あたしもそう思う。でも、あたし、その人たちに慰められたりしている内に、だんだん、笑顔で頑張れるようになって来たんだ。
風湖　やっぱり、すごいよ。その人たちも、菜っちゃんも。あたしは、無理だな。
菜々子　そんなことないって。
風湖　だってね、母さんがまだ見つかってなくて、一番あきらめられないのって自分だし。
菜々子　それは……。
風湖　うちも、最初はみんな落ち込んでいて、特に父さんがひどかったんだ。父さんが飼っていた牛が、避難している間にみんな死んじゃったし、畑も田んぼも海水の塩でダメになっちゃってね。

菜々子　そうだね。あの時、牛いっぱい死んじゃったよね。
風湖　ほんと、すごく落ち込んじゃって。でも母さん、父さんには、話をするんだよ。
菜々子　えっ？　なにそれ？
風湖　夢に出て来るんだって。
菜々子　ああ、夢ね。
風湖　最初は「あんた何やってるのっ！」って怒られたって言ってた。
菜々子　（笑いながら）うちのおばあちゃんと同じだね。
風湖　父さんさ、母さんと話すようになって、やっと動き始めて、今なんかたったひとりで北海道に行ってる。
菜々子　北海道？
風湖　そう。北海道でね、跡継ぎのいない牧場を引き受けて、牛を飼うんだって。そして、ここの土地でもう一度牛を飼えるように、準備しておくんだって、やたら張り切ってる。
菜々子　すごい前向きだね。一生懸命で素敵じゃん。
風湖　バカみたいだよ。
菜々子　えっ？
風湖　ひとりで勝手に盛り上がっちゃってさ。
菜々子　風ちゃん。お父さんのこと応援してないの？
風湖　だって……自分だけ夢の中の母さんと話して、勝手に動き出して。何かずるいって言うか……。
菜々子　おばさん、風ちゃんの夢の中には出てこないの？
風湖　全然……。母さん、きっと怒ってるんだよ。震災の日の朝、あたし、母さんとどんな会話したと思う？　母さんがね「さっさと用意しないとまた遅れるよ」って怒って、あたしが「もう、うるさいよ！」って言って、「行ってきます」のひと言も言わなかった。
菜々子　……。
風湖　だって、当然、当たり前の毎日が続くと思っていたし、あれが母さんとの最後の会話になるなんて思いもしなかった……。
菜々子　仕方ないよ。誰だってみんな、あの日、そう思って過ごしてたんだし。
風湖　航海は航海で、母さんが自分を迎えに来る途中で流されたって、責任感じて毎日、暇を作っては、母さん探しに浜に行ってるし。うちの家族は、みんなやってることがバラバラなの。
菜々子　……。
風湖　ねえ、「爆弾むすび」って知ってる？
菜々子　ばくだんむすび？
風湖　母さんが作るおむすびの呼び名。すごく大きくて具も二つも三つも入っている大きなおにぎりでね、航海が大好きだったんだ。
菜々子　ふーん。
風湖　でね、あたしが同じおにぎり作るんだけど、航海、食べないんだよ。
菜々子　それはさ……。
風湖　どんなに頑張ってみても、航海を慰める話をしても、あいつに「バカじゃないの」って言われるし……。
菜々子　風ちゃん……。

風湖　母さんとはもう2度と会えない……。うちは母さんがいなくなってバラバラのままなの。だから、菜っちゃんのようには頑張れないし、ほんとは笑うことも辛くて……。
菜々子　風ちゃん、もういいよ。やめて！
風湖　あたし、あの日から、何にも進んでないんだよ!!

風湖、必死で涙をこらえている。そんな風湖をじっと見つめている菜々子……。
暗転。割り幕が閉まる。

第2場　足が止まる——冬・11月上旬

割り幕の前。灯りが入ると、そこは学校の廊下。風湖が歩いて来ると、風湖を追うようにして担任の先生が小走りにやって来る。

先生　待って、川畑さん。

風湖、立ち止まる。

風湖　(ふり返らずに) 先生。さっきも言いましたが、父と相談しないと進路は決められません。
先生　(風湖の背中に) それはわかったわ。今、お父様は北海道にいて、相談も簡単に出来ない状態も理解したわ。でもね、先生が知りたいのは、貴方自身の希望なの。(以降、先生はセリフを言っては、ストップモーションを繰り返す。風湖は先生の周りを、心が浮遊しているかのように歩き、心の声を出す)
風湖　(心の声) 希望？　誰の？　あたしの？
先生　あなたは将来、何をしたいの？
風湖　(心の声) 将来？　本音を言えば、あたしは、こんな田舎町きらいだった。牛も好きじゃないし、浜からの魚の匂いも嫌いだった。もちろん、農業だってやりたくなかった。だから、将来は、この町を出ることを決めていた、
先生　これからの3年間、どんな風に過ごしたいの？
風湖　(心の声) なのに、帰れないと分かったら、急に足が止まった。これからなんて、わかんない。やりたいことなんて、もっとわからない。
先生　だってね、高校の3年間って言ったら、人生で最も若くて楽しい時間なのよ。だからこそ、希望する学校へ、ね。
風湖　(心の声) ねえ、先生！　やっと町に戻れたのに、もしも、もしもまたここをもう一度離れたら、本当に戻って来れるの?!
先生　あなたが本当にしたいことを言ってくれないと、私もきちんとアドバイスが出来ないでしょ。
風湖　(心の声) わかってる、わかってるの！　あたしが1番ダメなの。あたしはどうしたいの？　しがみつきたいこの町で、何をしたらいいのかわからない！

先生　電話でもいいから、お父様と相談して？

風湖　（心の声）父さんは、もうすっかり北海道に移り住む気でいる。航海も大好きなサッカーをやめて、父さんと牛を飼う気でいる。でもあたしは……。ねえ、母さん！　夢でいいからあたしに何か言ってよ。夢の中で父さんに怒ったように、あたしにも怒ってよ！……。

風湖は辛い気持ちの中、泣きながら立ちつくしている。先生のストップモーションが解ける。

先生　進学は、本人のこれからの3年間を意識しないとね。そのためにも自分の行きたい高校を……。（風湖の顔を見て）あらやだ、川畑さん。泣かなくてもいいでしょ。あなたを責めてるわけじゃないんだから。

いつの間にか、菜々子が先生の後ろに来ていて、

菜々子　あのー……。

先生　（ふり返り）あら、壱羽さん。どうしたの、まだ4時半よ。

風湖、驚いて菜々子を見る。涙を慌てて拭きとる。菜々子は気まずさの中でカバンからノートを取り出し、

菜々子　すみません、先生。今日お約束していた「夜の学習」ですが、ちょっと都合で来られないので。これこの前の宿題と進路希望票です。（ノートと希望票を差し出す）

先生　（受け取ってノートの中を見ながら）律儀ね、壱羽さん。……あら、よく勉強してある。

風湖　夜の学習って……？

菜々子　黙っててごめんね。あたし、やっぱり進学したいって思って、時々、夜、学校に来て先生に勉強見てもらってるの。

風湖　そうだったんだ……。

先生　壱羽さんの進路希望は、これでいいのね？

菜々子　はい。よろしくお願いします。

先生　りょーかいです。川畑さん、涙はもう大丈夫？

風湖　……。

先生　じゃあ、お父様との相談、よろしくね。

風湖　（小さくうなづく）………。

先生　先生は職員室に戻ります。

菜々子　あ、さよなら。

風湖　（頭を下げる）………。

先生　はい、さようなら、2人とも気を付けて帰るのよ。

菜々子　はぁい。

先生、去る。菜々子、先生を少し見送って、

菜々子　この前はごめんね。

風湖　ううん。こっちこそ、ごめん。菜っちゃん、進学、希望なんだ。

菜々子　うん。学校休んでるのにおかしいでしょ。でも、いろんな人と会って話して、やっぱり勉強はしておいた方がいいって、すごく感じたんだ。
風湖　じゃあ、夜にこっそり来ないで、昼間にちゃんと来ればいいじゃない！
菜々子　そうだよね。自分でもそう思うんだけど……。でもね、朝学校へって思うと体が動かないって言うか……。
風湖　昼間、ボランティアには行けるのに？
菜々子　（苦笑いして）あれはさ、おばあちゃんに強制的に行かされてるからね。（ふと思い出し）あっ、そうそう。風ちゃんにあげたい物があるんだ。
風湖　えっ、なに？
菜々子　（取り出しながら）ボランティア・グループのパンフレット。
風湖　パンフレット？
菜々子　そう。あたしが写した写真が表紙になってるの。はい、これ。（渡す）
風湖　（見て）……ひまわり……。
菜々子　カメラ持って、おばあちゃんと一緒にあちこち行って、写した1枚。
風湖　ふーん、すごい。
菜々子　あのね、ひまわりってすごいんだよ。放射能除染しちゃうんだって。
風湖　放射能を？
菜々子　そう！　科学者が言うには、土の放射能を除去するのに植物が役立つんだって。特に、ひまわりが。
風湖　へー、ひまわりってすごいね。
菜々子　昔ね、ここと同じように土が放射能で汚染されたロシアのチェルノブイリって所では、除染するために見渡す限り、地平線まで続くひまわり畑を作ったんだって。
風湖　すごいね！
菜々子　すごいよね！
風湖　もしかして、菜っちゃん、それをやるつもり？
菜々子　出来るならやりたい！　だってさひまわりは、あたしにとって特別な花だから。
風湖　特別って？
菜々子　（夢見るように）ねえ、想像してみて。今はまだ荒れている土地に、ひまわりの種をまくの。そしてね、夏になったら、一斉にひまわりが咲くの。青い空、どこまでも続く黄色いひまわりたち。少しずつきれいになって行く「土」。ちょっと素敵でしょ！
風湖　……菜っちゃん、楽しそうだね。
菜々子　楽しいよ。
風湖　菜っちゃんはそうやって、ずっとここで頑張って行くんだね。
菜々子　何で？　だって、ここに住んでるんだから、そうするしかないし。
風湖　いいね、そういいきれるなんて。（パンフレットを押し付けるように返す）
菜々子　ちょっと、どういうこと？　風ちゃんだってそうでしょ？
風湖　（突然大きく）簡単に言わないでよ！

菜々子　な、なんで？
風湖　菜っちゃん。今、クラスがどんなだか知ってる？
菜々子　えっ……？
風湖　校舎が流されて無くなった中学校といっしょに使っている体育館や教室。そこも、どんどんみんなが転校して行って、今ではガランとしてるんだよ。あの日の前の風景なんてどこにもないんだよ。昼間に学校来てないから、知らないでしょ！
菜々子　あたし……。
風湖　高校から他の県に行く人もいるし、同窓会だって出来るかわからない。みんな、あの日に無くした何かを無くしたまま、苦しくて、それでも……。
菜々子　（ハッとして）風ちゃん！　もしかして……。風ちゃんもよそに行っちゃうの？
風湖　（唇をかみしめる）……。
菜々子　風ちゃん、ごめん！　あたし、無神経で、ほんとごめん。
風湖　違うよ。ごめん。菜っちゃんを責めてるんじゃない。わかってる、また八つ当たりしてるだけ。
菜々子　そんな……。
風湖　学校に来てない菜っちゃんが、ボランティアしたり写真撮ったりして、そんなに楽しそうなのに、あたしは何もできない。
菜々子　風ちゃん……。
風湖　あたしね、……北海道に行かないといけないの。父さんに付いていてね。
菜々子　牧場、やるの？
風湖　そう。航海も行くって言ってて。でもそこってさ、2キロ歩かないと隣の家に行けないんだって。高校も、隣町にしか無くて、自転車で片道50分もかかるんだって……。（感情があふれ始める）知ってる人なんて誰もいないんだよ。冬になったら、雪が深くて学校に通えないから、町に下宿するんだよ！　あたし、そんなとこで一体何が出来るの?!　何をすればいいの!?
菜々子　ごめん……。
風湖　謝らないでよ！（菜々子に背を向ける）
菜々子　（背中から風湖を抱きしめながら）何も出来なくてごめん。力になれなくてごめん！　こんな言葉しか言えなくて、ごめん!!
風湖　（振り向いて）菜っちゃーーん!!

風湖、菜々子の胸で泣く。菜々子も、涙があふれて来て止まらない。

暗転。割り幕が開く。

第3場　種を起こす――冬・2月下旬

灯りが入ると、そこは風湖の部屋。コタツがポツンとあり、あちこちに散らばっている服がある。引っ越しの荷物の段ボールが3個置いてあり、そのひとつに夏物の服などを詰めている。そこに、祖母のかおるがお盆にマグカップと古びた連絡帳を乗せてやって来る。

かおる　風湖。はい、ココア。(コタツのテーブルの上に置く) 荷づくりはどう?

風湖　……。

かおる　ほんとにお母さんの荷物は何も持って行かなくていいの?

風湖　(詰め込みを続けながら) だから、母さんいないんだよ。なに持って行っても意味ないでしょ。

かおる　(ため息ついて) この家も淋しくなるねぇー。

風湖　早くここを離れろって言ったのは、おばあちゃんたちでしょ。あたしは残りたいのに。

かおる　まあね。いつ何かあるかわからない世の中だから、家族はやっぱり、一緒に居ないといかんでしょ。それにここはまだ、放射能が心配だしね。

風湖　わかってる! だから引っ越しの荷物まとめてるんでしょ。

かおる　風湖。あたしたちは、あんたたちより先に、死んじゃうんだよ。

風湖　おばあちゃん、やめてよ! すぐそんなこと言う。

かおる　いいから、ちょっと聞きなさい。年寄りのあたしたちだけど、何とか出来る限り、ここを守って行くから、家も田んぼも畑も直せるだけ直すよ。あんたが大人になる頃には、きっとここは、今よりもきれいな昔みたいな土地になるから。そしたらね、あんたたちは、またここに帰ってくればいいんだよ。危険な放射能におびえながら、ここに残ることはないんだよ。

風湖　……。

かおる、ふとお盆の上の連絡帳を見る。

かおる　そうそう。お母さんの部屋の片づけをしてたら、懐かしいものが出て来たよ。

風湖　え、なに?

かおる　あんたの保育園の時の、お母さんと麻美先生との連絡帳。

風湖　連絡帳?

かおる　そう。お母さんと麻美先生が、毎日風湖のことを書いている手帳だよ。

風湖　へー、見たい見たい。

かおる　はいよ。(連絡帳を渡す)

風湖　よく残ってたね……。(連絡帳を開き目を通す)

かおる　たわいもない内容だけど、今となっては大切な宝物だね。

風湖　うん……。(読む) ……「7月6日　風湖は朝から大好きなトウモロコシを食べ過ぎて、お腹がパンパンです。昨日もびっくりするほどご飯を食べました。お腹を壊さないかと心配です。」(笑顔で) やだ。あたし、すごい食いしんぼみたいじゃない。

かおる　(明るく) そうだね。

2人、笑う。風湖、ページをめくる。

風湖　えーと、「大丈夫ですよ……。」

すると、上手に麻美先生が立ち、灯りが当たる。

麻美　大丈夫ですよ。毎日すごいパワーで遊んでますから、ご飯もモリモリなんだと思います。今日はみんなでプールに入りました。ホースで水をまくと、虹が出て、みんな大興奮でした。

下手に母・晴子が立ち、灯りが入る。風湖、ページをめくる。

晴子　8月6日　昨夜、風湖が「母さん、死ぬってなに?」と聞いて来て、私は驚きました。テレビで何かを見たのでしょうか。「母さんは死なない?」って何度も聞いて来ます。昨夜は久しぶりに、一緒に寝ました。

麻美　今日の風ちゃんは、保育園でも先生方に「死ぬってなに?」と聞いていました。先生の一人に、「それはずっと眠ったままになること」と聞いたらしく、お昼寝を嫌がりました。

晴子　お盆の迎え火を焚きました。煙に乗って亡くなった人が帰って来るんだと言ったら、「じゃあ、死んでもまた会えるのね」と言って、空に向かって盛んに「こっちだよー、こっちだよー!」と声をあげていました。

麻美　風ちゃんは優しい子ですね。今日は、死んでしまったウサギのお墓の傍に行って「煙に乗って帰っておいでー」と言ってました。

風湖　……あたしって、小さい時、こんな子だったんだ。可愛かったね。

かおる　風湖は、今だって可愛いよ、昔から優しくて、賢くて……。

風湖　おばあちゃん。

かおる　うん?

風湖　お世辞言っても、何も出ないよーだ。

2人、笑う。

風湖　母さん……、去年の迎え火の時、帰って来たのかなー……。

かおる　来てたと思うよ。お母さんは、あんたたちのことを誰よりも心配しているからね。

風湖　………。

風湖、何かを思いながら、ページをめくる。

麻美　今日はみんなで、お料理をしました。ピーラーを使って、上手にニンジンの皮むきをしてくれました。

晴子　先週、お手伝いをすると言って、包丁で指を切って大騒ぎをしましたので、保育園でのお料理は心配していましたが、ひとつずつ、出来ることが増えていくんですね。今日は家でも、ニンジンを剥いてくれました。

麻美　本当に、毎日出来ることが増えて行きます。今日はみんなで洗濯物をたたみました。風ちゃんは、とても上手にブラウスをたたんでくれました。

晴子　人は、出来ることをひとつずつ自分のものにして、生きて行くんだって子どもから教わりますね。私も迷った時は、ひとつずつ出来ることをやって、しっかり大地に足をつけて生きて行きたいと思います。

　うなずく、麻美。しっかりした暖かな瞳で明日を見つめる晴子。

　上手・下手の灯りが消える。

風湖　………、思い出した。

かおる　何を？

風湖　母さんの口癖。「出来ることを一つずつ」。焦らず、足元をしっかり見ろって。

かおる　そう言えば、ひとつずつやって行けば、必ずちゃんと出来上がるって、自分に言い聞かせるように言ってたね。

風湖　先が見えなければ、……ひとつずつ……出来ることを……。

かおる　何だかお母さんがこの手帳を借りて話しかけてくれたみたいだねぇ。

風湖　ねえ、おばあちゃん。このノート、あたしが持っていいかな？　北海道に持って行きたいの。

かおる　もちろん、いいよ。風湖が大事に持っていてくれれば、きっとお母さんも喜ぶよ。

風湖　母さんが、話しかけてくれた……。おばあちゃん、この手帳見つけてくれて、ありがとう！

かおる　きっと、お母さんがこっそり届けてくれたんだよ、ね。

風湖　（手帳を見ながら）……母さん……。

　風湖、しっかりと連絡帳を抱きしめる。

　暗転。割り幕が閉まる。

第４場　種をまく。そして花は咲く
——春・卒業式

　割り幕前。「仰げば尊し」の曲が流れる中、灯りが入る。学校の帰り道。

　何人かの生徒たちが卒業証書の入った筒を手にして、先生を囲んでいる。

生徒Ａ　先生、どこまで送る気ですか？

先生　いいでしょ。みんなとも今日が最後だし。

生徒Ｂ　あれー、ひょっとして、先生、淋しかったりしてー？

先生　そんなことはないわよ。皆さんが卒業をして未来に羽ばたいて行くんだから、それはとっても嬉しいことよ。

生徒Ｃ　とかなんとか言っちゃって、本当は？

先生　まあ、ちょっとは、淋しい、かな。
生徒B　やっぱりそうだ！

生徒たち、笑う。

先生　あなたたちだって、淋しいでしょ？
生徒D　そりゃあ、そうだけど……。
先生　あれ、川畑さんは？
生徒C　何か用があるって……。（学校の校門の方を見て）あ、来た来た。

すると、風湖が走って来る。

生徒A　遅いぞ、風ちゃん。
風湖　ごめんごめん。
先生　川畑さんは、この後すぐ、北海道に行くのよね。
風湖　はい。先生、お世話になりました。あたしここで、卒業式を迎えられて、本当に嬉しかったです。
生徒C　卒業してすぐに、北海道に行っちゃうなんて、あわただしいね。
風湖　忘れないって。ここのこと、忘れないでね。来るつもりだから、大学を出たら、またこっちに戻って来るつもりだから、みんなこそ、あたしのこと、忘れないでよね。
生徒たち　忘れないよ。
風湖　ありがと。
先生　いよいよみんな、バラバラね。卒業する人数も、去年、今年と、どんどん減って来て。やっぱり淋しくなるわ。
生徒D　大丈夫ですよ、先生。みんな、ここが好きだから、すぐにまた、みんなと会えますよ。
生徒E　転校した子たちも呼んで、同窓会、やりたいよね。
風湖　だよね！　よおーし、みんな約束！　また、ここで会おう！

生徒たち、円陣を組む。先生は暖かな表情で、みんなを見ている。

生徒たち　おーーーーーっ!!!

みんな、ハイタッチする。

先生　じゃあ、先生はこの辺で戻るわね。みんな、体に気を付けて、高校でも頑張ってね。
みんな　はぁーい！
先生　では、さようなら。
みんな　さようなら。

先生、去る。

風湖　じゃあ、あたしたちも。
みんな　バイバイ！　元気でね！

みんな、左右に去って行く。風湖はひとり、みんなを見送る。割り幕が開く。

するとそこは、丘の上の公園。ベンチの奥の方に、菜々子がたたずんでいる。

風湖、心を決めて、駅に向かおうと歩き出すと、菜々子が声をかける。

菜々子　風ちゃん。

風湖　………。

菜々子　今日、出発なんだってね。

風湖　……菜っちゃん。

菜々子　うん？

風湖　卒業式、出れて良かったじゃん。3学期もあまり顔見なかったし、卒業式、来ないかと思った。

菜々子　心配かけて、ごめんね。今日、来てみてびっくりした。風ちゃんの言う通り、生徒たち、少なくなってガラガラで……。

風湖　まあ、仕方ないよね。

菜々子　あのー、風ちゃん、これ。(アルバムを差し出す)

風湖　え、なに？……

菜々子　あたしが作ったアルバム。

風湖　いいよ。

菜々子　ダメだよ、貰ってくれないと。風ちゃん、写真ってね、忘れられない風景の記録なんだよ。

風湖　忘れられない記録……？

菜々子　おばさんとの時間とか、ここで過ごした今までの時。そのひとつひとつの風ちゃんの思い出が、その風景の中に入ってる。

風湖　………。

菜々子　その中に、おばさんと風ちゃんが写っている写真もあるの。(再び、差し出す)

風湖　母さんと……。

風湖、アルバムを受け取りめくる。菜々子、ページを導いて、

菜々子　ほら、これ。稲刈りの時の写真。2人とも大きな口あけて「爆弾むすび」ほおばって、風ちゃん、とても嬉しそうだよね。

風湖　……うん……。

菜々子　うちのおばあちゃんが言ってた。死んじゃうっていなくなることじゃなくて、姿かたちが見えないだけで、ちゃんとその人の心の中に生きているんだって。

風湖　心の中に……。

菜々子　そう、心の中に。ねえ、(カバンからパンフレットを出して)この写真見て。

風湖　あの時のパンフレット……。

菜々子　覚えてるかな。あたしさ、ひまわりは特別って言ってたでしょ。「向日葵」ってね、あたしの妹の名前なの。

風湖　妹さん？

菜々子　あの時、津波の犠牲になっちゃったんだけどね。

風湖　菜っちゃん……。

菜々子　あたしの名前が「菜の花」の菜々子。で、妹の名前が「向日葵」。あたしね、向日葵を思って毎日泣いているお母さんを見て、妹だけが大事にされているような気がして、あたしなんかどうでもいいんだって思ってしまった時があったの。少しだけど、妹を恨んじゃった。

風湖　菜っちゃん。

菜々子　でもね、ある日、荒れ果てた畑の脇に、けなげに1本、まっすぐ空に向かって咲いているひまわりを見た時、思わずシャッターを押したの。その写真を見る度に、あたし、妹の向日葵を思い出すんだ。笑顔と幸せに満ちてる妹の思い出。その花を見るとね、向日葵が「お姉ちゃん、頑張れ！」って言ってる気がして、だから、向日葵は、あたしの心の中で生きてるの。

風湖　……菜っちゃん。あたしもね、何をすればいいのか、どこに進めばいいのかって、考えたんだ。

菜々子　うん。

風湖　はじめの頃は、あたしも、夢に出て来てくれない母さんを恨んだりもしたんだ。でも、あたしが小さい時の、母さんの連絡帳と出会えて、「出来ることをやりなさい」って言うメッセージを受け取った。だからあたしね、北海道に行くことを決めたの。

菜々子　そうだったんだ。

風湖　うん。あたし、将来、学校の先生になろうと思うんだ。

菜々子　先生かー。

風湖　あたしはあたしに出来ることを考える。今は、将来先生になって、ここに帰って来ようと思う。ここの海には母さんがいるし。

菜々子　だね。待ってるね！

風湖　うん！

菜々子　あのね、あたしはね、定時制だけど、農業高校に行くんだ。

風湖　え、農業?! 写真じゃなくて？

菜々子　畑がダメになった人たちと一緒に、ハウスでトマトやキュウリなんかを作りたいの。なんかね、「土」が生き返って、命が育って、そんな姿を見たら感動してね。だからあたし、農業高校に行くことにした。

風湖　ふーん、菜っちゃんが農業ねー。

菜々子　（笑って）そしてね、いつかこの町の畑を、もう一度、鮮やかな緑で埋めたいの。

風湖　うんうん！　いいね、そのプラン！

菜々子、ポケットから小さな袋を取り出して、ためらいがちに、

風湖　なに？

菜々子　風ちゃん。あのね、これも、貰ってくれないかな？

菜々子、風湖に袋を渡す。風湖、袋の中身を覗き込んで、

風湖　……これって……、ひまわりの種？

菜々子　そう。良かったら北海道で育てて。ここを忘れないためにも。

風湖　忘れないよー！
菜々子　まあ、そうだと思うけど。
風湖　（しっかりと）うん。これも貰うね、ありがと。
菜々子　よかった。あたしは緑を育てて、そして、向日葵を育てて花を咲かす。いつか風ちゃんがここに戻ってきたら、そしたら子どもたちを育てて、あの日の前みたいな、花のように明るい子どもたちの笑顔をたくさん咲かせてね。
風湖　笑顔の花かぁ。
菜々子　そう。ね。あたしたちで種をまこう！　そしていつか必ず、花を咲かせよう！
風湖　うん！　お互いに頑張ろうね！

するとそこに、航海が旅支度の装いでやって来る。

航海　あ、居た居た。（大きく）姉ちゃん！
風湖　あ、航海。
航海　父さんたちはもう、駅に行ったよ。
風湖　航海。ちょっと見てみ。（アルバムを開いて差し出す）
航海　え、なに？（受け取って見る）……あっ！　母さんだ！　笑ってる……。あれ、何で、姉ちゃんばっか写ってるんだ？
風湖　当たり前でしょ。菜っちゃんがあたしだけのために作ってくれたアルバムなんだから。
航海　なーんだ。でも、母さんの写真は、すごく嬉しい。（菜々子に）ありがとう。
菜々子　どういたしまして。航海くん。北海道、大変だと思うけど、頑張ってね。
航海　はい、頑張ります！　母さんに恥ずかしくないように、父さんと牛を育てて、いつかここで牧場を作るつもりです。
風湖　どうしたの、航海？
航海　えっ？
風湖　こんなちゃんとした言葉、初めて聞いたよ。
航海　うるさいなぁ。

風湖と菜々子、小さく笑う。照れる航海。
風湖、ベンチに行き、カバンにアルバム等を入れながら、海を見る。
その海に近づいて突然、大きな声で、

風湖　かあーさーーん！
2人　？？？
風湖　あたしー、ここの海、やっぱ好きだわぁーー！
菜々子　風ちゃん……。
風湖　航海。母さんが眠っているこの海に、約束しようよ。必ずここに帰って来るって。
航海　姉ちゃん……、うん！
風湖　かぁーさーーん！　あたしたちは、またここに戻って来るよー！　だから、待っててねーー！（航海に）ほら。
航海　かぁーさーーん！　ごめん！　もう、浜には行け

なーーい！　でも俺ー、ちゃんと頑張るよぉーー‼

菜々子　（意を決したように）あたしも混ぜて！

風湖　もちろん！

菜々子　ひまわりーー！　お姉ちゃんも頑張るからねぇー！　ちゃんと見ててねぇーー‼

風湖　ひまわりちゃーーん！　北海道でも、花育てるからねぇー！　絶対にここのこと忘れないよぉーー！

航海　ここが大好きだよぉーー！

風湖　かぁーさーーん！　あたしのこと、見ててねぇー!!!

風湖・航海　かぁーさーーん‼

菜々子　ひまわりーー‼

すると、空から雪がチラチラと降って来る。

航海　あ、雪だ！

菜々子　ほんとだ。北海道は、きっとまだ、雪がいっぱいだね。

風湖　（空を見上げながら）そうだねー。

菜々子　今日は、「サヨナラ」の日だけど、

風湖　ん？

菜々子　あたし、さよならって言わない。またねって言うね。

風湖　うん。またね。またきっとここで！

菜々子　あたしたちの未来に、きっと花は咲くよね！

風湖　咲くよ！　きっと咲かせよう！

菜々子　うん！　咲かせよう！

風湖　頑張ろうね、航海。

風湖、航海の髪の毛をくしゃくしゃにする。

航海　ちょ、ちょっと何するんだよぉ。

風湖、ベンチに戻ると、カバンをしっかり肩にかけ、

風湖　さあ、行くよ！

2人　（しっかりうなずく）

3人、泣き笑いの顔で、元気よく歩き出す。音楽「花は咲く」が盛り上がる中、

――幕――

カイギはDancin'
—中学生版—

大嶋昭彦

登場人物
久米テルオ　副町長・30代半ば・男
垂井ラン　町長秘書・20代後半・女
波布墺助　地権者1・高齢・男
真野露吉　地権者2・高齢・男
大江普三郎　地権者3・高齢・男
永作センリ　インストラクター・女
辻江ノア　地元の女子中学生新聞部・2年生・女
西マドカ　地元の女子中学生新聞部・3年生・女
桐下キヨシ　地元の男子中学生新聞部・3年生・男
羽賀レオナ　地元の男子中学生新聞部・3年生・男
神谷ユイ　地元の中学教師・20代半ば・女

参考文献等
『會議は踊る』（1931年、ドイツ映画　エリック・シャレル監督）
『最新世界史図説タペストリー十五訂版』（2017年、帝国書院）

新島学園高等学校演劇部、2018年８月16日、シアター1010、初演。

1

音楽『ラデツキー行進曲』
開幕。
舞台下手と上手にテーブルといくつかの椅子。
舞台中央に小さなステージ。
板付きの人物6名が動き出す。
6名とは、長寿会の波布・真野・大江、新聞部員の桐下・羽賀・西。
オルゴールに合わせて動く人形のようである。
舞台中央の紗幕の裏から3人の人物が登場。
下手からは副町長の久米と秘書の垂井が登場。
上手からは中学教師の神谷が登場。
踊る6人は奇妙な動きのまま、それぞれの席に着く。
音楽C.O.と同時に秘書の垂井が照らされる。
下手側（町長室）と上手側（新聞部室）にいる人物はストップモーション。

垂井　申し訳ございません！　この度は、本当に申し訳ございませんでした……。本日ご列席の皆さまにも多大なるご迷惑をおかけ致しましたこと、心よりお詫び申し上げます。それというのも、ひとえに、この男のせいなのでございます。

垂井は1枚の肖像画を取り出し、列席者に見せる動きをする。
肖像画には白馬に乗った凛々しい青年の姿が描かれている。

垂井　こいつめ、おまえのせいよ、白馬なんかに乗っちゃって、まるでナポレオン気取り！　えーい、忌々しいやつ、おまえなんか……、こうしてくれる！

垂井は肖像画を床に叩きつけ、踏みつける。

垂井　この！　この！　おまえなんか、この！　踏んづけてやる！　おまえのせいでね、ここにいらっしゃる皆様にご迷惑をおかけしたばかりか、私の顔にも泥を塗ったのよ……。いいえ、それだけじゃない。この矢浦《やうら》温泉にも、矢浦町にも……。（いつの間にか泣きながら）だから今度は、おまえの顔を泥だらけに、いや、ここに泥はないわ。とにかく、くちゃくちゃにしてやる！　こんちくしょー！　この、ろくでなしー！

激しく踏みつけ続けたため、垂井は息を切らせている。
下手側エリア（町長室）が明るくなる。

久米　お聞きのように、秘書の垂井はこのように申しております が……。
波布　何もそこまでやらなくても……、のう。
真野　そうじゃそうじゃ、落ち着きなされ。

大江　わしら紳士だで、女の涙は放っておけん性質じゃが、ちと怖いわさ。

垂井は、ちょっとやり過ぎたかなという表情をしている。

波布　そらあんた、若い身空で粉骨砕身、町長に尽くしてきたんじゃもの。
垂井　（涙ぐみながら）はい……。
真野　その町長が逮捕されたんじゃから、ショックは大きかろうのう。
久米　私たちにとっても寝耳に水。
垂井　青天の霹靂とはまさにこのこと……。

一同、沈黙。

久米　清廉潔白・熟慮断行をモットーにしていた町長が、収賄容疑と脱税容疑で逮捕されるとは、側近として不徳の致すところです。
垂井　私も秘書として、お恥ずかしい限り……。
大江　ひょっとしたら、あんたたちも同罪なんと違うんけ？
波布　おおおお大江さん、そんなこと言うもんでねえろ！

久米と垂井は、無言のまま否定のポーズ。

真野　そうじゃそうじゃ、こん人らも被害者じゃっちゅうて、のう。
久米　そう言っていただけると、ありがたいです。
垂井　ただ、町長の逮捕で、町立の水上競技施設、通称「水上アリーナ」建設計画が、一気に暗礁に乗り上げてしまうのは避けられそうにありません。
久米　温泉が枯渇しかけているという調査結果もありまして……。
大江　え？　そうなの？
波布　温泉涸れたら、この町にゃなーんもありゃせんがな。
真野　おまけにアリーナもダメとなりゃ、原発関連かミサイル基地でも呼ぶしかないわさ。
大江　そんな、洒落にならんろ。
久米　皆様方のご心配は察するに余りあります……。
真野　そうじゃそうじゃ、わしらの権利はどうなるんじゃ！
久米　ですが、どうぞご心配なく。
垂井　本日、地権者の皆さまにお集まりいただいたのは、そのためでございます。
波布　というと？
久米　皆さまに、決して損はさせません。
真野　どうやって？
垂井　そのための会議を、今ここに開催致しま～す！（拍手）
波布・真野・大江　ほおー。
久米　私たちにとってもそれが望み。
垂井　そして願い。

久米　誰もが得をするための会議。
垂井　そう、すなわちウィンウィン会議。
久米・垂井　（動きをつけて）ウィンウィン。
久米　本日は、皆さまに、おくつろぎいただきながら、話し合いをスムーズに進行させるため、各種おもてなしも（舞台中央に設けられたステージを示し）、そしてこの特設ステージとともにご用意しております。
垂井　どうぞ、ごゆっくりお過ごしください。
大江　それはそれは、大変ありがたいこってす。
波布　町長室に特設ステージとは……。
久米　早速ですが、ご夕食は何がよろしいでしょう。
波布　え？
真野　何でもエエんですか？
垂井　はい、ご遠慮なくおっしゃってください。
大江　ほんだらわしは……、寿司がエエな。
波布　わしも、寿司で。
真野　特上で。
久米　かしこまりました。（垂井に）では、注文を。
垂井　はい。（町長室の内線で電話をかける）あ、もしもし、町長室垂井です。握り寿司3人前、頼んでおいてもらえる？　特上で。……ジャスト5時。よろしく。
久米　私どもは、何があっても皆さまの権利をお守り致します。
垂井　そしてあの男を見返してやりましょう。
久米　あの男……。
垂井　そう、あの男！

2

下手側エリアが暗くなる。
同時に上手側エリア（新聞部室）が明るくなる。
下手側エリアの人たちは談笑しているが、声は聞こえない。

神谷　（「企画書」と書かれた紙を見ながら）本当にこれでいいの？
桐下　ダメですか？
神谷　ダメじゃないけど。
西　じゃあ、いいじゃないですか。
神谷　いいとは言えない……。
羽賀　どっちなんですか？
神谷　ちょっと考え直したほうが、いいんじゃないかなあ……。
西　今までもこんな感じでしたよ。
神谷　そっか。
羽賀　どこがダメなんですか？
神谷　そうだなあ、ええっと、正直あまり教養を感じられないというか……。
桐下　え。
西　教養か……。
羽賀　そうだよ、おまえらには教養が足らないんだよ！

西　おまえもな。
羽賀　……。
神谷　ごめんね……。今までのことよく知らないのに、勝手なこと言って。
羽賀　いえ、いいんですよ。はっきり言ってもらったほうが……。モエます！
神谷　新聞コンクールとか、参加しないの？
西　しないですねえ。
羽賀　そういうの、興味ないんですよ。こいつら。
西　おまえもな！
羽賀　まあな！
桐下　そういうのはほら、町の（＊都市部のという意味）中学校の独壇場というか……。
西　太刀打ちできないよね。
羽賀　ウチらの新聞は専ら校内向けです。
神谷　そうなんだ……。
西　そうなんです！
神谷　でも、特集記事が「カルボナーラの美味しい作り方」って……。
西　前回は「ソーセージ、あなたはウィンナー派？　それともフランクフルト派？」だったよね。
神谷　グルメ雑誌じゃないんだからさ……。
羽賀　そうだぞ！　学校新聞なんだぞ！
神谷　もうちょっと、何て言うかなあ、社会に目を向けてみるとか。ほら、公民で勉強しなかった？
羽賀　あ、こいつら無理っす。みんな社会苦手っすから。

神谷　じゃあどうして新聞部に入ったの？
羽賀　オレは、印刷機の音がたまらないんですよ。１枚、また１枚と刷り上がっていくこの充実感。（擬音など織り交ぜながら）ガタコン、ガタコン、ガタコン。
西　私は取材とか楽しいし……。
桐下　ハム工場行ったなあ……。お土産もらってウハウハ。
西　今度はパスタ屋さんだ！
神谷　その取材の方向性を、ちょっと変えてみるのもいいんじゃないかなって。
羽賀　そうだよ、方向性だよ。
神谷　グルメ記事が悪いわけじゃないんだけど、地元の食材を取り上げるんだったら、食の安全について考えるとか、どうしたら地域振興につながるのかな～とか、広げようがあると思うんだよね。
桐下　なるほど……。
羽賀　オレたち「食べる！」、「美味い！」、「満足！」で終わってたからね～。
西　おまえがな。
羽賀　オレだけじゃねえだろ。
神谷　もうひと工夫できるといいかなあって。
西　でも、どうしたらいいのかわかんないや……。
桐下　そうだな、今までも煮詰まったら部活終わりにノアん家でカラオケやって。
西　次の日になったらケロっと忘れて、結局「食べ物特集」になってる。
羽賀　その繰り返しか～。

上手からノアが入ってくる。
書類のようなものを持っている。

ノア　こんにちは。
羽賀　ノア……。
神谷　で、どうだった？
ノア　結構わかりましたよ、逮捕された町長のこと。
羽賀　おまえそれで遅れたのか！
ノア　はい。
神谷　私が頼んだのよ。
羽賀　よくやった。見せてみろ。
神谷　簡単に説明してくれる？
ノア　はい。ええっと、まず、この男……。
羽賀　どの男？

3

上手側エリアが暗くなる。
同時に下手エリアが明るくなる。
上手側エリアの人たちはストップモーション。

久米　あの男……。
垂井　そう、あの男！
波布　矢浦温泉きっての老舗、本多旅館の御曹司。
真野　親父さまが40過ぎてからの子で。
大江　たいそう可愛がられたもんじゃ。
波布　あの時分、親父さまはまだ町会議員じゃったな。
真野　温泉組合の会長もしとった。
大江　二足の草鞋じゃっちゅうて苦労なされた。
波布　その点息子ときたら。
真野　子どもンときから腕白でのう。
大江　神社の銀杏の木のてっぺんまで登りよって。
波布　勉強はそれほど……じゃなかったか。
真野　東京の何とか大学に何とかに入って。
大江　能ある鷹が爪を見せたのはそこからじゃ。
久米　大学で人工知能の研究に没頭した彼は、卒業後、関連企業に就職……。
垂井　彼が開発した一般家庭向け人型ロボット「まご1世」が空前の大ヒット。
波布　老人の話し相手に最高でのう。
真野　ボケ防止になるちゅうて。
大江　わしも買ったわさ、えらい安うしてもろうて……。
久米　そして会社は業界トップに躍り出た！
垂井　ほどなく社長令嬢と結婚。
久米　まさに順風満帆。
垂井　ところが「まご1世」は、使用期限がわずか1年。
大江　別れが辛ろうて辛ろうて。
垂井　世間は使用期限がもうちょっと長い第2の商品に期待を寄せた、が……。
波布　そんな矢先じゃったのう、親父さまが亡くなられて。

真野　せっかく町長までなって、これからっちゅうときに……。
大江　で、次の町長は誰じゃ、ちゅうて。
久米　息子に白羽の矢が立った。
垂井　会社を辞めてこっちに戻って。
波布　町長選に打って出た。
真野　弔い合戦じゃ。
大江　結果は。
垂井　無投票であっさり当選。
久米　30歳の新町長が誕生。
波布　時代の寵児。
真野　親の七光り。
大江　いろいろ言われたが、飛ぶ鳥を落とす勢いとはまさにこのこと。
久米　矢浦町の若きカリスマ！
垂井　その名は。
久米・垂井　本多晴斗！

4

下手側エリアが暗くなる。
同時に上手エリアが明るくなる。
下手側エリアの人たちはストップモーション。

ノア　本多晴斗！　またの名を、矢浦町のナポレオン・ボナパルト。……彼は町長になるやいなや、温泉街の活性化を目指し、大学時代に研究していた得意分野を活かして、温泉街の各旅館に「ロボット三助さん」を導入しました。
桐下　ああ、そんなのあったなあ。
羽賀　あったあった。風呂場で背中流してくれるやつ！
神谷　町長1期目は、支持率も高かったらしいわね。
ノア　ところが、三助さんブームは続きませんでした。使用期限が1年しかなくて、あと、女性には不評だったようです。キモいって。
西　ああ、それわかる。キューピーちゃんみたいな顔してフンドシ一丁。
ノア　そして、奥さんと離婚したらしいんですよ。都会の人で、田舎暮らしに馴染めなかったとか。
羽賀　そんなに田舎かなあ……。
西　田舎だろ！
ノア　でも、そんな彼を救ったのがほら、針山建設だと言われています。
神谷　ああ、県庁の隣に大きなビルがあったわね……。
桐下　そうですそうです。
ノア　そして2期目の当選を果たすと、その直後ですよ、「矢浦町立氷上アリーナ」建設計画が持ち上がったのは。
神谷　ああ、例の総合スケート場建設計画ね。
ノア　そして国際氷上競技大会の誘致。
西　ヒョウジョウキョウギ？
神谷　つまり、スピードスケートとフィギュアスケートとカーリングとアイスホッケーの国際大会を、ぜーんぶこの矢浦町でやっちゃおうって計画のこと。

西 ああ、なるほど。ヒョウジョウって、氷の上ね……。

ノア そして針山建設は、アリーナ建設の権利を落札しました。

神谷 当選の見返りに、便宜を図ったってわけね。

ノア はい……。当時両者の関係を疑う人たちもいたようなんですけど、そのうちウヤムヤに……。なにしろ町会議員のほとんどが町長派だったんですよ。

羽賀 （ノアに）でも何でおまえそんなこと……。

ノア 昔の新聞記事、調べまくって。

羽賀 やるなあ、おまえ。

ノア ちょっと掘り下げてみません？　町長が逮捕された今、私たちの矢浦町はどこへ向かうのか！

桐下 そんなのオレたちがすることかよ。

西 確かに……。

神谷 だけど、みんな3年後には選挙権だよ。成人だよ。

羽賀 えー、そんなこと言われても。

桐下 まだまだ先じゃないですか。

神谷 確かに、18歳になったから「はい選挙」って言われても難しいよね、きっと。

西 難しいです……。

神谷 目の前の高校受験でいっぱいいっぱいだもんね……。

羽賀 オレは目の前の神谷先生でいっぱいいっぱいです。

神谷 じゃあ、どうかなあ。「カルボナーラ」は残しておくとして、もう1本これ足さない？「矢浦町の現状と課題」。

ノア 賛成。私やってみたいです！　私たちにも知る権利があると思います。行きましょう、町役場。

桐下 ええ？　今？

ノア 取材はスピードが命です。

羽賀 だからっておまえ、そんな急に。

神谷 そうね、今日ってわけにはいかないだろうけど、みんなにとってもいい勉強になりそうだから、問い合わせてみるよ。

ノア ホントですか？

神谷 うん。町長はいないけど、誰か代わりの人がいるはずだから。

羽賀 上月タイムスの支局もない矢浦町で、唯一のマスコミって言えるのがオレたち新聞部！

ノア 大きく出ましたね。

羽賀 そうですよね、先生！

神谷 まあ、その意気込みだけは立派。

羽賀 ありがとうございます！

神谷 じゃあ、連絡してみるね。

ノア お願いします。

神谷、携帯電話を取り出し、電話をかける。

神谷 もしもし。こちら、矢浦中学校の新聞部です。……はい。神谷と申します。今度、学校新聞の企画で、町議会の取材にうかがいたいと思っているんですけど……。

はい。……できれば、会議場ですとか、町長室の様子なんかも見せてあげられたら、生徒たちの社会勉強にもなりますし……。はい、ご都合をうかがえればと……。わかりました……。（部員たちに）「ちょっと待ってて」だって。

桐下　まあ、そう簡単に許可は下りないだろうな。

西　だろうね……。

上手側エリアに加え、下手側エリアも明るくなる。
町長室の内線電話に着信がある。

垂井　はい。町長室です。今取り込み中！……何？　取材？　矢浦中学校？　ああ、はいはい。いいわよ。どうせたいしたことないんだから……。また日程調整して連絡するって言っといて！

久米　何事？

垂井　矢浦中学校の新聞部が取材希望ですって！

久米　この忙しい時に……。

垂井　（再び受話器に）え？　何？　ああ、寿司……。寿司ね。ええぇ？　5時無理？　何で？　営業時間まだって、私を誰だと思ってるの？　5時よ5時。認めません！　え？……直接？　わかった、換わって！

外線が神谷とつながってしまう。

垂井　5時って言ったら5時！　わかった？

神谷　5時って、今日のですか？

垂井　当たり前じゃないの！

神谷　わかりました。

垂井　きっかり5時！　3人前ね！

神谷　いえ、まだまだ半人前ですけど。

垂井　そこ謙遜要らないから。

神谷　で、直接うかがってよろしいんですか？

垂井　勿論です！　直接町長室です！

神谷　わかりました。ありがとうございます！　では、本日5時、直接町長室にお伺いします。

垂井・神谷、電話を切る。

羽賀　ＯＫですか？

神谷　うん。びっくり。

ノア　すごいですね！

神谷　先方の都合聞くだけのつもりだったのに。今日の5時、しかも直接町長室だって！　あり得なくない？

桐下　5時って、もうすぐじゃないですか！

神谷　じゃあどうする？　誰が行く？

ノア　私行きます！

羽賀　オレも！

西　足引っ張るだけだって。

桐下　そうだな。

羽賀　ええ？

西　やめとけって。

神谷　じゃあ、とりあえず私とノアで、いい？
桐下　そうしてください。
神谷　じゃあ、この後すぐに玄関集合ね。
ノア　はい。
西　私たちはどうしましょう？
神谷　とりあえず待ってて！
西　了解しました！
桐下　健闘を祈る！
ノア　行ってきまーす。
羽賀　気をつけて〜。

神谷・ノア、退場。

桐下　さてと、おれたちどうする？
羽賀　待っててって言われてもなあ……。
西　とりあえず、カルボナーラのほう、調べておくか。
羽賀　そだねー。
桐下　図書館行く？
西　家庭科室に料理本あったかも。
羽賀　よっしゃ、じゃあついでに何かあったら食べちゃおう。
西　おいおい！

がやがやしながら桐下・羽賀・西、退場。

5

上手側エリアが暗くなる。
同時に下手側エリアが明るくなる。

波布　走り続けたその後に。
真野　突然の逮捕とは……。
大江　一寸先は闇じゃ。
久米　彼は高校の2年先輩、弁論部の部長でした。言わば旧知の仲で、それゆえの副町長抜擢と感謝もしておりますが、今や窮地に追い込まれ、日々汲々とするばかり……。
波布　キューチのキューちゃんかい……。
久米　当面私が町長代行を務めることになりますが……。
垂井　実は私たちも、ここだけの話、本多町長の強引なやり口には、いつも振り回されてばかりでした。
久米　町長曰く、「オレは毎日3時間しか寝ない」とか、「オレの辞書に不可能の文字はない」とか、どこかの国の英雄気取りで。
垂井　来る日も来る日もパワハラモラハラおまけにセクハラ……。
久米　町長就任から今日まで、聞くも涙、語るも涙の5年半でございました。
真野　ぶっちゃけ、あんたらの勤務状態がどうだろうが知ったこっちゃないが。
大江　わしらの権利がどうなるか、そこが問題よのー。

久米　ご尤もでございます。ただ……。
波浮・真野・大江　ただ？
久米　本多町長が強力に推し進めてまいりましたこの計画、実は当初から少々、危なっかしい話ではあったのです……。
垂井　仮に誘致が成功し、無事大会が開催されたとしても、大会後の施設維持費は目もくらむほどの金額で、果たして本当に維持していけるのかどうか……。
波浮　え？　それは大丈夫だって言うとりましたろ……。
真野　ああ、フィギュアもカーリングも、スピードも、スケート系はしばらく人気が続くじゃろういうて。
大江　開いた口が塞がらん。（塞ごうとするが塞がらない）
久米　遅かれ早かれこの計画は中止になるでしょう……。まあ、その場合の対応策も、考えていないわけではありませんが……。
波浮　どんな対応策だね。
久米　それは、いわば、国家の一大プロジェクトの一環と申しますか……。
垂井　（遮るように）テルちゃん！
波浮　テルちゃん？
垂井　……。
波浮　テル、とは久米さん、あなたの下のお名前。
真野　おやおや？　随分と親しい間柄のようですな。
垂井　そんなことは……。
久米　（動揺して）はい、滅相もございません……。
波浮　普段はニヒルに気取っとる久米さんが、どうされましたかな？
大江　町長の秘書と、副町長ろ？
垂井　さようにございます。
久米　それ以上も以下でもございません。
波布　友だち以上、恋人未満？
真野　中学生でもあるまいに。
大江　思春期かっ！
垂井　ともかく、副町長、不確定要素の多い事柄につきましては、発言を慎んでください。
久米　わかりました。ではその件は、おいおいということで。
波布　さて、何の件だったかいの？
真野　こん人らの恋バナの件。
垂井　違います！
大江　ほんだら何の件か忘れてまったわ。
波布　わしら年寄りだもんで。
真野　違う話がはさまったらもう前の話忘れてまう。
大江　（親指と人差し指で輪を作り）これ（＝金）の話は忘れんけどな。
波布・真野・大江　ふぉ、ふぉ、ふぉ、ふぉ、ふぉ。
垂井　（ホッと胸をなで下ろす）……。
久米　では、話を元に戻しましょう。本多町長がこういうことになったとはいえ、ここにお集まりの皆様には、氷上アリーナ建設予定の土地をご提供いただくことになっており、すでに売買契約も済んでおります。
波布　その通りですが、それがどうかしましたか？

久米　皆さん。土地売買の契約書に、次のような文言があったのを覚えていらっしゃいますか？

垂井　「付則3条①項。万一、氷上アリーナの建設が行われなくなった場合、土地買い取り価格を契約時の半額とする。」

大江　どういうこと？

久米　つまり、皆さまの収入と言いますか利益と言いますか、50パーOFFになってしまうというわけでございます。

垂井　そして今さら契約解除はできません……。

波布　ええぇ？　田んぼ元通りにしてくれるんかい！

真野　木ぃ全部切り倒してまったで！

大江　乳牛30頭売り飛ばしたわさ！

久米　だから契約書よく読んで、って言ったじゃないですか。

波布　わしゃ覚えとらん。

真野　わしもじゃ。

垂井　ちゃんと説明しましたよ。

大江　わしゃ契約書捨ててまったかもしれん。

垂井　オーマイガー。

地権者たちがおろおろする。

久米　しかーし！　この矢浦町のために長年尽くしてこられた皆さま方でございます。決して損をさせるわけにはまいりません。

垂井　実は、私どもが独自に考えた妥協案がございます。つまり、土地買い取り価格が半額になった場合は、その値引き金額に見合った新たな土地をご用意させていただくと……。

久米　資産価値としては、＋αの土地が手に入る可能性もございます。

垂井　これは決して公文書改ざんではありませんよ〜。

久米　単なる追加項目です。

地権者たちは安堵の表情を浮かべ、ホッと胸をなで下ろす。

波布　代替地もらえりゃ、それでええんよ。

久米　というわけでございますから、次期町長選挙の折には、是非とも、この久米テルオのご支援のほど、よろしくお願い致します。

垂井　その際は、私垂井蘭が、久米の秘書として、精一杯務めさせていただく所存です。長寿会幹部の皆さまにおかれましては、ご家族ご親族、ご近所様にいたるまで、何卒よろしくお願い致します。

久米　というわけで、随分と長い前置きになってしまいましたが、そのための話し合いを、ここに開催したいと……。

久米・垂井　ウィンウィン。

波布　何じゃ何じゃ、そういうわけかい。

久米　……ええ、まあ……。

真野　エエろエエろ。
大江　がんばっちょくれ。
波布　よ！　久米っ！
真野　テル兄ちゃん！
大江　次期町長！
久米　いえいえ、まだそんな……。（と言いながらまんざらでもない）
波布　で、どうするんだい？

地権者の老人たちが黙り、ほくそ笑む。

久米　この手の話はたいがい揉めます。ですから、できるだけ早いうちに話を進め、目処を立てたいと。
真野　なるほどね。
久米　で、ですね。皆さまにはこの町のどのあたりの土地がよろしいか、早速ご相談をしていただいてですね……。
垂井　今後の交渉がよりスムーズに進むよう、ご協力をいただければありがたいなあと。
久米　何度もご足労いただくのは大変ですし。
垂井　何より目立ちますからね。
久米　（時計を見て）さて、そろそろご夕食の特上寿司が届くころかと存じますので、まずはお食事会《オショクジカイ》ということで、いかがでしょうか。
大江　わしゃまだ腹減っとらんな。
波布　わしもじゃ、昼飯が遅かったもんでのう。
真野　わしゃいつでもＯＫ牧場じゃが……。
久米　それでは、体動かす系でいきますか？
波布　体？
真野　動かすけー？
垂井　ダンスですよ。
久米　足腰鍛えて健康増進！
垂井　その後で、美味しくお寿司をいただきましょう。
波布　なるほど。
大江　よっしゃ、腹減らしじゃ。
垂井　よ、皆さんお若い！
久米　それでは、この方に登場していただきましょう。カモン！

軽快な音楽が流れると、インストラクター永作が躍り出る。

久米　ミュージック、スタート！
永作　はーい、用意は良い？（老人たちをステージに促し）じゃあ、音楽に合わせて～、行くわよー。ワン、トゥー、ワン、トゥー、ワン、トゥー、ワントゥーサンシ！

音楽に合わせ、インストラクターに倣って老人たちが踊る。
老人たちはあまり動きについて行けない。
不意に声がする。

神谷　こんにちはー。

真野　お、寿司来た！

神谷とノアが立っている。（下手）

ノア　矢浦中新聞部の辻江ノアです。町長室の取材にきました。
神谷　神谷と申します。

久米が神谷の姿にハッとする。

神谷　（名刺を久米・垂井と交換）本日はどうぞよろしくお願いします。
久米・垂井　……。
神谷　（室内の光景を見て）お取り込み中だったでしょうか……。
垂井　ええ、まあ……。
神谷　で、取材のほうは……。
久米　ええっと、そのような依頼を受けた記憶がございません。
神谷　え？　おかしいなあ。確かに5時に直接町長室って……。
垂井　5時に直接町長室？（マズい！という表情に変わり）……。
ノア　私、町長室の取材、ちょーちょー楽しみにしてたんですよ！
垂井　（焦りを隠しながら）ごめんなさいねー。何かの手違いかもしれません……。
久米　手違い？
垂井　本当にすみません！
ノア　せっかく先輩たちを差し置いて来たのに。
神谷　またの機会にしよ。（垂井に）いいですよね。
垂井　もちろんです！　ただ、町長代行は多忙を極めておりますので……。
久米　正確な日時まではお答えできませんが。
垂井　近い将来、ということでいかがでしょうか。
神谷　……わかりました。
神谷　一つだけうかがってもよろしいですか？
垂井　どうぞ。
神谷　（さっきまで踊っていた人たちを示し）そちらの方々は……？
久米　矢浦町、長寿会幹部の皆様です。

音楽が止む。
3人の老人が神谷たちに歩み寄る。

波布　どうも、おじいちゃんです。
真野　学校の先生ですか？
神谷　はい。
真野　どうです？　ご一緒に、ダンスでも。
大江　よろしければ夕飯も。
波布　そうじゃそうじゃ。
神谷　あ、私勤務中ですので……。

真野　ええ？　いいじゃんいいじゃん。
神谷　帰ります。
大江　そうなの？
久米　そうですね、今日のところは、お引き取りください。
神谷　はい、（ノアに）行こ。
ノア　はい……。
垂井　本当に、ごめんなさいね。

神谷とノアが退場。（下手）
室内にいる人たちはその様子を呆然と見ている。

波布　何だか、わしらが追い返してしまったようじゃの。
真野　遠慮せんでもええのに……。
大江　あんたが言うことではないろ。
久米　さ、想定外の客も帰ったことだし、続けましょうか。
波布　そうじゃ、腹減らしじゃ。
真野　わしゃ、ちいときつうなってきたで……。
大江　わしもじゃ。
垂井　皆さんお若いんですから、がんばりましょう！
久米　じゃあ、ミュージック、再スタート。

先ほどとは別の音楽が鳴り始める。
永作が躍り出る。

永作　はーい、用意は良い？　じゃあ、音楽に合わせて〜、行くわよー。ワン、トゥー、ワン、トゥー、ワン、トゥー、ワントゥーサンシ！

音楽に合わせ、久米と垂井以外の人たちが踊る。
老人たちの息が次第に上がってくる。
久米が呆然と立っている。
垂井が久米を促し、やや離れた位置に移動する。

垂井　（久米の動揺に気づき）どうしたんですか？
久米　え？　ああ、ちょっとマズいところを見られちゃったな。
垂井　そうですね。
久米　面倒なことにならなければいいが……。
垂井　そうですね。

久米と垂井、黙って頷く。
インストラクターが突然動きを止める。

永作　（受付嬢の雰囲気でインカムのマイクに）はい、矢浦町町役場です。……はい、わかりました。垂井さん、転送しまーす。

内線電話が鳴る。

垂井　（電話に出て）はい。わかりました。……え？　ああ、じゃあ、そうね……。そこ置いといて。（電話を切り）皆さーん、お寿司、届きましたよ！　お夕飯にしましょう！

久米が音楽を止める。
永作が去る。
老人たちが息を切らしてゼエゼエしている。

久米　はい、では皆さん、お食事会場にご案内致しま～す。
垂井　どうぞ、私についていらしてください。

垂井について老人たちが退場。（下手）
久米が後を追って退場。（下手）

永作　ワン・ツー・ワン・ツー・ワン・ツー・サンシ！

永作が軽快に退場。（下手）
暗転。

6

音楽が消えると舞台明るく。
そこは矢浦中学校新聞部の部室。

西　それにしても遅いね。
桐下　長引いてんのかな、取材。
羽賀　それならいいんだけど……。
桐下　ちょー盛り上がってたりして。
西　どうする？　連絡してみる？
羽賀　そうだな……。

上手から神谷・ノアが入ってくる。

ノア　ただいま。
神谷　ただいま。
羽賀　お帰り！
西　遅かったじゃないですか！
桐下　町長室の取材は盛り上がったか？

ノアが浮かないお顔をしている。

西　どうしたの？
ノア　断られた。
西　え？
羽賀　何で？
ノア　変なおじいさんたちが踊ってた。
桐下　ちょっとわけわからないんだけど。
ノア　こっちだってわけわかんないよ。
羽賀　で、取材しないで帰ってきたわけ？　それにしてはずいぶん遅かったけど。まさか先生とお茶？　オレも誘ってくれよ～。
ノア　違いますよ、張り込み。どうも怪しいなと思って、そのおじいさんたちを出待ちしてたの。

西　そうなんだ。
桐下　で、何かわかったのか？
ノア　いや全然。でも何だか変なんですよ。町長室にステージみたいのがあって……。
神谷　そうね、まるで安いカラオケスナック。あれにはきっと何かあるわ。

以下、回想。
舞台奥に老人たちが立っている。

波布　しっかし、テル兄ちゃんもなかなかやってくれそうよのう。
真野　次期町長も、捨てたもんじゃないろ。
大江　町長がこんなことになっても、頼もしい限りじゃ。

神谷が声をかける。

神谷　すみませーん。
波布　はいはい。
神谷　あのー、先ほど町長室で踊っていらした方々ですよね。
真野　そうですよ。
大江　踊ったあとに夕飯もいただいてまいりました。
波布　ついでにお酒も少々いただきました。
神谷　まあ、それは良かったですね。
ノア　（遮るように）それより、ずばり聴きますが、長寿会の皆さんは町長室で何をしてたんですか？
波布　それはほれ、ひょーじょーきょー。
真野　（咳払い）う、う、う、う、うん。
大江　墺助さん、墺助さん。
ノア　ひょーじょー？
波布　お、お、お、おう。ほれ、わしら歳ぃとると、表情が固くなってしもうての。
ノア　へえ。
神谷　皆さん、結構楽しそうに、笑顔で踊ってらっしゃいましたけど。
真野　そりゃそうそうろ、あのダンスのおかげでニッコリニコニコですがな。
大江　スマイリースマイリー。
波布　それにほれ、昔は会議のことを評定と言いましてな。
大江　そうそう、町の評定、つまり、町議会がこの難局を乗り切るため、わしらもいっちょダンスでおもてなしを。
ノア　あまり効果なさそうですね。
真野　そうなんですよ、それがわしらの悪いとこ……。
神谷　私たち、今日の5時に来るように！って言われて行ったのです。（老人たちに）で、もう一度うかがいますが、あなたたちは、町長室で何をしていらっしゃったんですか？
波布　まあ、そういうことに関しては、そもそもわしらは民間人だで、お答えする立場ではないと、このように認識しております。
真野　いわば、公務員たる町長と、民間人たる私たちは、同じ人間にして、非なる存在と申しますか。
大江　（困って）つまり……。
波布　つまり（取り繕って）、わしらは矢浦町長寿会の中において。
大江　先祖代々受け継がれたこの土地の上に立って。
真野　徹底的に飲み直すのであります。

老人たち、千鳥足で去る。
回想終わり。

神谷　あれにはきっと何かあるわ。おそらく、私たちに知られたらマズい何かが。
羽賀　それは何でしょう！
神谷　わからないけど、あの長寿会の人たちのしどろもどろな話。ヒョージョーがどうしたこうしたとか、まあ、ちょっと酔っぱらってたみたいだけど。
ノア　国会答弁みたいでしたよね。
神谷　だいたい町役場でお酒飲んで出てくること自体ありえないでしょ。
桐下　腐ってる！
西　信じらんない！
羽賀　どうなってるんだ、矢浦町の行政は！
神谷　どうする？　みんな、もうちょっと詳しく調べてみる？
ノア　先生、いいんですか？
羽賀　オレ、どこまでもついて行きます！
神谷　あの副町長が怪しいのよね。（もらった名刺を取り出し）久米テルオ……。
羽賀　ようし、副町長が何を企んでいるかを探ろう。
桐下　まずは、その長寿会幹部が狙い目か。
ノア　秘書の女も怪しいですよ。
神谷　あと、変なインストラクターみたいなのいなかった？
ノア　いました！（髪の毛）もじゃもじゃの……。
桐下　（みんなに）じゃあ、どうする？　今から取材の計画立てる？
ノア　はい。
西　仕方ないなあ……。
神谷　（時計を見て）学校はもう閉めなきゃいけないから……。
桐下　公民館のラウンジは？
神谷　あ、あそこなら8時まで使える。
羽賀　時間がない。急ごう。

音楽『ただ一度だけ』
新聞部員一同と神谷、「お腹空いた～」「先生奢って～」「我慢我慢！」
など言いながら退場。

7

入れ替わるように、久米・垂井・波布・真野・大江が入ってくる
1場の最初と同じ場所。（町長室）
音楽が止む。

久米　というわけで皆さん、今日再びお出でいただくことになったわけでございますが。
垂井　前回はもうベロンベロンに酔っ払って、会議どころではありませんでしたからね。
波布　その節は、どうもご馳走さんでした。
久米　（引きつりつつ）いえいえ……。
垂井　（小声で）だからお酒まで出す必要ないって言ったのよ！
久米　（小声で）成り行きで仕方なかったんだよ。
波布　で、今日は何のご用件かいのう。
垂井　前回できなかった打ち合わせですよ、代替地の……。
真野　ああ、そうじゃそうじゃ。
大江　今日の夕飯は何じゃろかのう。
垂井　え？
波布　わしゃ中華がええのう。
真野　わしゃ焼き肉がええわさ。
垂井　（久米に）今日も食べてくつもりみたいですよ。
久米　（大江に）今日はさすがに、その予定はないんですよ！
大江　え？　母ちゃんに今夜は夕飯いらん言うてまったがな。
久米　それじゃ皆さん、お腹が空く前に、ささっと話を進めましょう。
垂井　そうです。さっさと決めて、さっさと帰りましょうね。

久米が地図を広げる。
老人たちが取り囲むようにそれを眺める。

久米　代替地の候補としましては、町で所有している空き地と、所有者不在の住宅地、それに、本多旅館の、跡地……。
波布・真野・大江　跡地？
久米　脱税容疑で逮捕され、裁判で有罪となれば、土地の差し押さえは確実。
波布　ということは、それも候補地に……。
垂井　そうです。

老人たちが低い歓声を上げる。

真野　それはいい話じゃ。
久米　はい、では、ざっくばらんに、どうぞ。

老人たち、黙っている。

久米　どうしました？　どうぞ。
波布　わしゃ、その、本多の跡地が……。
真野　わしも、本多がええの。
大江　何じゃ何じゃ、考えることはみんな一緒じゃのう。
久米　それでは大江さんも、本多の跡地を？
大江　その通り。
波布　たとえ温泉が涸れたとしても。
真野　この辺じゃ一等地じゃからの。
大江　腐っても鯛どころか、鯛の尾頭付きじゃ。
波布　わしゃ譲らんぞ。
真野　わしも譲らん。
大江　右に同じ……。

老人たち、黙り込む。

久米　温泉街からは若干離れますが、和里沢《わりさわ》地区の山林なんかいかがでしょうかねえ。
垂井　温泉街近くですと、面積がかなり狭くなってしまいますが……。
久米　（地図を示しながら）桜《さくら》地区北半分、このあたりですね。
垂井　あとは、もう、北の外れになりますが、比良土《ひらど》地区、こちらは更地です。

老人たち、黙り込む。

久米　さあ……。さあどうだ。

老人たち、黙り込む。

垂井　やはり、このようなお話、こういう展開になりがちです……。
久米　仕方がない……。（呆れて）じゃあ、今日も行きますかね。
垂井　そうですね……。（呆れて）行きましょう。
久米　今日は和風で。音楽、はじめ。

軽快な音楽が流れると、インストラクター永作が躍り出る。

センリ　はーい、用意は良い？　じゃあ、音楽に合わせて～、行くわよー。ワン、トゥー、ワン、トゥー、ワン、トゥー、ワントゥーサンシ！

音楽に合わせ、久米と垂井以外の人たちが踊る。
老人たちは心なしかダンスが少し上手くなっている。

波布・真野・大江　♪アホイ、アホイ、アホイホイホイホイ！

永作の後について、老人たちが踊りながら去る。

8

上手側エリアに新聞部の面々が入ってくる。
最初にやってきたのは桐下。
桐下は椅子に座り、メモに目を通している。
遅れて羽賀がやってくる。

羽賀 おっす、1人か。
桐下 ああ。

こんなやりとりをしている間。
ステージ上の老人たちが軽快なステップを踏みながら退場。

羽賀 何かわかった？
桐下 例の氷上アリーナ建設予定地なんだけど。
羽賀 ああ、はいはい。
桐下 建設中止になるらしい。
羽賀 あ、そうなんだ。
桐下 まあ、又聞きなんだけどね。親父が床屋で聞いたって。
羽賀 中止になったら、あそこどうなるのかね。
桐下 原発関連か、ミサイル基地じゃね？
羽賀 え？ まじで？
桐下 冗談だよ。で、そっちは？
羽賀 ああ、その予定地な、もともと長寿会幹部の爺さんたちが持ってた土地なんだってよ。
桐下 ほう。
羽賀 ウチの婆ちゃん情報なんだけどね。

西が慌てて入ってくる。

西 おーっす！
桐下 どうした？
西 特ダネ特ダネ。
羽賀 何？
西 副町長と秘書がデキてるんだって！
桐下 へえ……。
羽賀 誰情報？
西 オカンが勤めてるスーパーのおばちゃん。
桐下 オレたちの情報源って、ローカルだよな。
羽賀 しかも全部ウワサ話……。
桐下 全然取材してないじゃん。
羽賀 いつも通りだ。

3人、ため息をつく。
ノアが慌てて入ってくる。

ノア 聞いてください聞いてください聞いてください！
西 どうしたの？ そんなに慌てて。
ノア どうやら次の町長選挙絡みで何かありそうなんですよ。

羽賀　何かって何だよ。
ノア　長寿会の人たちに話を聞きに行ったんですけど。
羽賀　え、おまえ行ったの？
ノア　はい。
桐下　すっげえな。
西　ちゃんと取材してるじゃん。
ノア　まあ、調べてみたら家が割と近所だったんで……。
羽賀　で？　何聞きにいったわけ？
ノア　矢浦町の今後について。
羽賀　へえ。
ノア　そしたら……。

波布・真野・大江が現れる。（別々の場所にいる体で）

波布　次の町長は、久米さんでダイタイ決まりじゃろ。
真野　まあ、ダイタイね。
大江　ダイタイちゅうか、ほぼほぼ決まりじゃな。

3人、ストップモーション。

桐下　副町長だろ？　まあ、ある意味自然なんじゃね？
ノア　でも、その後に……。
波布　ちょっとちょっとあんた、悪いことは言わんから……。
真野　こういう大人の話には首を突っ込まんほうが……。
大江　身のためじゃと思うんじゃが……。

3人　（別々の場所で言っている体で）フォーッフォッフォッフォッフォ。

3人、それぞれに退場。

ノア　判で押したように同じようなことを言うんですよ。

新聞部員たち、少し腰が引ける。

桐下　首を突っ込まないほうが身のためって、どういうこと？
西　ちょっと怖いね。
桐下　……やっぱこういうことってさあ……。関わるのやばくねえ？
西　……そうだよねえ、高校進学に響いたら……。
桐下　オレたちのキャパを超えているというか……。
ノア　どうしたんですか？　ビビってるんですか？
羽賀　桐下ビビってる！　ハイハイハイ。
桐下　そういうわけではないんだけどね……。
西　やっぱ、学校新聞で取り上げるようなことではないような気が……。
ノア　そうかもしれませんけど、真相を知りたくありません？
羽賀　まあ、面積的には広いけど、人口的には狭い町だからな……。確かにちょっとビビるわ。

神谷が颯爽と現れる。

神谷　それもそうね。
羽賀　先生……。
神谷　学校新聞には、もう少し当たり障りのないことを書いておけばいいかもしれない。
桐下　ですよね……。
西　良かった。
神谷　でも、町長室の取材、OK出たんだけどなあ。副町長の久米さんから直々に連絡があって。
ノア　本当ですか?!
桐下・羽賀・西　……。
神谷　どうする？
ノア　はい、私やります。
神谷　先輩たちは？
羽賀　オレも！って言いたいところだけど、どうしようかなあ……。

2年生の3人、沈黙。

桐下　ちょっと考えさせてもらってもいいですか？
神谷　そうね……。わかった。
ノア　で、いつですか？　取材の日時。
神谷　明日の午後4時。
ノア　はい。
羽賀　そりゃまた急な話ですね。
桐下　しかもまた土曜日か。
神谷　私は事前の打ち合わせがあるから来てくれって……。今から行ってくるね。
羽賀　今日は先生1人で行くんですか？
神谷　1人で来るように言われてるから。
羽賀　大丈夫ですか？
神谷　大丈夫大丈夫。じゃあ、行ってきます。
ノア　行ってらっしゃい。
羽賀　くれぐれも気をつけて！

神谷、退場。
羽賀が心配そうに見送る。

桐下　(しみじみ) オレ、卒業したくねえなあ……。
ノア　何ですか？　いきなり。
羽賀　(気を取り直して) 現実逃避か？
桐下　いやあ、何ていうかなあ、大人になりたくないっていうか、子どものままでいたいっていうか。
羽賀　ああ、それ、そういうの何ていうんだっけ？　モラ、モラ、モラ……。
西　モラトリアム？
羽賀　それそれ。でも何で？
桐下　都会に出たくないのかも。どろどろしてそう……。
ノア　田舎だって結構どろどろしてるじゃないですか。
羽賀　おまえほどサバサバしてるやつはいないぞ。
ノア　いや、こう見えても苦労してるんですよ。

西　へえ、意外。
ノア　それに将来のこと考えたら憂鬱になります。きっと人生山あり谷あり……。
西　でも都会は楽しいんじゃない？
桐下　せめてそう思いたいよ。
西　絶対に高校生活楽しいって思えなかったら受験勉強なんかやってられないよね。
ノア　でも、高校に入ったら、今度はすぐ、大学受験の話ばっかりだって……。
桐下　おまえはどうしてそう否定的なんだ！
ノア　違います、現実的なだけです！
桐下　遅かれ早かれオレたちは社会の荒波にもまれて、知らないうちに歳をとって、はかなく死んでいくんだな。
ノア　桐下先輩、暗いです。
羽賀　極端なんだよ、おまえは。
西　ウチは将来絶対東京行く。
羽賀　神谷先生みたいにわざわざ東京から来る人もいるのにな……。
ノア　でも何で？　わざわざ、こんな田舎に……。
桐下　いろいろあったんじゃないか？
羽賀　いろいろ？
西　いろいろか……。
ノア　誰にでもいろいろありますよ。
桐下　さてと、今日はどうする？
羽賀　気分転換してから明日のことを考える。
西　お、いいねえ。
ノア　またカラオケですか？
桐下　頼む、１曲だけ！
羽賀　せめて30分！
ノア　仕方ないなあ。じゃあ、頼んでみるよ。どうせまだお客さんいないから……。
桐下　よっしゃ！　行こう。

新聞部の面々、退場。
音楽『Tiger&Dragon』
暗転。
やがてカラオケで歌いまくっている音が加わる。
カラオケの音とダンスの音が交錯する。

9

明るくなると、そこは町長室のステージ。
音楽が止まる。

永作　はーいみんな、お疲れ様でした。だいぶ上手になってきたわね。とってもいい感じよ。
波布　ここはすっかりわしらのスポーツジムですな。
真野　健康増進まっしぐらですわ。
大江　しかもタダっちゅうところがたまりませんな。

久米と垂井が登場。

久米　いやいや皆さん、今日も動きにキレがありましたね。
垂井　それだけのキレがあれば、今度、スケート靴履いて、チャレンジしてみます？　フィギュア。
波布　トリプルアクセルくらいはできますかのう。（回る真似をしながら）ホウホウホウホウっちゅうて。
真野　無理じゃ無理じゃ。５００ｍが関の山じゃ。

3人でスピードスケートの真似をする。（「やっぱり無理じゃ」とか）

大江　カーリングがエエとこじゃろ。

3人でカーリングの真似をする。
この間、永作はじっとしている。

久米　本当に皆さんお若い。
垂井　とても後期高齢……、いえ、70代後半には見えませんよ。
久米　ですが、結局今日も話し合い、進みませんでしたね。
垂井　いつになったら決まるんでしょうね……。
波布　で、今日の夕飯は……。
久米　さすがに、本日はございませんよ……。
真野　え？　そうなの？
大江　何だかんだ言うて、こないだもご馳走になったもんで、てっきり今日も出るもんじゃ思うて……。
真野　わしら皆おっかあにメシいらんっちゅうて、のう。
波布・大江　そうじゃそうじゃ。
垂井　この後、別の面会予定がありまして。
久米　私どもも休日返上、しかも自腹でやっておりますので。
垂井　そこんとこ、よろしくお願い致します。
波布　何だいそうかい。
真野　楽しみにしちょったんだが。
大江　そういうことなら仕方ないのう。
波布　ほんなら帰るわさ。
真野　帰るわさ帰るわさ。
大江　えろうお世話になりました、と。
久米　はいはい、すみませんねえ。
垂井　次回は是非とも、すき焼きかなんか……。
大江　わしゃもりそばでもかけそばでもええんじゃがの。

長寿会の3人が帰る。
垂井、動かない永作に近づく。

垂井　バッテリー切れた？

垂井が永作を叩く。
永作が少し動く。
垂井がもう一度叩く。

永作　ワントゥーワントゥーワントゥーワントゥーワン

トゥーワントゥー……。

永作が去る。

久米　どうやら故障のようだ。垂井君、修理の依頼を。
垂井　わかりました。あ、でも面会は……。
久米　大丈夫、私が対応しておきますから。

垂井が永作を追って退場。
久米が垂井の去った方を見る。
手にはＵＳＢメモリーらしきものを持っている。
入れ替わって神谷が入ってくる。
久米は手に持ったＵＳＢメモリーを隠す。

神谷　こんにちは。
久米　おお、お待ちしておりました。神谷先生。明日の取材の打ち合わせでしたね。ささ、どうぞ。こちらへ。
神谷　ありがとうございます。

久米が促し、神谷がソファに座る。

久米　いやあ、しかし先日は驚きましたよ。まさかこんなところでお会いするとは。
神谷　お久しぶりです。
久米　最後にお会いしたのは、いつ頃だったでしょうか。
神谷　祖母のお葬式に来てくださいましたよね。
久米　ええ。
神谷　あれが最後ではなかったかしら……。だとすると5年前。それ以来、こちらに来る回数もめっきり減ってしまって……。
久米　もうそんなに経ちますか。
神谷　高校生の頃までは、夏休みに祖父母を訪ねる度に勉強を教えていただいて。
久米　にわか家庭教師のようでしたね。
神谷　おかげさまで、予備校の夏期講習に行かなくてすみました。
久米　私にとっても、いろんな意味でいいアルバイトでしたよ。
神谷　でもすごいですね、若いのにもう何年も副町長をやっていらして。しかも次期町長は久米さんだと、もっぱらのおウワサですものね。
久米　いやいや……。まあ、せっかくこの町におられるのですから、これからもちょくちょくお目にかかりたいものです。
神谷　ありがとうございます。

しばしの間。

久米　さて、では本題に。
神谷　はい。
久米　実は、明日の取材の件なんですけどね、よくよく考えてみれば今、矢浦町では町長が逮捕され、町政は混迷を極めております。ですから、一旦お引受けしたことではございますが、町議会取材の件は、（かしこまって）なかったことにしていただきたいと……。
神谷　え？……そうなんですか。
久米　大変申し訳ありません。
神谷　では……。では何故今日私をお招きに？
久米　直接お伝えしたほうが少しでも誠意が伝わるのではないかと思いましてね……。それから、直接ご相談させていただきたいことがもう一つ。
神谷　何でしょう。

久米、神谷に近づく。

久米　矢浦中の先生をされているそうですが……。
神谷　産休補助で、国語を教えています。
久米　ほう。
神谷　まだ1ヶ月ちょっとしか経っていませんけど。
久米　ちょっと調べさせてもらったんですがね……。あなた、この春まで国会担当の政治記者だったそうじゃありませんか。
神谷　いや、そんな……、たいしたことありません。ほんの見習い程度でしたから……。
久米　（遮るように）それが何ですか、え？　こんな田舎で、え？　産休補助？……意味がわかりません。
神谷　ですから……、こちらには母の実家があって、祖父母はもういませんが、知らない土地でもないですし……。
久米　（再び遮るように）いいえ、違います。きっと他にも理由があるはずだ！　あなたの狙いは何なんですか！
神谷　記者の仕事に疲れてしまって……。
久米　そうですか。
神谷　はい。
久米　まあいいでしょう。記者時代に何があったのかは知りませんが……。

久米、さらに近づき。

久米　どうです？　私と組みませんか？
神谷　……どういうことでしょうか？
久米　この町についていろいろと詮索するのはやめて、こちら側に来てほしいんですよ。つまりは、次期町長の秘書に……。いかがですか？
神谷　それは……、あなたの秘書になれと？

久米、紳士然としてうなずく。

神谷　垂井さんがいらっしゃるじゃないですか。
久米　垂井はまだ本多町長の秘書であって私の秘書ではありません。
神谷　……。
久米　彼女には、町会議員として独立してもらうことも考えています。
神谷　……。

久米　そうすれば、垂井にとっても、あなたにとっても、私にとっても……、（真顔で）ウィンウィンウィン。

神谷　……。

久米　（神谷の肩に手を回し）まあひとつ、ご検討願えれば幸いです。

垂井が戻ってくる。

垂井　（ため息）はあ。

久米　あ、ひえええええ。

垂井　あれ～、どうしたのかな？（久米に近づき）ざけんなよ。

暗転。

パンチの音。

音楽『t.t.tango』が流れ出す。

10

明るくなると。

カラオケを終えた新聞部員たち。

羽賀　お疲れー。

西　今日もありがと！

ノア　いえいえ、じゃ、気をつけて……。

桐下　（不意に）オレ、カラオケやりながらずっと考えてたんだけどさ。

西　何？

桐下　もうちょっと新聞部らしいことしてみてえなって。

羽賀　お、やっとその気になったか。

ノア　さすが部長。

西　で、どうするの？

桐下　それがわかれば苦労はしないよ……。

羽賀　何だよそれ。

桐下　だけど、とりあえず町役場、行った方がいいんじゃないかって。

ノア　神谷先生ですか？

桐下　ああ。

羽賀　やっぱり？　そう思うよな。

桐下　なんか、こう、虫の知らせが……。

羽賀　何だよ、おまえもかよ。

西　（遮るように）実は私も気になってた。

ノア　行きましょう、町役場。

桐下　よし。

羽賀　待っててくださいよ～。

新聞部員たち、一斉に腕章をつけ、踵を返して退場。

11

町役場内の一室と思われる空間。
神谷とインストラクター永作が座っている。

神谷　こちらの部屋でお待ちくださいって……。
永作　ウンウン。
神谷　半ば強引に押し込められて……。
永作　ウンウン。
神谷　垂井さん、恐かったわね……。
永作　イツモイツモ。
神谷　そうなんだ……。あなた、ダンス上手ね。
永作　ウンウン。
神谷　まさかロボットだったとは……。
永作　チョウチョウガ、シュミデ、ツクッタ。
神谷　ちょうちょうって、本多町長？
永作　ウンウン。
神谷　あなたはどうしてここにいるの？
永作　クメサンニコワサレタ。シュウリマチ。
神谷　あの人がこの町で何をしようとしているか、知ってる？
永作　シッテルシッテル。
神谷　え？　本当？　教えてくれる？
永作　ウンウン。ソレハネ……。
神谷　（身を乗り出して）うんうん。

神谷と永作がいるエリアが暗くなる。

12

町長室エリアが明るくなる。
久米と垂井が立っている。
垂井が憮然としている。
久米の顔に痣らしき痕がある。

久米　だから本当に申し訳ない！
垂井　……。
久米　おっかしいなあ、気がついたら、こういう（肩に手を回すポーズ）……。
垂井　（呟くように）……んなわけねえだろ。
久米　いやあ、魔が差したとしか言いようがありません。
垂井　ほう。魔が差した……。便利なコトバですこと、魔が差す……。はあん。
久米　もうしません、2度としません、絶対に！
垂井　信じられません。
久米　ちょっと待ってよ……。
垂井　ま、いいでしょう。今後ワタクシの働き方改革に際し、最大限のご配慮をしていただけるならば、もう1度だけ、チャンスをあげましょう。
久米　わかりました。給料2倍で私の秘書に。（手を差し出して）お願いします！

垂井　(手を取り) ま、いいでしょう。

新聞部員たちが息を切らしながら登場。

久米　ああ、裏口から入ってきやがった!
垂井　あら、取材の約束は明日じゃなかった?
久米　しかもその取材の件ですが、諸般の事情で中止になったんですよ。
部員一同　え?
垂井　矢浦町は今、非常時ですからね。
久米　そこんとこ、理解してくださいね。
ノア　そんな……。
垂井　でもまあ、滅多にない機会ですから、町の政治について、もしも何かご質問があれば。
久米　どうぞ!

一同、沈黙。

垂井　ありません……ね。では、会議場をご覧いただいてから解散と致しましょう。
ノア　あの。
久米　何ですか?
ノア　神谷先生はどこですか?
垂井　別室にてご休憩中です。
久米　あ、なんなら先生もご一緒に会議場、ご案内してあげて……。

神谷が現れる。

神谷　その必要はありません。
ノア　神谷先生!
西　あ~無事だったんですね。良かった!
神谷　(新聞部員たちに)みんな、心配かけてごめんね……。
桐下　いえ……。
神谷　でも、もうちょっと待ってて。
ノア　はい。
神谷　(久米・垂井に) 久米さん、垂井さん、あなたたちの目論見がわかりました。
久米　目論見?
垂井　何ですか、いきなり!
神谷　この方が教えてくれました。

インストラクター永作が登場。

センリ　ワン、トゥー、ワン、トゥー、ワン、トゥー、ワン、トゥー。
久米・垂井　インストラクター永作!
久米　しまった。秘密保護機能まで解除してしまったようだ。
垂井　オーマイガー。
神谷　この情報が正しければ、あなたたちにはもう1度考え直しほしいのです。

久米　あなたはこの人型ロボットから、何を聞いたというのですか？
神谷　本多町長を告発したのは……、あなたたちだったのですね。
センリ　ロクオンデータ、アルヨ。
神谷　しっかり聞かせていただきました。

久米・垂井の証拠となる音声が流れる。

垂井（音声）　もう、テルちゃんたら？
久米（音声）　何だよ、ランちゃんこそ。

一同、唖然。

神谷　この声はあなたたちのもので間違いないですね。
久米・垂井　……。
神谷　本多町長の政治の特徴は、とにかく口が達者。何しろ高校と大学の弁論部で鍛えた強者《つわもの》です。そしてなりふり構わぬ強引さと声の大きさ。よほど怖かったのでしょうね。やがて誰も意見が言えなくなりました……。そのしわ寄せはいつも副町長の久米さんのもとに……。
久米（音声）　やってらんねえよ！
神谷　久米さんはまず、町長の秘書、垂井蘭さんに近づきました。日頃本多町長からパワハラモラハラおまけにセクハラまで受けていた垂井さんはすぐに意気投合。
垂井（音声）　私もそう思う！
神谷　特に、無謀な氷上アリーナの建設計画は、土地取引の契約まで済んでしまい、あなたたちは危機感を募らせました。何とかして計画を阻止したいあなたたちは、本多町長と針山建設との黒い関係を暴露しました。
久米（音声）　覚悟はいいか？
垂井（音声）　ええ。
ノア　やっぱりそうだったんですね。
神谷　私は勇気ある行動だと思います。不正を暴いたのですから……。そして本多町長は逮捕されました。
久米（音声）　まずは第一関門突破だな。
神谷　（久米に）あなたは次期町長を目指して、町の有力者の切り崩しをはかります。
羽賀　それが長寿会幹部？
神谷　そう。町長選挙の票集めのため、あなたは、その人たちに代替地の提供を提案したのですね。
久米・垂井（音声）　ウィンウィン。
神谷　代替地を決めるための話し合いを何度も行いますが、いつまで経っても「会議は踊る、されど進まず」……。
ノア　それでダンスだったんですね！
神谷　しかし、問題はそれだけではありません。氷上アリーナの建設と、国際スケート大会の誘致が中止になった後、あなたたちがこの町でやろうとしたことは……。
桐下　何だったんですか？
神谷　実は東京で記者生活を送るうち、原子力発電所から出る核燃料の最終処分場の候補地として、名乗りを上げた自治体があることを知りました。

久米（音声）　止むを得ない。
垂井（音声）　町の生き残りをかけて。
神谷　それがこの矢浦町だったんですね。あなたはそのことを、町長の名を語って国に申し出た。

暫くの沈黙の後。

久米　その人型ロボットは、そこまでしゃべりましたか……。
神谷　はい……、というか、実際に話したのはあなたたちです。
久米　あなたをここへ招き入れてしまったことが、そもそもの間違いだったようです。
垂井　特上寿司の日だ……。
久米　しかし、やがて国内にも最終処分場が必要になるでしょう……。
神谷　何も自ら進んで申し出なくても……。
久米　いずれ誰かがやらなければならないのです。どこかの誰かがやらなければならないのです。
神谷　町議会の同意は得られているのですか？
久米　それはこれからです。次の町長が決まってから、タイミングを見て。
神谷　住民にはどのような説明を？
久米　誠意を持って、丁寧に、充分な説明を、致します。
神谷　あなたは、本多町長と同じことをやろうとしています。いえ、それだけじゃありません。この町がずっと前からしてきたことを、くり返そうとしているだけなのです！
久米　そんなことはありませんよ。
神谷　せめて、もう少し、この町に住む人たちの声に耳を傾けてください。
久米　そういうことですか……。それなら、いつもいつも何か新しいことをやろうとするたびに、聞こえてくるのはごく一部の、正義感を振りかざす人たちの怒号ばかりで、大部分の人は何も言わないんです……。それは賛成の意思表示、だとは思いませんか？　だから！
神谷　……。
久米　聞く必要はないんですよ。
神谷　そんなこと……。
桐下　ちょっといいっすか！
久米　何だね君は。

一同、桐下に注目。

桐下　オレたちにも、言いたいことはあります。難しいことはよくわからないけど、うまく言えないけど、思ってることはあります……。
西　新聞部なのに全然文章力ないけど、何も考えてないわけじゃないんです……。
桐下　いっつもカラオケで他人《ひと》が書いた歌詞叫んでるだけだけど、たまには自分の言葉、言いたいこともあります。
ノア　言っちゃいましょ、ここで、言っちゃいましょ！

桐下　町長さんには、本当のことを語ってほしいんですよ。いっつもいっつも、町民の皆さまのために～とか言ってたけど、何だかんだで逮捕されて……。えっと……。

西　……それって、結局自分の事しか考えてなかったってことじゃないんですか？

羽賀　オレは。

桐下　オレ、ついつい先のこと考えちゃうんですけど、大丈夫なんですかね、高齢社会対策とかは……。

西　うち、老老介護で大変なんですよ。婆ちゃんが爺ちゃんの面倒見てるんですけど、おかんもパート辞めるわけにいかないし。

桐下　あと、町の活性化を目ざすんだったら、何ていうか、その、もっと長い目でっていうか……。

西　そうそう、どうせお金使うなら、災害対策とかちゃんとやった方がいいんじゃないですかね。

ノア　国際交流を盛んにして若者を呼ぶ！

羽賀　オレは……。

ノア　でも若者を呼ぶには仕事ないとダメだし、そのためには農業？　観光？

桐下　観光は何かあったか？

西　温泉！　でも涸れかけてるって噂もあるしなあ……。

桐下　ゆるキャラとかは？

西　B級グルメもいいんじゃない？

桐下　おお、それいいねえ、B級グルメか～。

ノア　たどり着くのは結局食べ物じゃないですか！　それに、そういうのいっぱいあり過ぎて、もうお腹いっぱいですよ！

羽賀　オレは、目の前の神谷先生でいっぱいいっぱいです！

ノア　んーーー（羽賀に近づき）おい！

長寿会の3人がやってくる。

波布　おやおや皆さんお揃いで……。

真野　何？　お腹いっぱい？　羨ましい限りですわ。

大江　わしら母ちゃんに夕飯いらん言うてまったで。

波布　下手すりゃ夕飯抜きですがな。

真野　今日こそ代替地決めますよって。

大江　何とかなりませんかのう。

一同、呆れる。

永作　はいはいはいはいはい！

人々の視線が永作に向く。

永作　ダンスで健康、町おこし！

一同、「なるほど」とか、「何のこと？」とか、それぞれに反応。

永作　（受付嬢の雰囲気でインカムのマイクに）はい、矢浦町町役場です。……はい、わかりました。垂井さん、転送しまーす。

内線電話が鳴る。
垂井が受話器を取る。

垂井 はい、町長室垂井です。……え？……はい。（徐々に顔色が曇り）……はい。わかりました。

垂井が受話器を置く。

久米 どうしましたか？
垂井 本多町長、保釈されたそうです。
久米 え!!!

音楽『ラデツキー行進曲』または『英雄』
紗幕の奥に本多晴斗の影。
一同、ストップモーションの後、大混乱。
大混乱の中、暗転。

13

明るくなると、そこは新聞部の部室。
ノアと桐下と羽賀がいる。

ノア （紙面を読み上げる）「……その後行われた矢浦町長選挙では、現職の本多晴人候補と、元副町長で新人の久米テルオ候補の一騎打ちとなり、結果は久米テルオ候補の圧勝。やはり不起訴となったとはいえ、本多候補の逮捕は選挙結果に大きな影響をもたらしたと考えられる。」こんなんでいいですかね。
西 上出来上出来。
桐下 オレたち、学校新聞に政治のネタ書いたの初めてだな。
ノア しっかし、久米新町長は選挙期間中、最終処分場のことなんてひとっことも言ってませんでしたよね。
西 そう言えばそうだね。
ノア 先輩たち、もし選挙権あったら、どっちに投票してました？
桐下 迷うところだなあ。どっちもどっちだからなあ。
西 棄権かな……。いや、白紙で出す。ノアは？
ノア 神谷ユイ。
桐下 立候補してないじゃん。
ノア 冗談ですよ。じゃ、これ、清書してきます。

ノアが走り去る。

桐下 あいつ、本当に新聞記者になりそうな気、するなあ。
西 そだね。いつでもペンと手帳持って走り回ってそう。
桐下 それより羽賀のやつ大丈夫か？　産休補助が終わって神谷先生が東京に戻ってから1週間以上休んでるけど。

西　あいつ急に東京の高校受けるとか言ってるらしいよ。
桐下　マジで？
西　マジで。
桐下　でもカッコ良かったな、神谷先生。
西　うん、また政治記者に復帰なんだって？
桐下　ああいう人が町長だったら……。
西　いいのにね。
桐下　さてと。
西　どうした？
桐下　手伝ってやるか、ノアの清書！
西　そうだね。
桐下　（キーボードを打つ動作をしつつ）あいつ、おっせえ（遅い）からな。
西　えー？　他人のこと言える？
桐下　オレ、ブラインドタッチだから。
西　うそばっかり。
桐下　それより、早く終わりにしてカラオケ1曲歌わせてもらおっと！
西　（呆れて）またそれか……。

桐下と西、和やかに退場。

14

舞台後方に時間の経過を示すテロップが映し出される。

「5年後　神谷ユイは政治家に転身」
「15年後、神谷内閣成立」
「そして、その1年後」

照明が変わる。
神谷と羽賀が現れる。

羽賀　こちらが、記者会見場になります。

神谷が凛と立っている。
ノアがマイクを持って登場。

ノア　神谷さん……。わが国初の女性総理が、収賄容疑と脱税容疑で逮捕、という事実につきまして、率直なコメントをお願い致します。
神谷　申し訳ございません。この度は、本当に申し訳ございませんでした。

音楽『ラデツキー行進曲』
舞台のそこかしこから、人々が出てくる。
オルゴール人形のように動き回っている。
神谷と羽賀はずっと頭を下げている。
閉幕。

注　この戯曲は、現代日本のとある田舎町が舞台になっていますが、主題とは別に、今から約２００年前にオーストリアで開かれたウィーン会議がモチーフになっています。劇中の怪しい会議に参加する地権者たちは実際のウィーン会議に関わった国を擬人化したものですし、久米や垂井には実在のモデルがいます。他にも世界史の小ネタがいくつかちりばめられているので、よかったら探してみてください。

なお、「矢浦（やうら）町」は欧羅巴（よーろっぱ）をもじった架空の町で、劇中で語られる方言も架空です。ご自由に発音してください。

本来は高校生向きに書いた作品なので、中学生には少し難しく感じられるかもしれません。実際に上演するにはハードルが高いと思いますが、作者としては、中学生の皆さんが読んで、考えて、意見を出し合ってくださるだけで光栄ですし、嬉しいです。

剣の花
～江戸町剣士物語～

小池恵愛

登場人物

佐山水蓮　15歳の剣士。女。
河野成仁　15歳の剣士。男。
桜子　10歳の、将軍の娘。
松　悪党。
竹　悪党。
梅　悪党。
お七　くノ一。
佐山泰造　水蓮の父親。剣術道場を営む。
小春　水連の妹。
菊　桜子の世話係。
飴屋　江戸の有名な飴屋の孫娘。
町人たち　江戸の町人。何人いてもよい。
水蓮（幼）　水蓮の幼少期。

横浜市立谷本中学校、2020年12月27日、初演。

第一場：道場の裏庭

柔らかな音楽とともに開幕。
上手、下手の両奥に平台がある。全場そのままで、動かさない。
舞台前場で、水蓮と成仁が剣を構えて向かい合っている。

水蓮・成仁　いざ、勝負！

殺陣のシーン。竹刀で打ち合う。
水蓮が優勢だが、実は成仁は本気を出していない。
防戦一方の末に、成仁が倒れる。

成仁　少し休憩しよう。ああ、参った参った。（大きく伸びをする）
水蓮　なんだ、もう休憩か？……（少し考えこむ）おい成仁。
成仁　ん？　なんだよ。
水蓮　お前最近、手を抜いてないか。
成仁　（ギクッとして）そ、そんなことするわけないだろう。俺はいつだって全力だ。
水蓮　ここのところ、稽古でも私が勝っている。前はもっと強かったじゃないか。
成仁　（ごまかす）あー、いや、腕の調子が……良くなくて……。
水蓮　（成仁に詰め寄る）父上と稽古していた時は平気そうだったがなぁ？
成仁　ほ、ほら、師範は本気でやらないと怖いから……。（水蓮むっとする）あ！
水蓮　やはり手を抜いていたな！
成仁　だーすまん水蓮！　違うんだこれにはわけが……。
水蓮　（そっぽを向く）私が女だからか？
成仁　え？
水蓮　私が非力な女だから相手にならないというなら、やめてくれたってかまわないぞ。
成仁　……いや、お前は非力と言うよりは、怪力の方があってる気がするが。
水蓮　（鬼の形相で）あ？
成仁　いえ、何でもございません！
水蓮　（少しいじける）どうせ私は女らしさのかけらも無い怪力女よ。
成仁　ほら、強いのは良いことじゃないか。な？　水蓮。
水蓮　じゃあ本気でかかってこい。
成仁　それは……ちょっと……。
水蓮　（ブチギレて）あーもう、お前を見ているといらいらする！　言いたいことがあるならはっきり言え、この小心者！
成仁　分かった言うよ、言えばいいんだろ！
水蓮　（きげんがよくなる）お、急に素直になったな。
成仁　本気を出せないのは、俺は……。
水蓮　（うなずく）
成仁　お前のことが……。

水蓮　（うなずく）
成仁　す……。
水蓮　す？
成仁　す、すすす、すすっ……素晴らしい剣士だと思うからだっ！
水蓮　（ずっこける）ど、どういう意味だ？
成仁　す、素晴らしい剣士で！　だから、その、す！
水蓮　（立ち上がってうなずく）
成仁　すすすす、す、好き……。
水蓮　すき!?
成仁　あー、いや、す、す、すきありっ！

成仁、水蓮の剣をはたき、水蓮は剣を落とす。
呆然とする2人、一瞬の間。

水蓮　何だと!?　卑怯だぞ成仁！
成仁　け、剣士いつ何時も油断するべからず……。
水蓮　こ、この野郎っ……。

そのまま2度目の殺陣のシーン。
水蓮は怒っており、成仁を圧倒する。
が、途中で小春が下手から出てくる。小春は髪にかんざしを挿している。

小春　お姉さま！　みてみて～。
水蓮　なんだ、小春、稽古中だぞ。
小春　（水蓮と成仁に見せながら）瓦版、見た？　また世直し霧生がでたんですって。
成仁　へえ、あの世直し霧生《きりゅう》か。
水蓮　なんだ、それ？
小春　知らないの？　黒いうわさがある金持ちの家だけの金品を狙うどろぼうよ。
水蓮　へえ。
小春　3人組でそのうちの1人は凄腕の剣士らしいわよ。
水蓮　剣士？
小春　（剣を振るジェスチャー）腕に覚えのある用心棒を剣でばっさばっさと切るんですって！
水蓮　いくら黒いうわさがあるっていっても、剣をそんな事に使うなんて……。（黙り込む）

成仁、空気を変えようと小春のかんざしに気づき話しかける。

成仁　あれ、小春ちゃん、かんざし新しいね。
小春　お小遣いで買っちゃった。いいでしょ。（水蓮を見る）
水蓮　ああ、うん、似合うよ……。

水蓮、羨ましそうに複雑な表情。
成仁はそんな水蓮の表情をうかがう。
泰造、下手から登場。

泰造　小春、いつになったら2人を呼んで来るんだ。

水蓮と成仁の2人、かしこまって泰造に礼。

泰造　成仁、水蓮に負け越したのか？　お前はいつもここ一番と言うときに実力を発揮できないな。水蓮も剣に迷いがある。2人ともまだまだだな。

成仁　も、申し訳ございません。

小春　何か仕事の依頼がきたそうではないですか、父上。

泰造　おお、そうであった。

水蓮　仕事って、うちの道場にですか？

泰造　ああ、しかも将軍様直々にだ。

2人　えっ？　将軍様が？

成仁　一体どのような内容なのですか？

泰造　姫様の護衛だ。何でも隣町でやる祭りに行きたいと駄々をこねられたらしくてなあ。うちの道場で優秀な者をつけてほしいとのことだ。

小春　うちは江戸一番の道場だからね！

泰造　お忍びらしいから、護衛も顔が割れていない人を探してうちにここに依頼がきたようだ。それで2人にいってもらいたい。

2人　ええっ!!

小春　でもさ、あの将軍の娘ってことでしょ？　やなやつなんじゃない？

泰造　これ、小春。

小春　だって最近は不作で皆も困ってるってのに、将軍さまは遊んでばかりで暴れん坊でさ……その娘にはめっちゃ甘いらしいよ。

泰造　いい加減にしなさい。（水蓮と成仁に）2人とも、日が暮れたら城の裏に迎えに行ってやってくれ。くれぐれも剣心一如の心を忘れるでないぞ。

泰造、下手にはける。

2人　御意。

小春　ねえお姉さま、「剣心一如《けんしんいちにょ》」って何？

水蓮　知らないのか!?

成仁　あのね小春ちゃん、剣心一如というのは……佐山道場の道場訓！　大切な教え！　だぞ。

小春　そんなの興味ないもん。まあいいや。私もお祭り行くから後でね。お姉さま。

小春、下手にはける。

成仁　お気楽だねえ、小春ちゃんは。

水蓮　……そうだな。

少し気まずい間。

水蓮　あ〜あ、しかし、やっぱり2人1組かあ。

成仁　なんで？　いいじゃん

水蓮　つまり私たちは1人ではムリということではないのか。お前は小心者で、私は実力不足。私は自分の力で父上に認めてもらいたかった。
成仁　じゃあ、今回ので認めてもらえばいいじゃないか！　将軍の娘様完璧に守って、お墨付きもらって、師範にも認めてもらう。みんな幸せ万事解決！
水蓮　（明るく）おお⁉　言われてみれば、そうか……。そうだな、やってやる、やってやるぞ！
成仁　さすが、単純娘！
水蓮　（鬼の形相で）あ？
成仁　いえ、なんでもございません。
水蓮　そうか……。
成仁　やっぱり２人で行けてよかった、１人じゃ怖いし！
水蓮　だから お前は小心者なのだ！

２人、上手にはける。

第二場：城の裏門前

ここでは上手が町、下手が城という設定。
成仁が１人で立ってそわそわしている。
水蓮が上手から走って登場。
下手には、草むらのセット（パネル？）がある。

水蓮　すまない、遅れたか！
成仁　（怖がって震えながら）あああ水蓮やっと来てくれたのかあああ！
水蓮　準備に手間取ってしまってな……て、なんで震えているんだ？
成仁　お前が来る前に、その草むらから物音がして。（草むらを指さす）
水蓮　（あきれる）城で飼っている犬だろう、物音ごときに怖がるとは情けない。
成仁　ここ意外と暗いだろうがあ。１人だと心細いんだよっ。
水蓮　（ため息をつく）なんで私は１度でもこいつに負けてしまったのだろう……。

ガサガサと音がする。（袖幕が揺れる）

成仁　ほらあ言っただろう絶対化け物がいるううう。
水蓮　いるわけないだろう城の裏だぞ！
桜子　（袖から、驚かそうとする）わーっ‼
成仁　ぎぃやあああああ～～～!!!　出たぁ化け物ぉぉぉ！

成仁失神する。

水蓮　成仁⁉

桜子と菊が出てくる。
水蓮は成仁を起こそうとしていて気づかない。

桜子　お菊、本当にこれが父上の言う「強い剣士」なのか？

菊　まあ他に見当たりませんしそうなんでしょうねえ……。
桜子　おい、お前……。

水蓮、振り返って2人に気づき、飛び上がる。

水蓮　（焦って）こ、これは、姫様でしたか⁉　申し訳ありません、うちの者が無礼を……。
桜子　姫様ではなく桜子様と呼ぶのじゃ。全く、こんなに愛くるしい女を見て化け物など、こやつは目が腐っておるのか？
水蓮　す、すみません、小心者でして……後で殴っておきます。

桜子、成仁を足でつつき、ちょっかいをかけだす。

菊　では、あなた方が佐山道場の？
水蓮　はい、佐山道場の長女の水蓮と申します。こちらは門下生の河野成仁です。
桜子　こいつはともかく、そなたはまともそうじゃな。
水蓮　本当はとても強いのですが……ほら、起きろ。（成仁を蹴る）

成仁、ゆっくりと起き上がる。

成仁　あれ、俺は一体何を……？　水蓮、こちらは？
桜子　（さえぎって）お前がさっき化け物呼ばわりしたものじゃ。桜子様と呼べ。これはお菊だ。
菊　桜子様の腰元、まあお世話係みたいなものでございます。
成仁　（驚いて）ああ、将軍様の！　も、申し訳ありませんでした。佐山道場の門下生の河野成仁と申します。

水蓮と成仁、2人で礼。

桜子　フン、まあよい、おい成仁、これを持つのじゃ。

桜子、持っていた巾着を成仁に押し付ける。

成仁　は、はい、ただいま。
桜子　それでは行ってくるな、お菊。水蓮ついてくるのじゃ。
菊　桜子様をよろしくお願いします。
水蓮　はい、おまかせ下さい。

桜子、1人で上手に歩き出す。水蓮はそれを追いかける。

水蓮　お待ちください、1人では危ないです桜子様。
成仁　え、俺は？　というか巾着……。

菊、成仁に近づく。

菊　成仁さんこれを。（手紙を渡す）よろしくお願いします。

成仁　え？　あ、はい。行って参ります！

菊、成仁、上手へはける。
その間に松、竹、梅が上手の平台に登場し、椅子を1つ置く。
江戸の町、茶屋の設定。

松　(ありがとうございました)さ、そこかたづけちゃって。
竹・梅　はい。

風車がとんでくる。
松が拾い上げると、ピリッと緊張感が走り雰囲気が変わる。

松　(お七か)

お七、上手から登場。(側転などをしながらでも良い)

お七　はい。(竹と梅、店を締めだす)
竹　どうだった。
お七　松さまのにらんだとおりでございました。
松　(苦々しく)やはりか。
梅　どうする……？
竹　どうするってやるしかないだろうよ！
松　この日照り続きで米も取れないってのに、将軍様は何にもしやしない。世直し霧生のあたいらが動かないでどうするってんだ。
梅　でも、将軍様に手を出すなんて……。
松　今そんなことを言っている場合じゃないんだよ。
竹　疫病もはやってみんな苦しんでる。
松　江戸全体を救うんだよ。
梅　そうだね。
松　幕府の有り金はもともとはあたいら町人が稼いだもんじゃないか。それを返してもらう。ただそれだけのことだ。
竹　それで江戸みんなの命がたすかるってもんだよ。
松　町人がどんな思いをして暮らしているか分からせてやる。生きるためには、悪い奴には情けはかけない。それが世直し霧生のやり方だ。これが成功したら、私らの仕事もやっと終わりってことさ。
竹　姫様が城外にでるなんて、この機会を逃すわけには行かないね。
梅　護衛は？
お七　佐山道場の剣士が2人。
竹　佐山って江戸で1番の剣術道場じゃないか
お七　1人はみるからに腰抜けでございました。
竹　ふん、じゃあ事実上相手は1人だ。松の剣術があれば大丈夫だろう。
松　あたりまえさ。あたいを誰だと思ってるんだい。江戸一の剣士はあたいだよ。佐山道場だろうが邪魔する奴は斬る。
竹　とはいえ着物はどうするよ？　こないだの世直しで、

ボロボロにしちまったじゃないか。
お七　それはご心配なく。

お七が手を叩くと、袖から包みが飛んでくる。
梅が拾って広げると真っ赤な衣装が。

松　さすが「くノ一」だ、仕事が早い。
お七　ありがとうございます。
竹　赤色とはしゃれてるねえ。あたいらの死に装束にもぴったりだ。
梅　(ショックを受ける)し、死ぬのかいあたいら⁉

松と竹笑う。梅はきょとんとしている。

松　冗談だよ梅、安心しな。
竹　あたしたちが死ぬわけないじゃないか！　ただ、将軍家にケンカを売るんだ。今までで1番難しいし、失敗は許されない。死ぬ気でやるよ、梅！
梅　そ、そうだね、よし、やってやらあ！　お七、ひきつづき様子をみな。
お七　はっ。
松　さ、準備するよ。

4人、椅子など道具をすべて持ってはける。

第三場：隣町の祭り

茶屋のシーンの途中で、上手側の平台に屋台のセットを用意。
たくさんの町人たちでにぎわっている。祭囃子が聞こえる。
桜子、水蓮、少し遅れて成仁が下手からやってくる。

桜子　(走り回って)これが祭りなのか！　すごいのじゃ！
水蓮　桜子様、他の者の迷惑ですから、走らないで下さい。
桜子　(無視して)おい水蓮、飴細工じゃ！　桜子はあれが欲しい！
成仁　(息をきらす)やっと追いついた……ちょこまかすんなよもう……。
桜子　おい腰抜け。

水蓮と桜子、成仁の方を見る。

成仁　…………え、俺？
桜子　お前以外に誰がおる。われの巾着をよこすのじゃ、腰抜け。
成仁　は、はい。

桜子、成仁から巾着を引ったくり、中身を確認する。

成仁　な、なんで俺が腰抜けなんだ？

水蓮　さっきぶっ倒れたからだろ、腰抜け。
成仁　ちょ、ひでぇよ水蓮！

成仁と水蓮、けんかする。
その間に桜子は行列を押し分けて飴屋に並ぶ。

桜子　おい飴屋、これで桜子に飴を……。（お金を出しながら）
町人　ちょいとあんた！　私が先に並んでたんだよ。
桜子　へ？
町人　ずっと並んでるんだから、ぬかすんじゃないよ。
桜子　なっなぜ桜子が並ばなければならぬのじゃ⁉
町人　はぁ？　お前さん……。

水蓮と成仁、不穏な様子に気がつきかけよる。

水蓮　申し訳ございません！　桜子様、こちらに来てください！（列に並ばせる）
桜子　おい何をする水蓮、桜子は飴細工が欲しいのじゃ！
水蓮　何か物を買うときは、列に並ばないといけないんですよ。
桜子　父上はそんな決まり作っておらんぞ？
成仁　決まりというか……常識というか……。
桜子　じょうしき？
水蓮　つまりですね桜子様、たくさんの見知らぬ者と関わって生活していく中で……。

いつのまにか列が短くなっている。

桜子　あっ、次は桜子の番じゃ！
あめ屋　今日の飴細工は売り切れましたぁ。毎度ありがとうございましたぁ。

一瞬の沈黙。

桜子　どうしてじゃ飴屋！　桜子はちゃんと並んだぞ！
あめ屋　どうしてって言われてもねぇ。今日はこれしか持ってきてねえんよ。すまんなぁ嬢ちゃん。
桜子　嬢ちゃんではない、桜子様と呼べ！　わらわは将軍の……。
町人たち　将軍様？
成仁　わあああ違います何でもありません‼
水蓮　桜子様落ち着いてください、お忍びなんですから！

水蓮と成仁、桜子を引き離す。

町人　将軍様といえば聞いたかい？　あの噂。
町人　ああ、旗本のお侍さん、お給金もらってないんだってね。
町人　それなのに娘には豪華な着物着せてるんだってよ。
桜子　（驚く）どういうことじゃ⁉
水蓮　桜子様、もう行きましょう

桜子　待ってくれ、これは一体……？

２人が桜子を連れていこうとするが、周りに町人がいて動けない。だんだん町人たちの話し声が大きくなる。
飴屋はセットを片付けてはける。

町人　殿様は鷹狩りばかり行ってるそうじゃないか。
町人　はやり病が流行ってるこんなときに？
町人　あの家の奥さんも流行り病で亡くなったって。
町人　お気の毒に。
町人　今年は米が不作なのに、税が重いのなんのって。
町人　幕府はこんな時に何やってるんだろうねえ。
町人　もっとあたしたちの話をきいてくれればいいのに。

桜子、我慢できずに町人に向かっていく。

桜子　さっきから父上に文句ばかりいいおって！　わらわは将軍の娘桜子じゃぞ、無礼者どもめ！

町人たち一瞬おどろくが、大爆笑する。

桜子　な、なにがおかしいのじゃ！
水蓮　桜子様言ってはいけないとあれほど……。
町人　将軍の娘？　こんな礼儀も常識も分からない子が！
町人　どこの娘かは知らんが、ほら吹きはきらわれるよ。
町人　まさかこんなちっぽけな祭りに贅沢な姫様がくるわけないさ。
桜子　なんじゃと!?

町人と桜子取っ組み合いの大喧嘩に。
水蓮と成仁は必死に止めようとすが、その間も将軍への罵倒が飛び交う。

桜子　父上は、父上はそんな人ではない！

桜子、耐え切れず上手に走ってはけていく。

第四場：河川敷

中央に桜子がうずくまっている。
水蓮が下手から入ってくる。

水蓮　桜子様！
桜子　……。
水蓮　大丈夫ですか？
桜子　……。
水蓮　今日は花火が上がるみたいです。ここからならよく見えますよ……。
桜子　なあ水蓮。
水蓮　何でしょう？
桜子　なぜ父上はあんな風に言われておるのじゃ？

水蓮　……最近日照り続きで米がとれないんです。それでも年貢の量は変わらないので負担が大きいんですよ。

桜子　それであんなに怒っていたのか。

水蓮　しかも今の江戸は病が流行り、多くの方が亡くなっています。……やり場のない怒りを幕府に向けるしかないのでしょう。

桜子　桜子はどうしたらよいのじゃ

水蓮　（少し考える）そうですね……ぜひ、江戸の民の暮らしを思いやってください

桜子　おもいやる？

水蓮　そうです。江戸の民を守る事ができるのは徳川家の方々しかいません。（桜子の手を握る）

桜子　わらわが何か考えてできることがあるかもしれない。

水蓮　桜子様？

桜子　わらわは徳川家の人間じゃ。だから、父上はわらわに読み書きそろばんを身につけさせ、勉学に励ませておるのじゃ。

水蓮　勉学を。

桜子　女の身で勉学は必要ないと周りがいってきたが、学問に男も女も関係ないとわらわは思うのじゃ。

水蓮　（ハッとする）男も女も……関係ない。

桜子　そうじゃ……どうしたのじゃ？

水蓮　実は私、近々佐山道場を継ぐことになってるんです。

桜子　ええ、跡継ぎ⁉

水蓮　うちには女しか生まれなかったので……私は長女でしたから、後継ぎになるために剣術をたたきこまれました。

桜子　女剣士は珍しいと思っていたが、江戸一の道場の跡継ぎだとは……。

水蓮　（桜子の着物を見て）本当は私も、綺麗な着物を着たりしてみたいときもあります……。男も女も関係ないなんて、桜子様はお強いのですね……。

桜子　水蓮……。

水蓮　（気を使わせてしまったと思い焦る）あっでも、自分で選んだ道ですし、覚悟もしています。でないと道場主など務まりません。……まあ、今はなれるかすら危ういのですが。

桜子　どうしてじゃ？

水蓮　私が弱いからです。このままでは次の道場主は成仁かもしれない。でもそうしたら何のために今まで剣術を学んできたのか………。

桜子　ほんとうにそうか？

水蓮　えっ。

桜子　わらわの父上がわらわに勉学を学ばせたように、水蓮の父上はなにか水蓮に大切な事を伝えたいから剣術を水蓮に学ばせたのではないのか？

水蓮　たいせつなこと……。（少し考える）剣心、一如？

桜子　なんじゃ、それ？

水蓮　佐山道場の道場訓です。今日もまだまだだと叱られてしまいましたが。（苦笑い）

桜子　水蓮でも無理だとは、難しそうじゃなあ。

水蓮　真面目にするだけではいけないようですね……。

少しの間。

桜子　そうだ……水蓮、たのみがあるのだが。
水蓮　何でしょう？
桜子　その……友達になってくれぬか。
水蓮　えっ!!
桜子　町の皆にきちんと謝って自分の思いを伝えたい。だけど、わらわは何も知らないのじゃ。物の買い方も、常識とやらも、友達の作り方も。本にはそんな方法書いてなかった。だから……。
水蓮　わ、わかりました。私が桜子様の最初の友達になります！　将軍様の娘のお友達なんて、なんだか変な気分ですが……。

2人で笑いあう。

桜子　そうじゃ水蓮。友達なのだから、もう桜子に「様」はつけなくてもよいぞ！
水蓮　（きっぱりと）いえ、無理です。
桜子　えええ何でじゃ!?
水蓮　私はあくまで桜子様の従者だからです。剣士たるもの、1度受けた仕事は最後までやり切ります。
桜子　ほおお、流石佐山道場の跡取りじゃなー。
成仁　おーい、こんなところにいたのか！

成仁が下手から走ってくる。

桜子　あっ腰抜け！
水蓮　成仁！　そうだ、お前のことをすっかり忘れてた！
成仁　ちょ、ひでえよ、俺大変だったんだぞ！　ほら！

成仁、懐から金魚の飴細工を出す。

桜子　これは、飴細工!?　でも、どうやって……。
成仁　城下町の店まで行って、無理言って作ってもらった。
水蓮　城下町!?　わざわざそんなところまで……。
桜子　何でそこまでしてくれたのじゃ!?　しかも金魚の。桜子は何も言ってないのに……。

成仁しゃがんで桜子と目を合わす。

成仁　お菊さんから文をもらったんです。「父上の好きな金魚の飴細工を買いたいんだ」と、聞かなかったって。これできっと、将軍様もお喜びになりますよ。
桜子　こ、腰抜け。いや、成仁！
成仁　！
桜子　（水蓮にささやく）こういうとき、何ていえばよいのじゃ!?

水蓮、ほほえんで桜子に耳打ちする。

桜子　あ、ありがと、う？（ちらっと水蓮をみる）
水蓮　そう、それでいいんですよ、桜子様。
成仁　（にっこり笑って）どういたしまして。
桜子　（もじもじする）と、友達になってやるから、喜ぶがよいっ!!!
2人　（ずっこける）上から〜⁉
桜子　あ、成仁！　友達だから、「様」をつけなくてよいのじゃ。まあ無理ならば良いのだが……。
成仁　おお！　じゃ桜子、これからよろしく！
桜子・水蓮　切り替えはやっ！
水蓮　お前友達とは言っても桜子様は主人なのだぞ。
成仁　でもそれなら、主人の命令には従うべきだろ？
水蓮　（面食らって）むぅ、言われてみればそうだが……。

すねる水蓮を見て、桜子と成仁は爆笑する。

成仁　そうだ水蓮、ついでにおまえにも……。（懐から何かを取り出す）
水蓮　え、私に？

成仁、水蓮に綺麗な髪飾りを渡す。

水蓮　わぁ……。
桜子　すごい、水蓮に似合いそうじゃな。
成仁　（目をそらして恥ずかしそうに）屋台で見つけてさ。たまにはこういうのもいいかなーと……あ、や、お前が嫌だったら小春にでもあげてくれれば……。
水蓮　ありがとう。とても……うれしい！
成仁　（少し照れて）なら、良かった……。

桜子、ニヤニヤしながら2人に近づく。

桜子　な、水蓮。髪飾りを付けたらどうじゃ？　きっと成仁が見たいだろうから。
成仁　ちょ、桜子⁉
水蓮　せっかくの祭りですしね。付けてきます！　あっちの提灯のところで……。

水蓮、下手にはける。

成仁　あ〜〜桜子お前っ！
桜子　えへへ、良いではないか。水蓮のことが好きなんだろう？
成仁　うぐっ！　まあ、うん、そうではあるのだが……。
桜子　あれで気づかないとは、水蓮もかなり鈍感じゃな。
成仁　本当に、なんで気づいてくれないんだろう……。
桜子　もう、もどかしい！「好きだ」と言ってしまえば良いではないか！
成仁　で、できるわけねーだろ！
桜子　弱気になるな！　フラれたらその時考えればよいのじゃ。
成仁　……というか、あいつは自分より強い奴のところにしか嫁に行かないって言ってるんだ。

桜子　じゃあ、お前が水蓮に勝てばよいではないか。

成仁　そうしたら俺が道場を継ぐことになるだろ。

桜子　あっ、そうか。

成仁　それに腰抜けの俺に告白する勇気なんかないんだよ。

桜子　おぬしら、難儀じゃのう。

水蓮が下手から入ってくる。

水蓮　どう、かな……？

水蓮をみて黙り込む２人。

水蓮　えっと、やはり似合わなかったか？　だったら外してくるが……。（歩き出す）

桜子　あ、あ、違うのじゃ水蓮！　逆じゃ逆！

成仁　その、雰囲気が変わったから驚いて……！

桜子　とても似合っておるぞ！

水蓮　そうですか、うれしいです！

桜子　ほれ、成仁。（肘でつつく）

成仁　えっと……似合ってると思うぞ。

水蓮　（とまどいつつもにっこりして）ありがとう、成仁！

ドーンという音。花火が上がる。

桜子　うわあ！　これが花火なのか!?

水蓮　はい、きれいですねえ。

成仁　綺麗だな……。

成仁は花火ではなく、水蓮を見つめている。
花火が上がる美しい夜空。

桜子　おい成仁、なに見とれておるのじゃ！

成仁　おい、やめろ！

桜子　（無視して）あ、あっちの高台の方がきれいに見えそうじゃ〜。

桜子と成仁は上手にはけ、水蓮もそれを追いかける。

第五場：裏道

照明がホリに変わり、町人が２人現れる。

町人女　綺麗な花火ねえ。

町人男　……なあ、俺さ、ずっとお前に言いたいことがあって。

町人女　実はあたしも言いたいことが……きゃあっ！

良い雰囲気の中に松、竹、梅たちが乱入し取り囲む。
町人２人おびえだす。

町人男　な、なんだてめえら⁉
松　すまないねえあんたら、命が惜しかったらちょいと質問に応えな。（刀を出して脅す）
梅　剣士２人連れた小娘見なかったかい？
町人男　お、おう、いたぜ！　男と女の２人連れたチビだ。
竹　そいつらはどこへ行った？
町人女　ど、土手の方に行って、さっきそこを通ってったよ。
町人男　そいつらとなんの関係があるんだよ！
梅　あの馬鹿な将軍の娘さ。
町人女　えええっ本当だったのかい⁉
お七　城から出てきているのを確認済みだ。
町人男　それが本当なら、あんたらいったいなにを……。
竹　（刀を出す）ごちゃごちゃうるさいねえ！　斬られたくなかったらとっとと行きな！
町人男　す、すいませんでしたあああ！（女を置いて逃げる）
町人女　ちょいと待っとくれよ⁉　このいくじなし‼

町人女がはけたら、照明が戻る。

松　人が多くなってくるし、やるなら今だな。
お七　しかし剣士がぴたりと姫についています。
松　そいつらはあとでおびきよせて幕府とのやりとりにつかおう。
竹　花火が上がっている間が隙ができるはず。
松　よし。じゃあてはずどおりにやるんだよ。
３人　はっ。

第六場：隣町の祭り

上手から桜子たちが入ってくる。
先ほどの町人男女を中心に、町人は円になって話し合っている。

水蓮　さあ、桜子様。

町人たちが気づくき、焦って祭りの片づけを始めようとする。

桜子　あの、その、さっきは迷惑をかけて、悪かったのじゃ！

町人たちが驚く。

町人　あの、あたしたちも……。
町人たち　誠に申し訳ございませんでしたあああ‼
３人　ええっ⁉
町人　まさか本当に将軍様の娘だとは……。
桜子　待ってくれ、謝らなくてよいのじゃ！　ただ、これからは、決まりも、常識も、頑張って覚える。だから……

友達になってくれ！
町人たち　わらわはみんなともっと仲良くなりたいのじゃ。敬
桜子　えぇっ!?
語もなしで、みんなと同じように。だめか？

町人たち顔を見合わせる。

町人　ま、まあ、あたしたちも悪かったし……。
町人　ちょっと、ムキになりすぎてたかもね。
桜子　じゃあ、友達になってくれるのか？

町人たちがうなずく。

成仁　良かったな、桜子。
桜子　うん！　みんな、よろしくな！

桜子が手を差し出す。
町人の１人が恐る恐る握手をする。
徐々に打ち解けて和やかな雰囲気に。

桜子　そうじゃ、さっき言ってた事をわらわに詳しく聞か
せてくれぬか？
町人　最近米がとれなくて、食べるものにも困ってるんだ。
どうにかならないかなあ？
町人　うちのまわりでは病でみんな倒れちまって……。
町人　こないだの大火事で家が丸焼けだよ。

町人　最近ケンカが多くてこまっててさあ。
町人　お向かいのお侍さん、優秀なのに仕事がないって。

何人もの意見を聞いて、桜子大混乱。

桜子　うわあああどうしたらよいのじゃああ！
成仁　桜子気をしっかり！
水蓮　桜子様、今こそ考えるんですよ！　今まで勉学に励
んでこられたんでしょう？
桜子　今まで学んできた……読み書きそろばん……読み
……書き……書き！

桜子、ハッとする。

桜子　そうじゃ、耳では全員の意見は拾いきれぬ！　何か
紙に書いてもらって、集めればよいのじゃ！
全員　おおーーっ！
桜子　学問だけではなく、実際に聞いてみないと分からな
い事がたくさんあることがわかったぞ。年貢の事も父上
に進言してみよう。
町人　よっ、姫様！

皆笑う。

その時、ドーンと爆発音。（花火の音）
全員驚いてうずくまる。

短い暗転。

桜子　キャーーーーーーッ!!!

照明がつくと桜子の姿が消えている。
舞台中央には桜子の巾着が……。

成仁　何が起きたんだ？

水蓮が巾着に気づき拾い上げる。

水蓮　さっきの叫び声はまさか！
小春　(走ってくる）お姉さま！
水蓮　どうした、小春。
小春　これ、知らない人がお姉さまに渡せって。

手紙を読み、顔色が変わる2人。

水蓮　くそ、いくぞ、成仁！
成仁　ああ！

2人、下手へはける。

第七場：町外れ

桜子　痛い！　離すのじゃ、手を離せ！　成仁ーー水蓮ーー！
梅　ああもうちょこまかすんじゃないよ小娘が！

照明つく。
舞台下手側に松、竹、梅と桜子がいる。
桜子は椅子に縛られている。

松　よお小娘。
桜子　何じゃお前たち、何をする気じゃ！
松　何って、お前を殺すに決まってるだろ。
桜子　ひいっ……。
竹　安心しな、すぐには殺さねえ。
梅　お前を人質に将軍様からたんまりせしめるのさ。
松　町人たちのうらみ、思い知るがいい。
桜子　い、いやじゃ！　誰か助けてえぇ！（泣き出す）

水蓮と成仁が下手から入ってくる。

水蓮　桜子様ご無事ですか！
桜子　水蓮！　成仁！
成仁　お、お前たち一体何をする気だ。
松　おやおや、若き剣士様がご登場か？　待ってたよ。
水蓮　お前たちは何者だ。
松　あたしたちは今江戸を騒がしている世直し霧生さ。
成仁　世直し霧生？　女だったのか。

竹　ふふ。だから仕事がやりやすいってもんさ。
水蓮　目的は何だ。
梅　あたしたちの仕事の仕上げだよ。
竹　幕府を根底から覆すのさ。
松　町人たちがどんな暮らしを強いられているか。武家のお前にはわかるまい。
水蓮　（怒りをあらわに）だからといって姫様を人質にするなんて。
松　そんなきれいごとで世の中よくなるとでも思ってんのかい。

松、竹、梅、刀を構える。

成仁　ひ、ひいっ……！（腰を抜かす）
水蓮　成仁!?
松　情けねえなあ、剣士が聞いてあきれるぜ。ただの腰抜けじゃねえか。
水蓮　くっ……お前らなど、私１人で十分だ！　さあ、桜子様を離せ。（剣を抜きながら）
竹　嫌だと言ったら？
水蓮　お前たちを、斬るしかない。

初めは竹ＶＳ成仁、梅ＶＳ水蓮。
梅が下手に逃げて水蓮と松は追ってはける。
成仁は相手にやられ気味。

成仁　死にたくないよお！

戦いの途中で桜子の元へ追い詰められ、桜子の後ろに回り、桜子をたてにして戦いだす。

桜子　こら！　な、なにをやっておるのじゃ、成仁。
成仁　だって。

竹が２人に剣を振り下ろす！

２人　（その都度剣をよけながら）わーっ!!　わーっ!!
わーっ!!

桜子が竹を蹴り飛ばす。

桜子　あぶないだろ！　あっちに行け。
成仁　だって、だって怖いよお。

竹が２人に剣を振り下ろす！

２人　（その都度剣をよけながら）わーっ!!　わーっ!!
わーっ!!

桜子が竹を蹴り飛ばす。

桜子　行かないとあれを言うぞ！　いいのか!!

成仁　あれって？？
桜子　お～い、水蓮！　成仁がお前のことをす……！
成仁　わあああああ！　やめろ～～！

成仁覚醒‼　人が変わったように自信満々に。

成仁　かかってこい！

敵に立ち向かう成仁。

桜子　成仁、よいぞ、その調子じゃ！

竹がやられると同時にお七が現われ、お七ＶＳ成仁。
お七と成仁は互角の戦い。
最後に相打ちの状態でお七を倒し、倒れる成仁。
水蓮が戻ってきて梅を倒す。

水蓮　成仁！

下手から松が登場。
水蓮、剣を構えなおす。

松　へえ、なかなかやるじゃないか　いいだろう。あたしが相手になってやる。どっちが江戸一番か決めようじゃないか。

水蓮　望むところだ。
松　お前、名は？
水蓮　佐山道場門下生、佐山水蓮。
松　私は世直し霧生の松。お前の名、覚えておこう。

津軽三味線の音楽が鳴り出す。
戦いだすも松が優勢。水蓮は防戦ばかりになる。

水蓮　（殺陣やりながら）剣で人を傷つけてそれが正義か。
松　だまれ。生きるためだ。だったらお前の剣は何のためにある。
水蓮　何のため……？

水蓮に一瞬のスキができる。
松はそれを逃さず大きく肩を斬りつける！

水蓮　うぐっ！

水蓮倒れこむ。

松　覚悟！

音楽、カットアウト。水蓮、大ピンチ！

成仁　（起き上がって）剣心一如だ！　水蓮！

ストップモーション。

上手側の平台、明るくなる。


水蓮（幼少） 一、二、三。（素振りをしている）

泰造 まだまだだな。

水蓮（幼少） 父上。

泰造 いいか、水蓮。剣心一如だ。

水蓮（幼少） 剣心一如？

泰造 そうだ。剣は人なり、剣は心なり、ということだ。

水蓮（幼少） 剣は人なり、剣は心なり……？

泰造 剣は人の心によって動くものだ。つまり、お前の心が迷うと剣も迷うということだ。お前が剣を何のために使うか、お前の迷いがいつか晴れたらきっと素晴らしい剣士になれるだろう。

水蓮（幼少） 剣心一如……。


ライトが戻り、水蓮を照らす。

水蓮、振り下ろされる松の剣を打ち払い、よろよろと立ち上がる。

水蓮 そうだ……わたしは……守るために剣を使う!!!!

水蓮覚醒！　今度は松が防戦一方に。

最後、剣を迷いなく一太刀振るい、松が倒れる。

水蓮、ゆっくりと鮮やかな動きで剣をしまう。

水蓮 案ずるな、みね打ちだ。

尺八の音楽が流れ、暗転。

第八場：道場の裏庭

尺八とクロスで柔らかな音楽に変わる。

成仁が1人で稽古をしていると、桜子が上手から登場。

桜子 な〜りひと！
成仁 桜子！　1人で出歩いちゃだめだろ！
桜子 大丈夫。町を視察するためにちょいちょい出歩くようにしておるのじゃ。水蓮は？
成仁 水蓮は全治1ヶ月。奥で安静にしてるよ。

と、思ったら下手から安静にしてるはずの水蓮が。

水蓮 桜子様、お久しぶりですね！
成仁 あっお前！　安静にしろって言われてただろ！
桜子 水蓮!?　肩の傷はもういいのか？
水蓮 動かないのも落ち着かないんだ。あっ痛だだだだだだ!!!
成仁 おとなしくしとけ。
泰造 おとなしくしてもらうわけにはいかないなあ。

泰造、下手から登場。

成仁　師範！（礼をする）
桜子　師範、礼を言いに来たぞ。わらわのせいで水蓮がけがをしてしまって……。
水蓮　いえ、１度桜子様をさらわれてしまいました。護衛失格です。
桜子　でも、水蓮はすごかったのじゃ！　悪者をばっさばっさと倒したんだぞ！
泰造　次に失敗をせんように、稽古ももっと厳しくするからな。水蓮来週から再開するぞ。
成仁　鬼だ……。
泰造　次期道場主だ。これくらいできてもらわんと困る。
桜子　……水蓮！
水蓮　はい……！　父上、（前に出てきて礼）ありがとうございます!!

泰造、下手にはける。

成仁　これで万事解決だな！
桜子　そういえばあの３人、脱獄したらしいぞ。
水蓮　えっ。
成仁　さすが世直し霧生だな。
桜子　やつらの茶屋を調べたが全くのからで、金持ちからせしめた金品は貧しい人々に配っていたようじゃ。
水蓮　彼女たちらしいです。素晴らしい剣術使いでした。彼女のおかげで私は私の剣をつかむことができました。……またどこかで会える気がする。
成仁　あんなことをせずとも生きていける社会になるといいな、これからは。
桜子　そのために、父上をがんばらせるぞ!!　見ろ、（紙を出す）目安箱というものを作って設置させることにした。これで町人の意見を反映させやすくなる。それと、父上に米のことについて調べさせておるぞ。これからは、米に関する政策をたくさん行わせるのじゃ！　そしていつか父上を立派な米将軍にしてやるぞ！
水蓮　桜子様、すごい！
泰造（声）　おーい、水蓮！
水蓮　（桜子に）あ、すみません。はい、何でしょう？

水蓮下手にはける。

桜子　ところで成仁、水蓮に告白はしたのか？
成仁　ゲホ、ゴホッ……い。いや、できるわけないだろ！
桜子　おい、小心者はなおったのではないのか!?
成仁　それとこれとは話が別だ！
桜子　一つ良い方法があるぞ、成仁。
成仁　いい方法？
桜子　おぬしが……。（成仁に背を向けて歩く）
成仁　俺が……？（ついていく）
桜子　水蓮と……。（こちらに歩く）
成仁　水蓮と……？（ついていく）

桜子　（振り向いて）祝言をあげればいいのだ‼
成仁　しゅっ……しゅっ、しゅっ、祝言‼？
桜子　水蓮がお嫁さんで、成仁がお婿さん！　これで、全部解決じゃろう？　さあ、行け！　成仁！
成仁　ば、ばかいうな。告白もしてないのにいきなり求婚なんて……。

水蓮が急に戻ってくる。

水蓮　何の話？
成仁　わ〜〜〜〜‼（水蓮を見て逃げる）
桜子　あのね、水蓮！　成仁が話があるって！

音楽が上がり、緞帳が降り始める。
3人が柔らかな光に包まれる

――幕――

あと書き
　私がこの物語で書きたかったのは、登場人物の成長です。水蓮も成仁も桜子も、最初と最後の心情や性格の変化を意識して演じてほしいと思います。また、谷本中では町人含めて全てのキャストが役の設定を細かくつくりました。名前のない役も、その人物が江戸時代でどのように生活していたのか考えてみて下さい。殺陣のシーンは自由に、かっこよく演じてほしいです。

雫色

原作・木村直香／脚色・木村 寛・田島光葉

登場人物

間宮雫　中学2年生、人の心の色が見える特性があり、そのことで自分の殻に引きこもっている。絵を描くことが好き。

本条玲　32歳、絵画教室を開いている。とても優しい先生。

西原三太郎　中学2年生、雫と同じ公立中学校に通っている。絵画教室に通っている。

横山麻衣　中学2年生、雫の従姉妹私立中学校に通っている。絵画教室に通っているが、雫を避けている。

川村胡桃　中学2年生、雫と三太郎の小学校の幼なじみ。現在は麻衣と同じ中学校に通っている。絵画教室生徒。

水瀬亜香里　中学2年生、麻衣と同じ中学校に通っている。絵画教室生徒。

水口海斗　中学2年生、麻衣と同じ中学校に通っている。絵画教室生徒。

麻衣の母　雫の母の妹。

雫の母（声）　麻衣の母とは姉妹。

他人（数名）　雫とは直接的な関わりはないが、影響を出す人々。

横浜市立あざみ野中学校演劇部、2020年12月28日、横浜市創作劇発表会、初演。

【第一場】

幕開け。中央に雫。照明が当たっている。
雫　いったい何時からだろう……
下手サスに他人が2人、立っている。楽しそうに会話をしている。
他人A　そうそう、これ、めっちゃおもしろくね？
他人B　え？　いや、お前、こんなの面白いとか言ってんの？
他人A　そうかな……？
他人B　今更、こんなの面白いとか言ってるの、お前だけだよ、だっさ。
他人A　……マジか！　へこむわー！

他人AとBは楽しそうにサイレントで話しながら退場。雫、他人Aから目を背ける。
上手サスに他人が二人入ってくる。

他人C　ちょっと、待ってよ！
他人D　何？　しつこい！
他人C　さっきのこと、謝ってよ！
他人D　はぁ？　謝ったでしょ！　本当しつこいよね！　いつまでもぐちぐちさ！
他人C　何それ！　あんたが悪いんでしょ！

他人CとDはサイレントで喧嘩をつづけながら退場。雫、2人から目を背けるように俯く。
イーゼルやいすを持って、他人が行き交いしている。ちらちらと雫を見てはこそこそ話すなど嫌な感じ。
雫、ふと周囲の状況に気がつき、顔をあげる。
その瞬間に他人は全員ストップモーション。ホリゾントが紫に染まる。
雫、振り返る。ホリゾントを見つめ、後ずさる。
照明がセンターのみになる。他人たち退場。

雫　どうして……私だけ……！

照明消える。

【第二場】

舞台上は絵画教室、雫イーゼルの前。その横で三太郎もイーゼルを移動させ絵を描く準備をしている。

下手花道から胡桃登場

胡桃　雫、今日早いね。

雫　うん。
三太郎　俺たちの中学校は今日先生たちの会議が入っていて、掃除も居残りもなしだったんだ。
胡桃　誰も三太に聞いていないわ、
三太郎　ごめん、雫、話すの苦手だから、ついついおせっかいしてしまう俺がいる。
胡桃　三太は、誰に対してもおせっかいやき、そのうざったさから、小学校の時から女の子にもてない。
三太郎　うざい……って？　女の子からももてない……って？（ショックだが、少し開き直って）そうだよ、だから胡桃と雫だけが俺のガールフレンド。
胡桃　ガールフレンド？　冗談じゃない。誰からも相手にしてもらえないから、話聞いてあげてるだけじゃない。私と雫はボランティアしてあげてるだけ。
三太郎　ボランティア？　お前そんなこと言って、本当は俺のことが気になって気になって仕方ないんだろ？
胡桃　まさか？
三太郎　もしかして俺のこと好きなんじゃねえの？
胡桃　三太、気は確か？　もし地球上に男性が、三太一人になったら、私火星に行って火星人と付き合うから。
三太郎　俺って火星人以下かよ……撃沈（大声で）!!　うぁ〜気持ちが沈む。どんどん沈む。
雫　ふふ……。（小声で笑う）
胡桃　ねえ三太……今雫が笑った。
三太郎　ほらほら、雫は胡桃と違って俺の優しさをちゃんと分かってくれてるってことよ。
胡桃　三太の撃沈がおかしかっただけだよ。
雫　うん。（うなずく）
三太郎　えっ……さらなる撃沈！

三太郎と胡桃、サイレントで楽しそうに話をしている。2人に緑の照明。

雫、2人を見つめている。雫にもサスが当たる。心の声が流れる。

雫（声）　私は学校を終えると、大好きな絵を描くために、絵画教室に通っていた。その教室にいる胡桃と三太郎と一緒の時間は、とても楽しく安心できるひと時であった。でも………。

下手花道から、麻衣、亜香里、海斗を引き連れて登場。

亜香里　胡桃、なんで公立の生徒とつるんでいるわけ？それも陰気臭い間宮さんと、バカの西原と。
三太郎　うるせぇ、バカは余計だ。
海斗　胡桃、このごろあいつらと一緒にいること多いんじゃねぇ？　一緒にいたきゃ、うちの学校辞めて、公立へ編入したらいいじゃん。ねえ麻衣さん。
麻衣　胡桃、私たちと一緒にいたくないなら、そうしたら……。

胡桃、三太郎と雫から離れて、

胡桃　いやぁ、そんなことないわ、ちょっと早く着きすぎたから、暇つぶしに間宮さんと西原に言葉教えてただけ。だって西原なんて、まともに日本語はなせないから。

三太郎　胡桃お前……。

海斗　麻衣さん、公立では言葉教えないいんじゃないですか？

亜香里　だから、間宮さんは言葉を話せないし。

麻衣　間宮さん、あなた絵画教室より、日本語教室に行ったら？

麻衣、海斗、亜香里顔を見合わせて笑う。胡桃も３人に合わせるように笑う。（本心ではなく）雫、麻衣を見る。麻衣。雫と目が合うがそらす。ホリゾントが青くなる。

胡桃　あっ、もうそろそろ始まる時間。

亜香里　胡桃、麻衣さんのイーゼル用意して。次に私のも。

海斗　俺のも頼むぜ。

胡桃、イーゼルを用意する。

三太郎　おいお前ら自分でやれよ。胡桃、何パシリしてんだよ。

胡桃　いいの、私がやるから……。

亜香里　ほら、やってくれるって言ってんじゃん。

三太郎　胡桃……。

イーゼルを移動させ、絵画教室の雰囲気の舞台。絵画教室の先生玲が上手から登場。

麻衣　気をつけ、先生に礼。

生徒　お願いします。

玲　皆さん、ごきげんよう。今日は、人物画を描きます。

生徒少しざわつく。

玲　人物画は人の全体像をしっかりと観察し、特に顔のパーツの位置関係にしっかりとアタリをつけ、表情を表していきましょう。さて、絵のモデルを決めましょうか。誰かこの中でモデルをやってくれる人は、いますか？

誰も立候補しない。少しの間の後、亜香里が手を上げる。

玲　亜香里さん、モデルをやってくれますか。

亜香里　いえ、違います。先生、モデルに麻衣さんを推薦したいのですが。

海斗　俺も同意見です。

三太郎　推薦なら、俺は雫さんが、いいと思います。

胡桃　ちょっと、三太……。

亜香里　それは駄目よ、間宮さんがモデルなら、絵が暗く陰気臭くなっちゃうじゃない。胡桃、あんたも麻衣さんでいいわよね。
胡桃　……うん、もちろん。
麻衣　先生、私でよければやらせてください。
玲　麻衣さん、ありがとう。それでは、モデルは麻衣さんにお願いします。麻衣さん、この椅子に座ってください。
麻衣　はい、先生。

落ち着いた音楽が静かに流れ出す。麻衣センターの椅子に座り、みんな麻衣を囲むように絵を描き始める。
雫は、麻衣から1番離れた場所にイーゼルを置き、絵を描き始める。

玲　まずは、全体のバランスを取り、そこからあちこちにアタリをつけながら、同時に手を加えていきましょう。そして光の流れを意識しながら、明暗を描きこむと人の表情を表すことができますよ。（歩きながら）

雫にサスが当たる。全体はやや暗め。麻衣には青の照明が当たっている。心の声が流れる。

雫（声）　私と麻衣は、いとこ同士だった。小さい頃はとても仲が良かったのに、いつからか彼女は私を避けるようになった。そして、最近では……。けれど、何故かいじめをする彼女の色は、怒りを帯びた赤色ではなく、悲しみを帯びた青みがかった色だった……。

少しの間
時間がたち、みんな他の人の絵を覗き込んだりしている。
三太郎は雫の絵を見て驚き、胡桃を呼ぶ。
胡桃いやいやながら（本心ではない）雫の絵を見る。出来の素晴らしさに驚く。

玲　さぁ、そろそろ終わりの時間です。また明日続きを行いましょう。三太郎さんどうかしましたか？
三太郎　先生、雫さんの絵が、すごすぎます。

玲、雫の絵に近づく。

玲　表情の陰影がとても良く出ていますね、まるで心の色を表現しているみたいです。仕上りが楽しみですね。では、片付けましょう。絵はそのままにしておいて大丈夫ですよ。

みんな片付けをはじめる。そして帰りしたくが終わる。

玲　麻衣さん、今日はモデルお疲れさま。
麻衣　いえ、大丈夫です……。それでは皆さん、気をつけ、先生に礼。
生徒全員　ありがとうございました。
玲　気をつけて帰りなさいね。

玲、上手に退場。

麻衣　さぁ皆さん帰りましょう。
亜香里　麻衣さん、ちょっと待って……。間宮さん、ちょっと絵見せてよ。

亜香里、海斗を引き連れて、雫の絵を覗き込む。

亜香里　えっ、なにこれ。麻衣さん？　麻衣さんは、こんな顔していない。
海斗　ひどい絵だ。暗い女は、描く絵も暗い……。

麻衣も気になり、雫の絵を覗きにくる。
そして絵を見て驚く。

麻衣　何この顔……ひどい、私こんな顔していない。

麻衣、ショックを受けたように教室から飛び出る。亜香里、海斗追って下手花道に。

海斗　麻衣さん、待ってください……。
亜香里　早く、胡桃、帰るわよ……。

胡桃、後ろめたい気持ちで亜香里と海斗の後を追う。雫と三太郎その姿を黙って見送る。

三太郎　雫、気にすることないよ、先生も褒めてくれたんだから。

暗転。暗転曲流れる。

【第三場】

次の日、中央に絵画教室に早く来た麻衣と亜香里と海斗。

亜香里　麻衣さん、ほんとにやるんですか？
海斗　俺がやったって、ばれませんよね。
麻衣　何怖気づいてるのよ……大丈夫、胡桃の仕業にするから。胡桃って、このごろやけに間宮と西原と一緒にいるし。
亜香里　ちょうどいい見せしめってわけですね。
麻衣　ほら、早く、派手にやって。
海斗　わかりました。ちゃんと見張っててくださいね。

海斗、雫の絵に筆で絵の具を塗りたぐる。その筆を亜香里に渡し、胡桃の美術バックに入れる。

その後何もなかったように準備をし始める。下手花道から胡桃教室に来る。

胡桃　あれ？　麻衣さん、今日は一緒に教室に行こうと約束したから、学校の昇降口で待ってたのに……。

麻衣　ごめん、忘れてみんなと先に来ちゃった。

亜香里　胡桃は公立のお友達と一緒に来るんじゃなかったの？

海斗　あのうざい野郎と、話のできない可哀想な娘と……アレ、噂をすればご登場ですよ。

雫、三太郎下手花道から登場。

海斗　仲良く登校ですか？

亜香里　公立はいまだに集団登校じゃないの？

三太郎、亜香里と海斗を無視して、麻衣の前に立つ。

三太郎　麻衣、絵の件で、雫が謝りたいって。

麻衣　え……？

雫　あの……その……。

麻衣　別に良いのに。絵のことなら、もう、気にしてないから……ね。（やけに優しく）

亜香里　麻衣さん、優しい。

海斗　良かったな、麻衣さんが優しくて。

胡桃　（空気を換えるように）さぁみんな、準備しよう。もうすぐ始まるよ。

雫、三太郎、自分の席に着きイーゼルにかけた布を取り、絵を見る。

雫、絵の具で塗りつぶされた自分の絵を見て驚く。後ずさる。

雫　え……どうして……。

三太郎　どうした。

三太郎、雫の絵を見る。

三太郎　うわ！　何だよ、これ。ひどい。

胡桃、麻衣、海斗、亜香里も絵を見て。

胡桃　誰がこんなひどいことを？

三太郎　麻衣、お前らがやったんだろ？

亜香里　ちょっと西原、何言ってるのよ。

海斗　証拠もないのに犯人扱いかよ。これだから公立の連中は困るよ。

三太郎　麻衣、なぜこんなことをするんだ。お前と雫は……。

麻衣　やめて、（大きな声で）

海斗　え？　麻衣さんと間宮さん、何かあんの？

麻衣　何もないわよ。胡桃、あんたもなんとか言ってよ。

胡桃　西原……いい加減にしなよ。

三太郎　胡桃、お前……。

亜香里、胡桃の道具箱の中から絵の具のついた筆を取り。

亜香里　ねぇねぇ見てよ、絵の具がついた筆がこんなところにある。この絵の具の色って？

三太郎、雫の絵を見て、絵の具の色を確認して。

三太郎　この色は雫の絵についてた色。
海斗　おい、この道具箱、胡桃のじゃねぇ？
三太郎　胡桃、まさかお前？
胡桃　私じゃない。
亜香里　ひどい、胡桃って間宮さんと仲良かったのに、こんなことするんだ。
海斗　おまえ、間宮さんと仲良いいふりしてただけなんだな。
胡桃　信じて、私はやってない。
三太郎　胡桃みそこなったよ。
胡桃　三太、何言ってるの？　私がそんなことするわけないじゃない。
亜香里　それじゃ、これはどういうことなのよ？　あなたの道具箱に入ってたのをみんな見てるの。みんな証人なの。
胡桃　きっと誰かがやってここに入れたの、信じて。ねえ、雫……。
海斗　証拠がある以上、いくらそんなうそ言っても無駄だよ。かわいそうだな、間宮さんが。

雫、顔を上げて、胡桃を見る。
胡桃に青の照明があたる。

雫　……うそじゃない。
麻衣　え……？

雫、麻衣と亜香里、海斗を見る。
麻衣、亜香里、海斗に赤の照明があたる。
緊迫した曲が流れる。

雫　もうやめて！

暗転。イーゼルと椅子舞台奥に移動させる。

【第四場】

玲教室で絵を描いている。別の部屋で休んでいた雫、上手袖から登場、少しまごまごしている。

雫　先生……。
玲　大丈夫？　もう落ち着いたかな？
雫　先生……いや、やっぱりいいです。
玲　何？　話があるなら勇気をもって話しなさい。
雫　先生……胡桃はいたずらしていません。
玲　どうして分かるの？

少しの間。

雫　私、……いやなんでもないです。……。

玲　話して。先生雫さんの声をこんなに聞けてうれしいんだから。

雫　先生……信じてもらえないと思いますが。

玲　大丈夫、信じてあげる。だから話してみて。

雫　先生……私人の心の色がみえるんです。

玲　心の色がみえる？　どういうこと。

雫　私人と関わりをもつと、その人の心の色がいろんな色になって現れてくるんです。疑いや嫉妬は紫色、悲しみは冷たい青色、怒りは激しい赤色が……。だから、人の心の裏側も見えてしまう。人と話すのがつらくなってしまう……。

玲　そうだったんだ。誰にも相談できなくてつらかったでしょう。話してくれてありがとう安心して、先生雫さんの話信じるから。

雫　……ありがとうございます。

玲　ねえ、もしかして雫さんは今、自分は可哀想な人だと思っていませんか。人にはない特性をもってしまった可哀想な人だと。

雫　……はい。

玲　それは間違いですよ。私、大学の授業で聞いたことがあります。有名な科学者、芸術家、スポーツ選手の中にも、特性をもった人が数多くいて、その人は、多くのヒトに幸せを与えているって。だから雫さんは人にはない特性を持った素敵な人なのですよ。

雫　素敵な人？　私のどこが……。

玲　あなたにしかないその特性も自分の武器にしなさい。きっとその武器を使えば、周りの人を幸せにすることができるはずよ。

雫　私の武器……？

玲　それはあなたの絵です。あなたの描く絵は人の心の色がしっかりと表現されている。その絵を見て感動する人は必ずいる。感動は人に幸福感を与えるから……。その武器をしっかりと活かしなさい。私も応援するから……。

雫　ありがとうございます。先生に話してよかったです。麻衣にも……話してみます。

玲　絵にいたずらしたのは麻衣さん？　麻衣さんの心の色があなたにそう教えた？

雫　いや、麻衣の心の色はいつも青色、みんなと楽しそうにしていても、私をいじめていても、いつも青色。悲しみに満ちた青色。

玲　だから、昨日麻衣さんを描いた絵、あんなに青色の濃淡が濃かったんだ。

雫　先生、私これから麻衣の家に行ってきます。信じてもらえないかもしれないけど話してみます。

玲　今日はあの後、休校にして、みんな帰したから。もう家に帰っていると思うわ。頑張ってね。

雫　先生ありがとうございました。私、変われるかもしれない。

玲　ねぇ、雫さん。あなたに私は何色に見えている？

先生に黄色の色があたる。

雫　先生は幸せな黄色、いや暖かい太陽の光のような色です。今日はありがとうございました。さようなら……。

雫上手に退場。

玲　太陽の光のような色……。ふふっ（照れ笑い）

暗転。

【第五場】

舞台中央にベンチがある。
上手に雫がいる。玄関のチャイムを押す。（パントマイムで）
チャイムの音が流れる。

麻衣母　どちらさまですか？
雫　間宮雫です。おばさん、麻衣さんいらっしゃいますか。（客席に向いて話をする）
麻衣母　雫ちゃん、久しぶりねぇ、今開けるから、

ドアを開ける音。
麻衣母登場。

雫　こんばんは、おばさん。
麻衣母　どうしたの？　雫ちゃん一人でうちに来るなんて。姉は元気にしてる？
雫　はい、母は元気にしています。今日は麻衣さんに話がしたいことがあって来たのですが。
麻衣母　麻衣ね、ちょっと待っててね。麻衣、麻衣、雫ちゃんが来てるわよ。

麻衣母、下手そで幕に入り、麻衣を呼びにいく。
麻衣下手から、母と一緒に現れる。

麻衣　何、（ふてくされた態度で）
麻衣母　何って、せっかく雫ちゃんが来てくれたのに何ですかその態度は？
麻衣　いちいちうるさいなぁ。お母さんはあっち行ってて。
麻衣母　分かりましたよ。雫ちゃん、玄関じゃ何だから中に入って。
雫　いや、大丈夫です。
麻衣　いいの、外で話するから。雫、すぐそこの公園に行ってて。
麻衣母　あまり遅くならないようにしなさいね。

雫公園に行き、ベンチに座る。懐かしそうに辺りを見てい

る。

遅れて麻衣登場。

麻衣　何、話って？
雫　ねぇ、麻衣この公園で昔よく一緒に遊んだね。
麻衣　昔の話でしょ。それより何、さっきからべらべら話をして、あなたの声1年分聞いたような気がする。ほんとにむかつく、話できるんじゃない。
雫　そのことで話があるの。
麻衣　今さら私は話ができるのに、話せないふりをしていましたって言うわけ？　ふざけないでよ。

麻衣ベンチから立ち上がり、帰ろうとするが、雫、麻衣の手を握って放さない。

麻衣　放して！
雫　麻衣に、私の話を聞いてほしいの。
麻衣　分かったから、手を放して……。

雫、麻衣の手を放す。

麻衣　何、話って？
雫　信じてもらえないかもしれないけど……実は私、もの心ついたときから人の心の色が見えるの……。
麻衣　人の心の色が見える？　何馬鹿なこと言ってるのよ。
雫　私、みんな心の色が見えるものだと思っていたの。それでお母さんに相談したら……。

雫にのみサスが当たっている。雫母のシルエットが見える。ホリゾントは白。

雫母の声が流れる。

雫母（声）　人の心が見えるって？　何いってるの？　そんなことあるはずないでしょ。馬鹿なこと言うのやめなさい。

ホリゾントが紫に変わっていく。

雫　お母さんに話しても信じてもらえない。何回も何回も話しても……。
雫母（声）　しつこいわねぇ、まだそんなこと言ってるの？　そんなうそ言うのをやめなさい。うそつきはみんなに嫌われるわよ。

ホリゾントが赤に変わっていく。

雫　私と話すお母さんの心の色は、だんだん赤色になっていった。

雫、ホリゾントを見つめる。雫母のシルエット消える。照明がもとに戻る。

雫　それから、このことを誰にも相談しないって、できないって思ったの。
麻衣　そう……。
雫　それからの私は、人と関わると見える色が怖くて、会話ができなくなった。
麻衣　……私は、あなたのことで友達にいじられるのがとても嫌だった。耐えられなかった。

麻衣のみサスがあたる。悪口のシルエットが見える。ホリゾントは白。悪口が流れる。


悪口（声）　おい、麻衣、雫ってお前のいとこだろ、言葉教えてやれよ。

悪口（声）　へぇ〜、麻衣と雫っていとこ同士なの？

悪口（声）　麻衣ちゃんかわいそうね、雫がいとこなんて……。

麻衣　私は私。関係ないでしょ？

悪口（声）　いとこって、同じ血が流れているんだろ？　関係なくはないだろ、言葉教えてやれよ。

悪口（声）　あんな暗い雫と親戚なんて、もしかして麻衣ちゃんも本当は根暗だったりして。

悪口（声）　きっとそうだぜ、おい根暗、何とか言えよ？

悪口（声）　やっぱ、麻衣も言葉話せないんじゃねえの？根暗、根暗、根暗……。

麻衣、両耳を押さえて、

麻衣　やめて、やめて、やめてよ……！

少しの間。

麻衣　私いやだった。だから……雫から遠ざかった。そして受験勉強して、私立の中学校に逃げた。だけど偶然、また絵画教室で一緒になってしまった。雫といとこってばれたくない！　だから、みんなで雫を……。ごめんね……。
雫　分かっていた。
麻衣　え？
雫　だって、私と会っている麻衣の色はいつも悲しい青色だったから。だから麻衣の肖像画も青い影をつけてしまった……。
麻衣　そのことだけど、あの絵を汚したのは胡桃じゃない、私が海斗にやらせたの。私が悪いの……。
雫　それも分かっていた……。
麻衣　私、胡桃にもとてもひどいことしちゃった。胡桃は私と雫がいとこだってこと知っていても、学校でもずっと黙ってくれていたのに。私、そんな胡桃に濡れ衣を着せるなんて……。
雫　胡桃は昔から麻衣のことが好きだから、正直に話せば許してくれるはずだよ。だって麻衣と同じ学校に行きたくて受験したんだから。
麻衣　亜香里も海斗も許してあげて、私がそそのかしてしまった……、私、明日雫とのことも正直に話して、あやまるから……。

上手から麻衣母登場。

麻衣母　雫ちゃん、麻衣。
麻衣　お母さん、なんでいるの？
麻衣母　麻衣と雫ちゃんの様子がおかしかったから、ちょっと心配でね。雫ちゃん、汚してしまった絵のこと……。
雫　もう、いいんです。絵なら、また何枚でも描けますから。
麻衣　雫。
雫　麻衣、今日、話ができて本当に良かった。
麻衣母　雫ちゃん、もし良かったら家で夕飯食べていかない？　姉には電話しておくから……。
雫　いや……でも……。
麻衣　お母さん、急に何言ってんの！　雫のお母さん、きっと用意して、雫のこと待ってるよ。
麻衣母　それもそうね。それじゃ姉によろしくね、たまには顔見せに来てって、言っといてね。
麻衣　今度、私も雫の家に遊びに行こうかな？　昔みたいに。
麻衣母　それもいいわね。あっそうだ、ちょっと姉に伝えてほしいことがあるの。麻衣、先に家に戻ってて……。
麻衣　分かった、それじゃあ雫、本当にごめん。こんなこと言える立場じゃないけど、私も雫と久しぶりに話ができてよかった。
雫　麻衣……。
麻衣　それじゃ、さよなら、また明日絵画教室で……。

雫、麻衣に手を振る。麻衣、上手に退場。

雫　おばさん、母に伝えたいことって何でしょうか？
麻衣母　ごめんね、本当は雫ちゃんに話があるの……。
雫　私に話って？
麻衣母　さっき雫ちゃんが人の心の色が見えるって言っていたでしょ。その話、私も昔聞いたことがあるのよ……。私も小さかったからうろ覚えなんだけど、確か、あなたのお母さんも小さい頃言っていたような気がする。ただ言う度にあなたのおばあちゃんからとても怒られて、いつの間にか誰にも言わなくなったと思うけど……。
雫　その話本当ですか？　母が……。

雫、下手に急ぎ足で移動する。雫、家の扉を開ける。

雫　お母さん、ただいま！

雫母のシルエット。雫母の声流れる。

雫母（声）　雫、おかえり。
雫　お母さん、お母さん！
雫母（声）　どうしたのよ？　何か良いことでもあった？

雫　うん！　あった……良いこと。
雫母（声）　そう。なによ、良いことって。
雫　えっとね……内緒。
雫母（声）　何よそれ、お母さんにも、教えて。

黄色の照明が雫に当たる。

雫　いいの、お母さんには内緒なの。

暗転。優しい曲流れる。

【第六場】

絵画教室の舞台。雫と三太郎以外の生徒、玲先生がいる。
胡桃、下手を見に行く。

胡桃　先生、雫たちがもう来ます。
玲　みんないいわね。
麻衣・海斗・亜香里　はい、大丈夫です。

雫と三太郎、下手花道より登場。

三太郎　こんちわ～す。何？　私立組、やけに今日早いんじゃない？
麻衣　雫、こんにちは。
雫　こんにちは。
三太郎　うそ……？　麻衣が雫に挨拶した？
玲　雫さん、三太郎さん、みんな2人に話があるそうです。
麻衣　雫、三太、今まで意地悪ばかりしてごめんなさい……。
亜香里　私も2人をいつも馬鹿にして、ごめんなさい……。
海斗　雫の絵を汚したのは俺です。本当にひどいことをしてしまった。ごめんなさい……。
三太郎　海斗、お前～、胡桃のせいにしやがって～、なんて卑怯な奴だ～。

三太郎、海斗につかみかかる。胡桃が中に入る。

胡桃　三太、その件は、ちゃんとみんなに、あやまってもらったから大丈夫。だから、ケンカしないで。
海斗　悪かった、ごめん……。
三太郎　……それならいいけど、もう2度とこんな真似をするなよ……。

三太郎、海斗をはなす。

三太郎　胡桃……俺も胡桃のこと疑ったりして悪かった……。
麻衣　三太、指示したのは私。私がすべて悪いの。亜香里も海斗も責めないで。
海斗・亜香里　麻衣さん……。

玲　雫さん、あなたはどう思う？

雫　先生、私なら大丈夫です。昨日の夜、麻衣さんと２人で話し合いました。私だっていつも一人で殻に閉じこもってみんなに迷惑をかけていたし……。

玲　本当に……？

雫　だってみんなの言葉にはうそはないから……。

玲　あぁそうか、雫さんは人の心の色が見えるんでしたね……。

胡桃　心の色が見える？

麻衣と玲先生と雫以外、心の色が見えると言った玲先生の言葉に反応する。

玲　雫さん、今のみんなの心は何色に見えますか？

うすいオレンジ色の照明がつく。（ホリゾントなど）

雫　今の色は……そう、幸せを感じる優しい木漏れ日のような……。黄色？　いや違う、橙色？　いや違う。

麻衣　その色って何色かな？

三太郎　何色って？　雫が発見した色なら雫色でいいじゃん。

麻衣　雫色？……何かとても優しい色のような響き。

玲　雫色って、とてもいいネーミングですね。

胡桃　何かわけ分からないけど、みんなが幸せを感じる色、その色が雫色かぁ……。三太、あんたいいこと言うじゃない。

三太郎　えっ、今俺、胡桃に初めてほめられた。感激～。おい胡桃、幸せを感じるこの機会に、俺たち付き合わないか？

三太郎、胡桃に猛アタック。

胡桃　何馬鹿なこと言ってるの、それは絶対にお断り。あんたは火星人以下……。

三太郎　火星人以下って？　またもや撃沈……。おい雫、今の俺は何色だよ？

雫　三太、安心して、今のあなたにも雫色が見える。

三太郎　たった今振られたばかりなのに、それはないぜ……。

みんな笑う。

玲　さぁ、みんな、レッスンを始めましょう。まず最初にコンクールの連絡があります。

みんなざわつく。

玲　来年行われるアジア絵画コンクールに、わが教室もぜひ作品を応募して欲しいと主催者側から連絡がありました。皆さんの中で、作品を出したい人はいますか？

生徒全員　はぁ～い、（挙手をする）

玲　それじゃあ全員がライバルですね！　頑張りましょう。
麻衣　雫、がんばろうね。
雫　うん。
三太郎　俺も、俺も、負けないぞ……。

みんな絵を描く準備をしだす。

暗転、優しい曲が流れだす。

【第七場】

舞台中央サスに少し上を向いた雫が優しい顔をして立っている。決意したように退場。

上手サスに亜香里・海斗登場。

亜香里　海斗、聞いた？　雫アジア第1位だって。
海斗　聞いた、聞いた……俺びっくりしちゃったよ。
亜香里　私、雫と友達だってことみんなに自慢しちゃった。
海斗　すごいよな、アジアで1番って。
亜香里　ねえ海斗、教室のみんなで、受賞パーティー開こうよ。
海斗　いいね、すぐに先生に相談しに行こう。
亜香里　そうしよう。

亜香里・海斗、上手袖に退場。

センターに雫のシルエット。


玲、下手サスに入る。シルエットと玲で芝居をする。


雫（声）　先生、私第1希望の国立美大に合格しました。

玲　おめでとう。本当によかった。

雫（声）　これで私、念願かなって、玲先生の後輩になれます。

玲　後輩と言っても、あなたの方が私より何倍も優秀ですよ。私はね、あの大学に2浪して合格したの。雫さんのように現役合格するなんて、とてもすごいことよ。

雫（声）　そんなことありません。私、先生に出会って本当に本当に良かったです。先生は、絵を描くことで、人に幸福を与えることを私に教えてくれたのですから……。

玲　雫さんには大学でも頑張ってほしい。そしてあなたの絵をもっともっと多くの人に見てもらいたい。あなたの絵は、見る人に幸福を与えるから……。

雫（声）　先生ありがとうございます。私頑張ります。


麻衣、胡桃、三太郎、上手サスに登場。

雫のシルエットはそのまま、シルエットに向かって芝居をする。

麻衣　雫聞いたわよ、イタリアへの国費留学決まったんだって。
胡桃　うらやましいなぁ〜。私もイタリアの学校で絵の勉強したいなぁ〜。

三太郎　雫、イタリアに行っちゃうのか、寂しくなるなぁ～。
胡桃　何よ、私がいるじゃない。
三太郎　えっ、胡桃お前……。

胡桃少し照れる。

胡桃　三太は、火星人よりは少しましだから……。
三太郎　おぉ……ついに火星人以上に格上げですか？
胡桃　ほんの少し、ほんの少しだけ……。

麻衣の笑い声。

麻衣　雫、さぁ次は世界中を雫色に染めて来てね。あなたならできる。
三太郎　日本から応援してるぜ。
胡桃　活躍楽しみにしてるから。

雫のシルエットが消える。飛行機が飛び立つ音が流れる。
麻衣・胡桃・三太郎、手を振る。
暗転。

【第八場】

バトンにつるした額縁が降りる。（額縁には絵は入っていない）
舞台は個展会場。イーゼルに絵が飾ってある。
舞台中央に着替えが終わった雫がいる。舞台上手の受付机の前に他人Eがいる。
優しい曲が流れる。

他人E　雫先生、個展の準備が完了しました。

他人E上手袖に退場。

雫　私は今、画家として生きています。そして時々玲先生の絵画教室でお手伝いもしています。最初照れくさかった、先生と呼ばれることにもやっと慣れました。

麻衣上手から登場。受付机に着席。

麻衣　雫先生、個展の開場始めます。いいですね。

雫、うなずく。

雫　いとこの麻衣は、現在私のビジネスパートナーとして、私のマネージメントをしてくれています。
麻衣　ただいまより、新進画家「間宮雫」の個展を開始します。

上手花道から花束や、プレゼントを持った胡桃、三太郎、亜香里、海斗登場。胡桃は花束を持っている。受付の麻衣とあいさつを交わし、舞台中央の雫のところへ。

胡桃　雫、おめでとう。
亜香里　おめでとう。
三太郎　雫、俺はこの日が来ることを信じていたよ。
海斗　招待してくれてありがとう。
雫　みんな来てくれてありがとう。

胡桃、花束を雫に渡す。ほか3人拍手を送る。その後、プレゼントなどを渡し、雫や麻衣との親交を深める。

上手から玲登場。

玲　みんな何か楽しそうね？
三太郎　うわぁ～、玲先生だ‼
胡桃　玲先生お久しぶりです。

みんな久しぶりに会った玲に握手したり、喜びを表す。(アドリブ)

三太郎　玲先生、報告があります。ついについに念願がかないました。俺たち付き合っています。
麻衣　えっ……本当？
玲　それは良かった。
胡桃　まぁ、根気負けしたと言うか……。
雫　三太よかったね。
三太郎　雫、ありがとう。
海斗　玲先生、実は俺たちも……。

海斗、とっさに亜香里の肩に手をかける。

麻衣　本当？

みんな驚く。
亜香里、海斗の手をはらう。

亜香里　もう、海斗、冗談きついって。
海斗　うそぴょーん。

海斗ひょうきんに軽くステップ。
みんなの笑い声。(とても楽しい雰囲気)

玲　みなさん今日は雫さんの個展に来てくれて本当にありがとう。雫さんの作品をしっかり見て行ってくださいね。
胡桃・三太郎・亜香里・海斗　は～い。(4人全員で)

4人、見学しだす。
雫、絵を見ている4人を見つめる。雫にサスが当たる。

雫　絵画教室で一緒だった仲間たちも、いまも私を応援してくれてます。みんな、みんな大好きです。

玲　雫さん、今のみんなの心は何色？

うすいオレンジ色の照明がつく。（ホリゾントなど）

雫、ホリゾントを見つめて微笑む。全員が何となく雫を見つめる。

雫、客席に向かって振り返りながら

雫　それはもう……。

出演者全員客席の上の方を見つめて微笑みながら……。

全員　し　ず　く　い　ろ。（雫が、しを発声、それ以外全員口パクで）

エンディングの曲が流れる。

緞帳が降りる。

ＦＩＮ

たいむすりっぷ?!

横浜市立山内中学校演劇部

横浜市立山内中学校演劇部
曲 香澄
清水美晴
高橋友佳
村上由布子
矢野桜愛
天池俊貴
石川紗羅

登場人物

橋本香織　演劇部部長
梨田智恵　演劇部副部長
吉田華美　演劇部副部長
北原節子　演劇部顧問
工藤由貴　過去の演劇部部長
松本百花　過去の演劇部員
中沢 薫　過去の演劇部員
島崎節子　過去の演劇部員

参照文献

『五分後に意外な結末』　学研プラス

引用

越智屋ノマ「間違えた死に神」本文より

横浜市立山内中学校、2020年12月28日、初演。

【第一場】現在の演劇部部室

現代。９月、夏大会が終わり３年生が引退した後。
○○中学校演劇部部室。
放課後の演劇部部室。けっして整頓されているとは思えない。衣装ケースや大道具・小道具などが雑然と置かれている。壁には過去の栄光を表す賞状や写真が貼られている。

そして何故か大道具と思われるドアが埋もれている。

演劇部員の「香織」と「智恵」が無言で部室に入ってくる。

深刻な表情である。

部室に入っても、２人とも無言のままである。

香織　……。
智恵　……。
香織　あのさぁ。（ほぼ同時に）
智恵　あのさぁ。（ほぼ同時に）
香織　な、なに？
智恵　な、なに？
香織　どうしようか。
智恵　どうしよう。
香織　節子先生の言うとおり、このままじゃ冬大どころか廃部だよ。
智恵　うん……劇部って人気ないのかな？
香織　うん……。
智恵　去年だって……入部したのは私たち３人だけだったでしょ。
香織　そうよね……、そういえば華美は？
智恵　肝心なときには、いつもいないんだから。
香織　何か急な用事でも出来たんじゃない。
智恵　そんなわけないよ。さっきまで一緒にいたじゃない。節子先生の呼び出しがあったとたんに消えちゃうんだから。まったく要領がいいんだから……。
香織　そんなことないよ。仲間なんだから。
智恵　仲間……私は認めない。あんな適当な人。
香織　……それより、節子先生の話のように、冬大の出場はきびしいね。
智恵　冬大には出たいよ。
香織　３人でどうする。
智恵　何とかしたいけど……。
香織　やっぱり無理か。

間。

香織　でも、冬大出たい。
智恵　……。
香織　３年の先輩手伝ってくれないかな。
智恵　受験、真最中だよ。そういうわけにはいかないよ。
香織　３人で出来る事って……。
智恵　M1グランプリでもやる。
香織　M1グランプリ……？
智恵　そう、華美抜きで、お笑いやるの。

２人、調子を合わせて漫才をやる、

香織・智恵　はーい。香織と智恵のＫ＆Ｔでーす。
智恵　うちとこのお母んな、「あれ」が好きやねえん。
香織　「あれ」てなんや。
智恵　ポテトチップを細かくしたようなもんで、牛乳をかけて食べるもんや。
香織　ポテトチップを細かくしたようなもんで、牛乳をかけて食べるもんそれ、コーンフレークやないか。
智恵　お母が言うには、朝食でよく食べるもんらしい。

香織が漫才を途中でやめ。

香織　冬大会で漫才！　笑われるわ。
智恵　漫才だから、笑われたほうがええんよ。
香織　そうか……。（その気になるが我に返り）だめ、だめ、だめ……。
智恵　どうして？
香織　どうしてって……。演劇よお笑いとは違うわ、照明が当たってＢＧＭが流れ、立派な舞台装置、衣装に身を包み大勢の観客の前で、正しい発音で台詞を言うのよ……。夏大会で先輩たちがやったように……。
智恵　「七人の部長」のように……。（我に返って）７人もいない、たった３人の演劇部。３人で舞台に立って、照明もやって音響もやって……。むり・むり・むり・むり……むりよ。

２人同時にため息。しばし無言。

香織　あのさぁ。（ほぼ同時に）
智恵　あのさぁ。（ほぼ同時に）
香織　……何。
智恵　新入部員を入れればいいのよね。
香織　そうよ。
智恵　……華美よ……華美が馬鹿なこと言うから仮入の子たち来なくなったのよ。
香織　馬鹿な事って。
智恵　言ったのよ1年生に……ああーっ腹が立つ！
香織　だから、何て言ったのよ。
智恵　（言おうとするが、再び思いだし腹を立てる）あの馬鹿！

華美が、何事もなかったように部室に入ってくる。

華美　ごめーん～。急にお腹が痛くなっちゅって……。（雰囲気を察したかのように）
香織　なんだ、トイレに行ってたの……。
華美　そんなにストレートに言われると……ハナミ。ハ・ズ・カ・シ・イ。
智恵　（我慢できず）な・何が「ハ・ズ・カ・シ・イ」よ！「急にお腹が痛くなっちゅって～」ふざけないでよ。あんた、いつだってそうじゃない！　肝心なときには「いつもいない」この前だって、先輩に用事を頼まれた時、あんたいなかったでしょ！　おかげで香織と2人で、大道具を運んで大変だったの！……おかげで筋肉痛よ！
華美　いつのこと？
智恵　はぁ！　いつのこと……？　夏公演が終わった時よ。
華美　……あああ、思い出した。あの時はちょっとお腹が痛くて……。
智恵　「お腹が痛くて」……ふざけるんじゃないわよ！　あんたさー……。
香織　（智恵をさえぎった）お腹が痛かったのよね。華美……。
華美　そうなのよ。私って、神経が細かくてちょっとしたことで体調を崩すのよ。
香織　そうなの、それで今日は節子先生に呼ばれたから緊張してお腹が痛くなったのね。
華美　私を理解してくれるの香織だけ。
智恵　はぁーもうダメだ。これ以上あんたを見てると。蹴飛ばしたくなる！
華美　恐い。智恵恐い！

智恵は怒って部室を出て行こうとする。

香織　智恵！　新入部員獲得の話し合いどうするの！
智恵　少し頭を冷やしてくる。

智恵は怒って部室を出て行く。

華美　智恵、どうしてあんなに怒ってるの……。私、本当にお腹が痛かったの……。
香織　わかってるわよ。華美の緊張病は、智恵だってわかってるのよ。節子先生に言われたことがショックだったのよ。
華美　節子先生に何て言われたの。
香織　このまま、3人だと「冬大会へ出場どころか、廃部」になってしまうって。
華美　そう、智恵は演劇大好きだもんね。
香織　私だって。華美もそうでしょ。
華美　うん。
香織　どうすれば部員を増やし、冬大会に出場できるか3人で話し合いたかったのよ。
華美　そうだったの……でも、智恵にひどいこと言われた。許せない。
香織　華美。

智恵が戻ってくる。険悪な雰囲気。

智恵　…………。
華美　…………。
香織　（間に入って）たった3人の演劇部員でしょ。いい加減に仲直りしたら。
智恵　…………。

華美　…………。
香織　今は、こんな事している場合じゃないでしょ。部員を増やさなきゃならないのよ。
智恵　…………。
華美　…………。
香織　冬大どうするの……智恵！　華美！
智恵　…………。
華美　…………。
香織　わかったわよ。よーくわかりました。私、演劇部やめる……。
智恵・華美　えっ、困る。
香織　私は困らない。スッキリする。
智恵　香織、わかったわかったわよ。
華美　私も悪かったわよ。
香織　何がわかったのよ！　何が悪かったのよ！
智恵　……だから、だから考えるよ。
華美　私も考える。
香織　何を考えるの？
智恵・華美　新入部員を入れて冬大に出る方法を……だよ。
香織　そう！　本気で考えるわよね‼
智恵・華美　はい！
香織　だったら、やめるの、やめる。
智恵　はじめから、その気ないのに……。
華美　そうよね……。
香織　わかってんじゃない2人とも。じゃ、作戦を立てるわよ。

3人は、いつの間にか話を進める。

香織　仮入の時に来ていた女子2人。
華美　あの2人ね。確実にはいると思ったのに。
智恵　裏切られたわね。今、バドミ部よ。
香織　男子も4人ぐらい来たわよね。
智恵　先輩たちも、みんな優しく接してた。
華美　私たちも初めての後輩。期待したわよね。
智恵　あっ。思い出した。（華美に向かって）あんたさー、あの時なんか言ったわよね1年生に。
華美　ええっ知らない。
香織　なんて言ったの。
智恵　1年生によ……この前までランドセルしょってた1年生によ。「君さ、演劇のこころは？」……真剣な顔して聞いてるの。信じられない。私だって答えられないわよ。その子、翌日は来なかったわ……。
香織　華美。それは哲学よ。無理1年生には。
智恵　でしょう。まったく。……で、それで終わりじゃないの。
香織　ええっ、まだあるの。
智恵　ある、ある、アルセーヌ・ルパンよ。
香織　何、それ。
華美　（突然話し合いに参加して）おもしろーい。
智恵　おもしろくない！

華美、しょげる。

智恵　次の日に来た女子によ。「演劇って、自分を捨てなきゃいけないのよ……」この前までランドセルしょってた1年生によ。信じられる……。
華美　だって、私も先輩にそういわれたもん。
智恵　入部して、だいぶたってからでしょ。言われたのは。
華美　そうだったかしら？
智恵　そうよ。あんたが1年生を逃がしたの！
華美　……ひどい。ひどすぎる……。あっ！
香織　どうしたの？
華美　トイレ……行ってくる。
智恵　またまた。セイロ丸かよ！
香織　腹痛？
智恵　（ぐずぐずしている華美に）早く行きなよ。
華美　いかない。私、行かない。
香織　華美、行きなさいよ。
華美　行かない。
智恵　行きなよ！
華美　私、行かない！
香織　華美。
華美　治ったもん。
智恵　この！

追いかける智恵、逃げる華美。

香織　（怒鳴る）いい加減にしなさ〜い！　疲れる。さぉ、「新入部員獲得作戦会議」始めるわよ。
智恵　私さ、奈緒に聞いたの。
香織　奈緒って、ソフト部の。
智恵　うん。1年生で退部するのが多いんだって。夏が終わって運動部の厳しさが分かったみたい。そんで耐えられなくなって……「た・い・ぶ」。
香織　やっぱ厳しいのはダメか……。それで。
智恵　その退部した1年生を狙うのよ。「演劇部は楽で楽しいよ〜」「優しい先輩たちがいっぱいいるよ〜」。
華美　「劇部新入部員獲得大作戦!!」
香織　よし！　それで行こう！　まずは、ポスターね。インパクトの強い。1度見たら忘れられないキャッチフレーズ。
智恵　そういえばこの前貼ったポスター……。
香織　節子先生からアイディアをもらった。
智恵　そう、「一文字入れれば言葉になる」っていうクイズ形式のやつ。何か反響はあった？
華美　あの問題難しいよ。
香織　今のところ何もない。
智恵　「謎が解けたら演劇部の部室へ〜夢の舞台を約束します!!」……なんか、大袈裟じゃない。
香織　「ポスターのキャチフレーズは、大袈裟な方が人目を引いていいんだって」うちの父さんが言ってたよ。
華美　色も目立ってたよ。デザインもいいし。
香織　だけど、なぜ誰も来ない！

智恵　ふーん。
香織　すると、いまのところポスターだけじゃ弱いということね。作戦を立てようよ。

２人であれこれ考える。そのうち、昔の演劇部の写真に目がいく。

香織　あの写真、昔の演劇部だよね。
智恵　人数いたね。40人ぐらいいるんじゃない。
華美　体育着は今と同じだ。変化無し。
香織　多いよね。……あれ旗だよね。体育祭の時に作るような。
智恵　そうだね。
香織　あっ、いいこと思いついたかも……あの旗よ。あれよりもっと大きな垂れ幕を作るのよ。
智恵　旗？　垂れ幕？
華美　旗？　垂れ幕？
香織　そうよ。旗か垂れ幕よ。
華美　垂れ幕って……運動部が、県大会や関東大会に出ることが決まったときに、校舎に垂らすやつ。
香織　そう。

３人再び壁に貼られた写真を見る。

香織　……あの旗に書いてある文字読める。
智恵　……「め・ん・ぼ・か・い・な」、何か呪文のような……。
香織　呪文……「めんぼかいな」「めんぼかいな」……そうだよ。
華美　呪文って。「魔女っ子メグちゃん」とか、「ひみつのアッ子ちゃん」とか魔法を使うときに唱える……。
智恵　あの「テクマクマヤコン」とか「エロエムエッサイム」とか……。
香織　そう考えると、「メンボカイナ」「メンボカイナ」……どっかで聞いたような。
智恵　「メンボカイナ」「メンボカイナ」……。
華美　発声練習の時言う言葉に似てる。
智恵　あっ、ああああ。
香織　そう、そう、そう、そう、そう、そうよ。
華美　でしょ！
智恵　抜けてるのよ。
香織　抜けてる。抜けてる。（華美の方を見て）あなたの頭。
智恵　確かに。
華美　ええっ、私の頭が……。ひどい！
香織　ごめんごめん、じゃなくて、「文字」よ。
香織・智恵　抜けてる……「あ」の字か抜けてる。『アメンボアカイナ』あいうえお……。

突然床が揺れる音、大道具のドアにサス明かり。けたたましい音。
２人は悲鳴を上げ、うろたえる。

智恵　何なのよ。何が起こったの！
華美　恐い……お腹が痛くなってきた……。
香織　……動いてる。何かが動いてる。
智恵　ド・ド・ドアが動いてる！　どうしてこんな事に……。
華美　本当だ、ドアが……。
香織　……何か変よ。
華美　変って……何が？
智恵　（さっきの事を思い出しながら小さな声で）……「あ」の文字か抜けてる。『アメンボアカイナ』あいうえお……「アメンボ……」。
華美　智恵……何を言ってんの……「アメンボ」……ねっ、何なのよ。
智恵　うるさい！　あんたは黙ってて！
華美　何よ！　偉そうに……智恵はいつも……。
香織　華美、ちょっと黙ってて！
華美　香織まで……いい、私……。
智恵　トイレはあっち。

華美は無視される。

香織　そうか、もしかして智恵の言うとおり呪文よ。あの旗に書かれてた呪文を解いたのよ。

音が消え、ドアに照明が当たる。

智恵　このドア、こんなに豪華だったの……。
華美　できばえのいいドアね。
香織　もう1度言ってみようよ。
智恵　ええっ。何だか恐いわ
華美　「アメンボアカイナ」が……。
香織　あっ！　言っちゃったよ……。
智恵　華美、あんた！
華美　言っちゃったよ!!

けたたましい音、ドアが開き中から光がさす。やがて音は消え静かになる。

智恵　な・なんなのこれ！
華美　まぶしい！
香織　中から光が……。

香織がこわごわとのぞき込む。

智恵　香織、危ないわ！
華美　やめて、やめてよ！
香織　……光は奥まで続いているわ。

ドアの向こうをのぞき込む。

智恵　……。
華美　……。

香織　行ってみましょう。
智恵　えっ？　ちょっと不安。
華美　私、トイレに行ってくる。
智恵　何を言ってんのよトイレ？　あきれるわ、あんた。
香織　じゃ、ここで待ってて、私、行ってみる。
智恵　行くよ、行くよ私も……。
華美　わ・わたしも連れてって……。

再び、音がしだす。ビックリする2人。

香織　入るわよ！

3人、不安そうにドアの中に入る。徐々に照明が消え、BGM高まる。
暗転。
陰マイクで叫びながら、中割幕の裏にある平台の上に移動する。
3人、移動しながら。

華美　恐いよ……。ねぇ、引っ返そうよ。
香織　光は、まだ先まで続いている。
智恵　あっ！　段々、身体が軽くなってきた。
香織　浮いているわ……すごいスピードで……。
華美　な・な・何これ？　わぁ〜。
3人　わぁーーー。
智恵　吸い込まれる……。
3人　た・た・た・助けてーーー。

【第2場】20年前の演劇部部室

中割幕の中央が一間ほど開き、ホリゾント幕に不思議な色が入っている。そこから、香織と智恵と華美が出てくる。
同時に全体が明るくなる。20年前の部室である。
3人はしばらく様子を見る。

香織　ここは……？
華美　なんか部室みたいな……。
智恵　本当だ。なーんだ部室じゃない。単に1周しただけ。
香織　(周囲を見渡し) なんか、おかしい。
智恵　何が。ここ演劇部の部室よ。
華美　(壁に掛かっているカレンダーに気づき) あれ、これどういう事。
香織　どうしたの、(カレンダーを見て) 平成12年、西暦2000年。
智恵　2000年……20年前。……これ小道具じゃないの……。
香織　こんな小道具、使った覚えある？
華美　私は初めてみたわ。
香織　どういう事だろう。
華美　(小道具を見て) こんなの部室にあった？
香織　(衣装や大道具を見て) これも初めて見た。

智恵　これ、なんかやばくない。戻ろうよ……。
華美　……私も、そうした方がいいかなーって感じ……。
香織　引っ返そう！

同時に中割幕が閉まる。慌てる3人、何とか幕を開けようとするが開かない。ドアもなくなっている。

智恵　開かないよ。いやだ・いやだ・いやだよー。
香織　完全に閉まってる……。

3人は中割幕を開けようとするが開かない。焦る2人。

華美　あれ！　ドアもないわ。私たちが入ったドアも……。
香織　(窓の外を見て)……ええっ。どういう事よ、あそこのマンションがない。
華美　本当だ。あそこのゴルフ場もない。
智恵　この景色……ちがう！

部室の外から、話し声が聞こえてくる。

香織　しーっ！　誰か来る。隠れて。

3人は隠れる。
過去の演劇部部長の工藤由貴と島崎節子が入ってくる。

工藤　みんなは？
島崎　ランニングしてます。
工藤　いいね・いいね・いいね。演劇部員たるもの体力が勝負だからね。今日は何周。
島崎　いつも通りに10周です。1年生も随分なれては来ましたが、5周持てばいいとこです。
工藤　せっちゃんの立てたプログラム、体力がつくね。
島崎　はい。先輩、今度の夏公演ですけど……。

隠れてはなしを聞いている3人。

工藤　私たち3年の最後の舞台だから、心に残る大作に挑戦したいわ。
島崎　はい先輩、この前読んだ本に、劇にするとおもしろいんじゃないかと思ったものがあるんです。
工藤　どんな内容。
島崎　「少女と死神」の話なんです。
工藤　「少女と死神」……ホラー系の話し？
島崎　いいえ、心温まる。感動的な内容なんでです。「死神の微笑み」っていうタイトルなんです。
工藤　「死神の微笑み」か。おもしろそうだね……。
島崎　死神が死ぬ予定ではなかった少女の魂を、間違えてからだから切り離してしまうんです。間違えたと気づいたときには、病室で眠る少女の身体からは、魂が抜け出してしまい、死神は少女に謝って生き返らせるとするのですが、少女はそれを断るんです。
工藤　じゃ、少女は死んじゃうの？

島崎　いいえ。そうさせまいと死神は色々考えるんです。ミスを犯すと神様に消されてしまうから。

突然物音がする。隠れていた3人がつまずいたのである。

工藤　今の音、何？
島崎　……こっちの方から。

工藤と島崎は音の出た方に行く。

工藤　変ねぇ。こっちから聞こえたよね。
島崎　はい、確かに。

工藤と島崎、首をかしげながら戻る。香織と智恵・華美は声をひそませる。
ところが、華美が悲鳴を上げ、立ち上がる。ゴキブリが出たのに驚いたのである。
突然現れた華美に工藤と島崎も驚く。続いて香織と智恵も姿を現す。

工藤　あ・あなたたち誰、ここで何しているの？
香織　（慌てたように）わ……わたしたち……。
華美　あそこにゴキブリが……。
島崎　ゴキブリ……？（島崎が見に行くが、逃げた後で確認できない）いません。
華美　いたんです。こうして隠れていたら、私の目の前に現れたんです！
島崎　確かに部室内には居ます。私も何度かやっつけたことがあります。
工藤　そう。……それで、あなたたちはここで何してたの？
3人　（3人黙ったまま）………。
工藤　何をしていたんですか！
香織　わたしたち……。（黙る）
工藤　ここが演劇部の部室と知ってたの？
香織　は・はい。
工藤　じゃ、どうして勝手に入ってたの。
智恵　勝手というか……自然というか……。
華美　ドアが開いて……出てきたの。
工藤　ドアが開いて出てきた。……何を言ってるの、はっきり言いなさい！
3人　すいませんでした。
工藤　……。
島崎　あなたたち、何年生？
華美　……わたしたち、2……。（香織にさえぎられる）
香織　1年生です！
島崎　先輩。この子たち演劇部に入りたいんじゃないですか？　うちの演劇部名が売れてますから。
工藤　入部希望者なの。
島崎　（3人に対して）そうよね。あなたたち。
3人　はい！
工藤　そうなの、わかったわ。せっちゃん3人の面倒見てやって。私もグランドに行くから。……脚本の話しは後で聞くから。
島崎　はい、先輩。
３人　ありがとうございました。お疲れ様です。
工藤　挨拶しっかりしてるね。（工藤は部室を出て行く）
島崎　ほんとですね。
華美　はい。わたしたちいつも……。（香織に口をふさがれる）
香織　いつも演劇部の皆さんの様子を見ていたもので自然とあいさつも身についてしまって。（智恵に向かって）そうよね！
智恵　はい、そうなんです。
島崎　名前をまだ聞いてなかったわね。私は、島崎節子2年生よ。
智恵　節子って云うんですか？
島崎　そうよ、季節の「節」って書くの。
香織　私は、橋本香織です。
智恵　私は、梨田智恵です。
華美　吉田華美です。
島崎　よろしくね。
３人　よろしくお願いします。
香織　さっきの先輩は？
島崎　工藤由貴先輩よ。
智恵　へぇ、すっごく信頼できそうな先輩ですね。
島崎　演劇部の部長よ。
香織　どうりで。……部員は何人ぐらいなんですか。
島崎　34名……あなたたちが本入部すれば37名になるわ。
智恵　34名！　どうしたらそんなに部員が増えるんですか。
島崎　うちの学校の演劇部は、地区でも成績がいいのよ。安定してるって云うのか。だから他の学校からもライバル視されているの。
香織　実力があるんですね。
華美　すごいですね。
島崎　でも、追われる身ってとても辛いの、だからそれを維持するために、特に、基礎練には力を入れてる。
華美　すごいですね。
島崎　ところで、腹式呼吸って知っている。
智恵　はい、お腹で呼吸することです。
島崎　確かに。じゃ、どうして腹式呼吸が必要だと思う。
香織　大きな声が出るから。
智恵　長く息が続くから。
華美　そうそう。そういうことです。
島崎　簡単に言えばそうなんだけど腹式呼吸って横隔膜呼吸のことなの。横隔膜呼吸がうまくできるようになると、深く長い呼吸が出来るようになり、息継ぎの回数が少なくて済むのよ。だから、台詞をつっかえることなく言うことが出来るの。
智恵　へぇー、初めて聞いた。単純に大きな声が出るからだと思ってた。
華美　そうなんだ。島崎先輩ってすごいですね。
島崎　じゃ、舞台に立つ時に大切なことは何だと思う。
智恵　大きな声で台詞を言い、観客に聞こえるようにすること。

香織　身体が動くこと。
華美　緊張しないこと。
島崎　他には。
智恵　演技を自然に見せる。
香織　顔に表情をつける。
華美　舞台で転ばないこと。
智恵　（華美に対して）あんた何いってのよ。
島崎　そう、大切な事ね。
華美　ほら……。（智恵に反抗的な態度）
島崎　他には……。
香織　滑舌をよくする。
島崎　他には……。
３人　……。
島崎　舞台では「３つの神経」を使えって言われるの。１つは「観客」に対して、２つ目は「相手役」に対して、３つ目は「自分」に対して、そうすることで自分を客観的に見ることが出来るのよ。
華美　そんなに神経を使うんですか。
智恵　あんたは全然使わないでしょ。
華美　それどういう事！
香織　２人ともやめなさい。先輩の前でしょ。
島崎　２人は仲がいいのね。
智恵・華美　全然、そんなこと有りません。
香織　先輩。すいません。……。でも、そうなんですね。「３つの神経」……それぞれが互いに「思いやりあってこそ」いい舞台になるということなんですね。

島崎　わたし感動的な舞台をつくりたいの、そのためには演劇部の質をもっと高めなくちゃいけない。……そう思っているの。
智恵　へぇー。あまり深く考えたことなかった。
華美　私も……。
智恵　あんた、何にも考えてないでしょ。
華美　私だって演劇部の一員として……。
島崎　えっ。あなたたち演劇の経験あるの。

慌てる３人。

香織　……い、いや。
島崎　だって今、『演劇部』って……。
智恵　いや、島崎先輩の聞き間違い……。
島崎　確かに私には聞こえた。
智恵　そんなことないですよ。間違いです。
華美　そう、そうですよ。
島崎　そうなの、橋本さん。

しばらく考えて。

香織　（２人に向かって）もういいよ、本当のこと話そう。
島崎　本当の事って。
香織　私たち、演劇部なんで……。
島崎　……どういうこと。
華美　この学校の……。

香織　未来の演劇部。
智恵　本当なんです。私たち、20年後の未来からタイムスリップしてきたんです。
島崎　……未来から？　あなたたち1年生だって……。
香織　2年生なんです。この学校の。
島崎　2年生……じゃ、私と同じ学年なの。
智恵　そうなんです。3人とも同じ2年生。
華美　本当のことなんです。
島崎　同じ学年。20年後。すると、２０２０年……えっ……平成32年。
香織　もう平成は終わってしまい、令和っていう時代に変わったんです。
島崎　れ・れいわ？
智恵　そうなんです。今から20年後……だから、私たち3人はまだこの時代には生まれていないんです。……タイムスリップしたんです。
島崎　ちょっと待って。何が何だか訳がわからない。……どうやってここに来たの。
香織　それが、部室にあった大道具のドアが開いて、その中には入ったら、(中割幕をさして)ここから出てきたんです。
華美　私は、入りたくなかった……。
智恵　何を言ってるの、今は関係ないでしょう。
島崎　(中割幕を見て)ここって、壁じゃない。
智恵　この壁が開いたんです。(手を広げて)これくらい。
華美　ウソじゃありません。信じてください。

島崎　映画やテレビのＳＦものじゃあるまいし、信じろといわれても……。何か証明できるものはあるの、あなたたちが未来から来たっていうことを。
香織　証明できるもの……。
智恵　何もありません。
島崎　何もないのに信用しろっていうの。
華美　やっぱり、無理ですよね……。
島崎　当たり前じゃない。
香織　でも。私たちをただ信用してもらうしかありません。
島崎　いい。あなたたちとは、今会ったばかりなのよ……なのに信用しろというの。できないわよ。できない。じゃ、なぜ演劇部に入りたいなんて……。
智恵　いや、演劇部に入りたいとは……。
島崎　はぁ。……私が言ったのか。
3人　はい。
島崎　返事は、いいわね。
香織　はい。
島崎　まったく、もう……。本当に、未来から来たの？
3人　はい。
島崎　証明するものは……。そうか、ないのか。
3人　はい。
島崎　わかったわよ！　じゃ仕方がない、とりあえず信用するわよ。……それで……。
3人　はい。
島崎　返事は、もういいわよ。
香織　私たち、演劇部員は3人だけなんです。このまま

智恵　じゃ、冬大会に出られるかどうか分からない状況で、演劇部自体の存続も危うい状況なんです。
香織　それで、何とか新入部員を獲得しようと、考えていたんです。
島崎　顧問の節子先生……私たちの顧問は、北原節子って言うんですけど、ポスターのキャッチフレーズを考えてもらったんです。
智恵　部員が３人。考えられない状況ね。
華美　そうなんです。ここんとこ大会に出ても成績はふるわず。あまり熱心な活動もしていなかったものですから。あまり活発じゃなかったんです。あげくのはてに華美は緊張病で、肝心な時に……どうしようもない状況なんです。
智恵　智恵ひどい。そんなこと言わなくたって。（泣き出しそうになる）
華美　だって、本当の事じゃない。直ぐトイレに行くし……。
香織　緊張病なんてひどい事を言わないでよ。わたしだって好きで緊張する訳じゃないのよ。
華美　（２人の状況を見守る島崎を見て）２人ともやめなさい。
香織　だって智恵が……。
島崎　いいからやめて！　すいません。この２人はいつもこうなんです。
華美　吉田さんって、緊張しやすい性格なんだね。
島崎　演劇部に入れば、少しはよくなるかと思っていたんですけど、なかなか治らないんです。
華美　でも、自分の性格をよく知っているし、治そうと努力しているのよね
智恵　はい。でも智恵の言うとおりなんです。肝心な時に足並みを乱してしまって……悪いと思っているんです。
香織　……。
島崎　華美。もういいよ。
香織　「チームワーク」って、演劇にとっては最優先しなければならない事よ。仲間を信頼すると言うことは大切なことなの。
智恵・華美　確かに、仲間を信頼しないと舞台はうまくいかない。
島崎　……。
智恵　気持ちを一つにするって、仲間同士が足りないところを互いに補い合って、目標をめざすことだと思うの。
島崎　仲間同士……。互いに補う……。
　去年の舞台発表で、こんな事があったの、……。『劇がクライマックスを迎え重要な場面、３年生の先輩２人がメインで台詞の掛け合いの場面。……ところが、１人の先輩が台詞を忘れてしまい、不自然な状況になる寸前。もう１人の先輩が、突然忘れた先輩の台詞を言いだしたの、そしてその台詞の最後に「……とあなたは言いたかったのよね！」と言って台詞を締め、その場の危機を乗り越えた。何事もなかったように幕は降りた。』先輩は、相手の台詞をも全て覚えていたの。……舞台では何が起こるかわからない。だから、慌てなかった。そのことを先輩たちは承知していたのよ。だから、慌てなかった。仲間を信頼し補うこ

とで危機を脱したの。
智恵　仲間を信頼すること……。
香織　智恵。
智恵　華美。あんた……憎めないのよね。何をやっても。
華美　あのさ。私、本当に悪いことしてたんだ。
香織　えっ？
華美　本当にお腹が痛かったときもあった。いろいろなことがめんどくさいと思って……さぼってたんだよ。本当は悪いことだって知ってたけど、一度やったらもう抜け出せなくて……だからいつも……。
智恵　トイレに逃げてたんだ。
華美　トイレがいいって訳じゃない！　でも、私逃げてたの。本当にごめんなさい。島崎先輩の話を聞いて仲間との信頼関係にすっごく憧れたし、私も智恵とそんな関係になりたいと思った。
香織　えっ、私は？
華美　もちろん、香織もね！
智恵　私も、少し言い過ぎたかも知れない。ごめん。
香織　私たち、島崎先輩から、いい話を聞いたね。
智恵・華美　うん！
香織　なんだか、島崎先輩は私たち演劇部の顧問みたいです。
智恵　本当だ。
華美　節子先生と同じ名前だもん。
香織・智恵　そ・そうだよね。

雰囲気が和む中。

島崎　ところで、20年後も部室はこのままの状態なの。
香織　はい、でもこの時代の方がよく整頓されています。……私たち元の時代に帰りたいんです。
智恵　でも、方法がわからないんです。
華美　このままじゃ、どうなるのか。
島崎　何の手掛かりもないの。
香織　はい、突然だったものですから。
智恵　まだ生まれてもいないのに、この時代の人になっちゃったんです。
華美　こんな事って物語の世界よ。
島崎　タイムスリップの話しって、映画や小説で何度か見たけど……映画「バック・トゥ・ザ・フューチャー」じゃ、いろんな困難はあったけど最後は元の世界に帰っているわ。
香織　「バック・トゥ・ザ・フューチャー」シリーズ、私もテレビで見ました。主人公のマーティ少年とエメットドク博士がタイムスリップして……。
島崎　あの作品、おもしろかったわ。
香織　「バック・トゥ・ザ・フューチャー」は、確かシリーズ化されパートⅢまで作られましたよね。
島崎　そうそう、あの映画ワクワクしたもの……。
智恵　あの、映画のはなしで盛り上がっている場合じゃないんですけど。
島崎　ああ、確かに、ごめんなさい。

香織　ごめん。
華美　私、エメットドク博士のファンなんです。
智恵　だ・か・ら……。
華美　ごめんなさい。ごめんなさい……
智恵　いいのよ。うち解け合っていたんだから。

雰囲気和む。

島崎　必ず見つかるはずよ。考えましょう。

島崎、真剣に考えている。

智恵　ねえ、香織。島崎先輩は、私たちのこと信じてくれたみたいね。
香織　うん、真剣に考えてくれてる……。
華美　ほんと、顧問みたい。
島崎　確か、「ドアが開いてって」言ったわよね。この部室にはドアがないわ。
香織　はい、（ドアがあった方を指さし）あの当たりにあったんです。
島崎　あった。今はない。
華美　消えちゃったんです
島崎　消えちゃった。消えちゃったと言うことは、存在した……。
華美　はい。
島崎　（意を決して）ドアを作りましょう。
香織　ドアを作るんですか？
島崎　いま作れば、未来に残るでしょ。
香織　そうか、私たちそのドアが開いて、ここに来たんですよね。
智恵　そうか、そうかの「草加センベイ」ですよね。
華美　おもしろ～い。（突然笑い出す）
島崎・香織　はぁ～。
智恵　いやなんでも……。華美、受けすぎ。
華美　智恵おもしろすぎ……。

一段落して。

島崎　「草加センベイ」って……埼玉の？
華美　そ～うなんです。
香織　華美！
華美　ごめんなさい。
島崎　そうか？……「草加センベイ」ね。
智恵　あのう、島崎先輩。
島崎　あっ、ごめん。……ドアのイラストを描いてちょうだい。
香織　はい。智恵、あんた絵を描くの得意だから思い出して描いて。
智恵　わかった。
島崎　わたし、応援を連れてくるから。
香織　えっ応援。
島崎　大丈夫よ、あなたたちのことは黙ってるから。

部室から出て行く島崎。

華美　島崎先輩っていい人だね。
香織　そうだね。私たち演劇に、対する姿勢が甘かったんだね。
智恵　(ドアのイラストを描きながら) 私たちが何気なくやっていた柔軟や発声練習には思っていたよりも、もっと深い意味があったんだね。
香織　わたし、戻ったらもっと真剣に基礎練やる。
智恵　新入部員の獲得もね。
華美　私も、がんばる。
智恵　頼むよ、華美。
華美　(うれしそうに) 智恵に頼まれた……。

島崎が、「松本百花と中沢薫」を連れて戻ってくる。

島崎　連れてきたわ。(松本百花と中沢薫に紹介する) こちら、新入部員の橋本香織さんと梨田智恵さんそして吉田華美さんよ。こっちは、1年生の松本百花さんと中沢薫さん。
松本・中沢　よろしくお願いします。
3人　よろしくお願いします。
島崎　早速だけど、大道具のドアを作りたいの。
智恵　(ドアのイラストを見せて) これです。
松本　わかりました。私たち作るの得意ですから。
中沢　これでしたら、材料もありますので、それほど掛かりません。
智恵　ええっ。そうなんですか。
島崎　2人に任せれば安心よ。
松本　先輩。作業場で作ってきます。
中沢　直ぐに出来ますから。
3人　お願いします。
松本・中沢　任せてください。

2人出て行く。

島崎　頼んだわよ。
香織　ありがとうございます。
島崎　さぁ、こっちは次の段階よ。
智恵　次の段階?
島崎　ドアが、開いた直接の原因を考えるの。
香織　直接の原因?
智恵　あの言葉よ。床が揺れてすごい音がした。
華美　怖かったわ。
香織　呪文よ。
智恵　あれが呪文?
華美　あれね。
香織　演劇部で、旗を作ろうと考えたことはないですか?
島崎　旗……ね。(何かを思い出したように) あっ。あれかな……。
智恵　あれって……何ですか?

島崎　体育祭の部活対抗リレーで、旗を作ろうと考えたことがあったの。その時のデザイン……。カバンよ。
華美　カバン？
島崎　ええ、古いカバン。これは使えると思ってリサイクルショップで買っといたの。その中に古い紙が入ってた。そこに書かれていた文字が気になって……。
香織　そのカバン何処にあるんですか。
島崎　確かあの辺に置いといたと思ったけど。(カバンの置いてある方に行く)
華美　一緒に探します。
香織　古いカバンというのがなんか気になるわ。

しばらく探して、島崎が積み重なった荷物の下から古いカバンを見つける。

島崎　あった。このカバンよ。
智恵　何となく謎のカバンみたい。
華美　本当に古くて……わくわく感がある。

島崎がカバンを開ける。

島崎　この紙よ。

紙を取り出し、開いて香織に渡す。

香織　あっ。写真の中の旗に書いてあった文字と同じだ。
智恵　「めんぼかいな」同じよ。
島崎　「めんぼかいな」、そう、何となく旗に書くといいかなぁと……でも意味がわからなくて。
香織　一文字抜けているんです。
島崎　字が抜けてるの？
華美　そうなんです。一文字を加えると。
智恵　それはね……。
香織　智恵！　言っちゃダメ！　それを言ったら。
智恵　そうか……。
島崎　どういうこと。
智恵　まずいことになるんです。
華美　私が、その言葉を言ったから、ここにタイムスリップしたんです。
島崎　じゃ、同じことを言えば未来に帰ることができるかも。
香織　ええ。同じことを言えば帰ることができる可能性があります。
華美　でも、もっと過去に行く可能性も……。
香織　華美の言う通りかも知れない。
智恵　賭けよ。どっちに転ぶか……。
島崎　試してみましょう。
香織　不安は残るけど、これしかないなら。
華美　緊張するけど……私、試してもいいよ。
智美　私たち仲間だよ。私も賛成。
島崎　じゃ、決まりだね。言葉に出来ないならば、その文字をこの紙に書いて。

香織　はい。（文字を紙に書く）
島崎　これね。わかったわ。
　　４人はうち解けあったように和やかな様子である。
　　部室の入り口から松本と中沢の声。
松本　先輩出来ました。
華美　もう出来たの。
　　松本と中沢が出来たドアを運び入れる。
松本　同じようなドアがあったんで、それを少し改良しました。
香織　同じドアだ。
智恵　いい大道具ですね。
中沢　イラストと同じでしょ。ここんところがよくわからなかったので、……こんなふうにしておきました。
華美　すごいわ。うまくできてる。
松本・中沢　ありがとうございます。何処に置きますか。
香織　ここに。（中割幕の前を指さして）
島崎　（中割幕の前に置くように指示する）そこの前に置いて。
松本　島崎先輩、このドア何に使うんですか。
島崎　えっ。……次回作にと思って、とりあえず試作してもらったの。
松本　そうなんですか。また、何かやることがあったら言ってください。
中沢　じゃ、サーキットに戻ります。（松本・中沢は退場する）
３人　ありがとうございました。
香織　気持ちのいい後輩ですね。
智恵　たいした技術《うで》ですね
華美　あー。私たちも後輩が欲しい。
島崎　タイムスリップ。映画やテレビの中だけかと思ってた。現実とはなんとも……。
香織　ありがとうございました。私たち改めて演劇に取り組む姿勢の大切さを知りました。
智恵　今までの反省を踏まえて真剣に取り組みます。演劇の深さを、色々教えていただきありがとうございました。
華美　ありがとうございました。私、基礎練をさぼることが多かったけど、心を入れ替えます。
香織　仲間を信頼する大切さを学びました。ありがとうございました。
島崎　色々と、生意気なことを言ってしまってごめんなさい。
智恵　とんでもない。感謝します。
３人　さようなら。
香織　じゃ、華美。あの時と同じように、「めんぼかいな」に足す文字を入れて言うのよ。
華美　分かったわ。（華美覚悟を決めて）……「アメンボアカイナ」！

香織と智恵は覚悟を決めて意気込んだが、何の変化も起こらない。

智恵　……あれ、あれあれ。何の変化もない。どうしてどうして……。

香織　おかしい。何の変化も起こらない……。

島崎　「あ」の文字で合ってるの？

香織　間違いないのですが……今度は私が言ってみる。

智恵　うん。

香織　（覚悟を決めて）「アメンボアカイナ」！

再び、香織と智恵は覚悟を決めて意気込んだが、何の変化も起こらない。

華美　変わらないわ。

智恵　ああっ。どういう事。どうして何も起こらないの。

島崎　（紙切れの文字をずーっと見つめている）

香織　……なぜなよ。どうして……。

智恵　元に戻れないの‼（少しパニック状態）

島崎　この文字が書かれた旗が写真に写っていたのよね。

香織　ええ。

智恵　おかしい。華美も香織もダメなら私が……。

島崎　待って、吉田さんも橋本さんもだめなら、梨田さんが言ってもだめかも。呪文の効果って、そう何度もあるものではないかもしれない。

香織　どういうことですか。

島崎　脚本を書くために、魔法に関わる本を読んだことがあるの、いろんな偶然が重なると誰にでも呪文の効力が出ることがあるって。でも、それは奇跡にに等しいって……。

智恵　それじゃ、私が唱えても……。

島崎　それはわからない。でも2人が唱えても、だめだったことは事実よ。

華美　ええ、じゃ私たち帰ることができないの？

香織・智恵・華美、不安になりうろたえる。

島崎　……。私が言ってみる。

智恵　島崎先輩が……。

華美　一か八かよ。島崎先輩に賭けてみよう！

香織　わかったわ、任せます。

島崎、意を決し祈る思いでドアの前に立つ。3人は島崎を見守る。

島崎　「アメンボアカイナ」！

床が揺れ、響くようなけたたましい音とともに、中割幕が一間ほど開く。

智恵　あっ！　あの時と同じだ！　ドアが、ドアが……。

香織　……ドアが開いた！

華美　奇跡が起こった……。
島崎　ドアが閉じないうちに、早く行って！
香織　工藤先輩たちに……。
島崎　大丈夫。3人とも「入部はやめた」と言っておくから。
智恵　島崎先輩ありがとうございます！
香織　島崎先輩に会えてよかったです。ありがとうございました！
華美　私、ここに来てよかったです……。
島崎　私もよ、あなたたちに会えてよかった。……また会えると……。

ドアの中に、香織・智恵・華美が入っていく。3人が入った後、けたたましい音とともにドアが閉まり中割幕が閉まる。
暗転。
陰マイクで、叫びながら上手のドアの裏に移動。

華美　あっ！　あの時と同じだ！
智恵　あっ！　あああ〜っ！　段々、身体が軽くなってきた。
香織　浮いてきたわ……すごいスピードよ……。
華美　身体が……身体が……。
智恵　……落ちてく〜〜よー。
3人　わぁーーーー。
智恵　吸い込まれる……。
3人　た・た・た・助けーーーて……。

【第3場】　現在の演劇部部室

舞台が明るくなると、現在の演劇部部室に変わっている。ドアの位置がもとにもどっている。やがてドアが開き中から香織と智恵・華美が出てくる。そこは、2020年の演劇部の部室である。しばらくしてドアは閉まる。あわてる3人。そのうち、香織が壁のカレンダーを見る。

香織　2020年……令和2年。間違いない帰ってきた！
智恵　(突然泣き出す)　よかった、帰って来られた。
華美　(しゃがみ込む)　懐かしい部室。

泣きながら喜ぶ3人。

香織　私たち2000年……20年前に行ってたのよね。
智恵　演劇部の部室だったわ。
華美　(窓の外を見る)マンションだ！　ゴルフ場もある！

香織も智恵も窓の外を見る。

香織　本当だ。
智恵　あるよ、あるよ……みんな有る！　野球部もサッカー部も……。

3人は安心した様子。

華美が壁に貼ってある写真を見て。

華美 あの写真に写っている本物の人たちと会って話しをしたのよ。

香織 工藤由貴先輩、松本百花先輩、中沢薫先輩……。

智恵 島崎節子先輩……。（壁に貼ってある写真を丁寧に見ている）あれ！

香織 島崎先輩はどこ？

華美 これじゃない。ここに写っている。……このメガネ、間違いない……

香織 そうそう、先輩って早口で……「確かに」っていうのが口癖だった。

智恵 あと、演劇のことを沢山教えてくれたし、何より私たちのことを信じてくれたよね。

華美 20年前の演劇部……。

香織 34名の部員。

智恵 充実した基礎練習。実力を発揮する数々の舞台。

香織 伝統のある、誇り高き演劇部よ。その灯火を、消しちゃいけないのよ私たちは。

智恵 どんなことがあっても、守り抜かなければならない。

華美 また、あのドアの向こうに行けるかな？ 島崎先輩に会えるかな？

3人は、ドアを見る。

智恵 もう、私たちの呪文は通じなかったわ。

華美 ……奇跡は、また起こるかな？

香織 だめよ！ 頼っちゃいけない。今まで多くの先輩たちが守り抜いてくださったのよ。私たち自身の力で守り抜き、後輩に引き継ぐの。

華美 そうだよね。そうしなければいけない。

智恵 私たち3人で、この危機を乗り切るのよ。

3人は気持ちを新たに決意し合う。

華美 私たち、どれくらい行ってたんだろう。

智恵 うん、すごく長く感じた。

香織 でも、まだ部活の時間が終わってないわ。

突然部屋のドアをノックする音。

節子 入るわよ。

智恵 節子先生だ。

演劇部顧問の北原節子が入ってくる。

節子 2人とも何処へ行ってたの……さっきも来たんだけどいないから、校内放送かけたのよ。

3人 すいませんでした。

節子 （奥にいる華美を見つけて） あら、華美さんもいるじゃない。

華美　居ます。さっきは行かなくてすいませんでした。
節子　うーん？　華美さんちょっと変わった？
華美　いいえ、そんなことは……。
節子　……確かに、そうね……。

「確かに」の言葉に３人反応する。

節子　どうしたの？
３人　何でもありません。
節子　まあいいわ。それで……
香織　ずっーと、ここにはいたんですけど……。
節子　ええっ。私が来たときはいなかったわ。
香織　……その時は、トイレ……トイレに行ってたんです。
　そうよねみんな！
節子　３人とも？
智恵　そうなんです。ツレション……なーんて……。
華美　トイレ……落ち着くんです。
節子　ええっ。「確かに」仲がいいことは分かるけど、トイレまで……まぁいいわ。会えたんだから。

「確かに」に３人、反応する。

智恵　「確かに」……？

３人、顔を見合わせる。

香織　で……ご用は何でしょう。
節子　そうそう、「冬大会の申し込み書」が来てるの、どうする？
３人　勿論、出場します。
節子　ええっ。さっきまでの様子とは違うわね。なんか、ハリキッチャッテ。３人しかいないのに。
香織　大丈夫です。新入部員を必ず獲得します。
智恵　私たち、自信があるんです。
華美　揺るぎない演劇論が……。
香織　演劇は厳しいものです。自分を鍛え自分の身体で表現するんです。
智恵　舞台に立つ心得として「観客」「相手役」「自分」への３つの神経。
華美　仲間との信頼関係……。
節子　「確かに」そうね。じゃ、次は脚本ね。

節子の「確かに」という言葉に３人は反応する。

香織　脚本はもう考えています。
智恵　考えています。
華美　これしか有りません。
節子　何だか頼もしいね。今までの、しょげた３人じゃ無いわね。
香織　私たち……変わったんです。
智恵　……超、変わったんです。
華美　「さなぎ」が「蝶」に……変わったんです。

節子　何、それ……。
香織　単なる親父ギャグです。
節子　ええ……智恵さん、そんな性格だった……。
智恵　はい！
節子　ま、いいわ。……で、脚本は。
香織　脚本のタイトルは、「死神の微笑み」です。
智恵　死神と少女の心温まる物語、「死神の微笑み」です。
華美　これしか有りません。
節子　「死神の微笑み」……。聞いたことがあるような……。
香織　節子先生。結婚する前の苗字は「島崎」ではありませんか？

3人は期待して節子の返事を待つ。

節子　(何かを察して)……。私の旧姓は……。
3人　先生の旧姓は？
節子　(もったいぶって)……「綾小路《あやのこうじ》」よ。
3人　「アヤノコウジ」？
香織　節子先生!!　本当なんですか？
節子　(3人の真剣な姿に)……。
香織　先生！
智恵　私たち真剣なんです。
華美　本当に「綾小路」なんですか？
節子　(3人に圧倒されて)……う・そ・よ。嘘。
3人　先生!!
節子　ごめん、ごめん。3人の顔があまりにも真剣なんで、ついからかいたくなってしまって……。確かに、あなたたちの言うとおり島崎よ。でも、よく分かったわね。
智恵　あの写真に節子先生写ってますよね。
節子　えっ?!
華美　節子先生、演劇部だったんですよね。この学校の。
智恵　私たちの先輩だったんですよね。
香織　教えてください。節子先生。
節子　……どうして分かったの。
香織　私たち節子先生に会ったんです。
節子　どういうこと？
智恵　私たちにも、よく分からないんですけど。
節子　あなたたち、どこかで寝てたんじゃない。夢を見てたんでしょ。
華美　……ハイ、夢を見ていました。
智恵　メガネをかけた節子先生の夢を。
節子　メガネをかけた私？
3人　はい。
節子　不思議なことをいうのね……。

演劇部の部室のドアがノックされる。

香織　誰だろう？
節子　さっきの子たちかな……。
智恵　きっと入部希望者よ！

喜ぶ、香織・智恵・華美。

華美　はーい。ちょっと待てください！。
香織　沢山だといいですね。演劇部は、生まれ変わるんです。
節子　……そうね。

部室の入り口が騒がしくなり、智恵と華美が対応している。

智恵　ええっ。５人も……みんな入部希望なの。
華美　……一文字クイズのポスター見たの……。
香織　５人も……！　節子先生。「死神の微笑み」の脚本をお願いします。

部室の入口で、入部希望者に対応する３人。ストップモーションとなり、全体の照明が消え、節子にサスライトがあたる。

節子　「死神の微笑み」……昔、書いた脚本。あの子たち、どうして……？……あっ！　あの時の……。

節子のサスライトが消え、ドアの奥くから光が漏れる。音楽の高まりとともに、緞帳が降り始める。

――幕――

夢へ、もう一段

大瀧楓

登場人物

大橋小太郎
夢
斎藤すみれ
斎藤しおり
高畑夏希
秋元雄太
水守奏汰
高橋未来
学校の教員
小太郎の母
夢の母親
夢の父親
夢の幼少期
男A
男B
小太郎の同級生たち
黒子たち

第一幕
第一場・子ども部屋

7人分の布団が広がっている子ども部屋。また、舞台奥に上手袖から下手袖まで続く大きな階段がある。

パトカーの音。ある冬の真夜中。未来と夢、袖から登場。未来、夢を1番端の布団へ案内し、はける。夢、布団へ入る。

朝。アラームの音。未来が上手から起こしに来る。

未来 ちょっと皆！　起きて、遅刻するよ！

子どもたち、あくびをしながら起きる。

しおり ええ……もう朝なの？
未来 そうだよ、さあほら早く、起きて！
雄太 さみい～。
夏希 出たくなあい。
奏汰 凍死する～。
未来 もぅ……いいから！

未来、夢以外の中学生組から布団を奪う。

夏希・雄太・奏汰・しおり あああ～……！

未来 あ～じゃない！
しおり ごめんって。ねーお姉ちゃん、電気つけてえ。
すみれ 仕方ないなあ。

すみれ、電気をつける。

雄太 うわ眩しっ。
すみれ これで目、覚めたんだからいいでしょ。んじゃ、朝ごはん食べに行こー。
小太郎 はいはい。

夢と先生以外、はけようとする。

未来 あ、待って！
皆 ？
未来 今日は、皆の新しい仲間が入ってきたから紹介しなきゃいけないの！

皆、振り返る。

すみれ・しおり え？
小太郎 うわ！
雄太 全然気づかなかった。
夏希 同じく。
未来 ったく、寝ぼけすぎだよ。ほら皆、自己紹介して。
雄太 はいっはーい、俺は秋元雄太！　14歳。よろしくな。

夏希　私は高畑夏希、不本意だけどこいつと同じクラス。うるさいけど、仲良くしてやってね。
雄太　っはあ？　うるさいのはお前だろ！
夏希　っは、どの口が言うのよ！
奏汰　ったく、うるさいなあ。あ、僕は水守奏汰。よろしく。
しおり　もう、奏汰も止めてよね。ちょっと、うるさいんですけどお２人さん！……私は斎藤しおり。よろしくね。私含めてこの４人は全員中２だよ。んで、こっちがお姉ちゃんの……。
すみれ　あ、私？……私は斎藤すみれ。高１です。にぎやかで楽しいところだから、きっとすぐに馴染めると思うよ！　よろしくね。
小太郎　俺は大橋小太郎。趣味で漫画描いてんだ。高３、なんか困ったことがあれば言えよ？　助けになれると思うぜ。な、未来。
しおり　未来は自己紹介しないの？
未来　え、もうしたけど……まあ、いっか。えー、コホン！私は、ここの施設長を務めてる高橋未来です！　皆からは未来って呼ばれてます。気軽に接してね。じゃあ最後に。
夢　……中１。

しばらくの間。

夢以外　え？？
未来　え……っと、一応名前も……。
夢　必要あります？

効果音「グサッ」

未来　グフッ！

未来、矢印が刺さったように倒れる。

夢以外　未来〜っ!!
夢　別に名前なんて……どうでもいいから。
夢以外　……。

未来、急いで起き上がる。

未来　って、こんなことしてる場合じゃないの！　早く支度して！

子どもたち、急いではける。夢、その場に立ち尽くす。

未来　あ、まだ手続きに時間がかかるから、すぐには学校に行かなくても大丈夫だよ。
夢　そうですか。
未来　皆で朝ごはん食べるから、ついておいで。
夢　はい。

２人、はける。

夕方。夢以外の中学生組、部屋の真ん中に集まる。

雄太　なあ、やっぱアイツ変だって。

奏汰　そうそう、なんか無愛想？

夏希　まあ色々事情があるんでしょ。ここってそういうとこじゃん。

しおり　でも、見た限りうちの学校の子ではないし、関わりずらくない？

夏希　まず名前が分からないってのがねえ。

すみれと小太郎、出てくる。

小太郎　たでーまー。

すみれ　ただいまー。

しおり　あ、2人ともおかえり。早いね。

小太郎　今日はバイト休み～。

すみれ　……あれ、なんか皆浮かない顔してる？　どうかしたの？

夏希　さすがすみ姉。今ね、今日入ってきたあの子、これからどう関わればいいのかなって話してたんだ。

奏汰　無愛想だし。

雄太　言葉に棘があるし。

しおり　名前だって分からないし。

小太郎　あー分かるわあ。

すみれ　んー、そうだなあ……やっぱ最初は、呼び名だけでも決めた方がいいんじゃない？

夏希　でも、嫌がらないかな？

しおり　不安だよね。

未来と夢、出てくる。

未来　一通りの部屋紹介は終わりだよ。何か分からないことはある？

夢　いえ、特には。

未来　そう？　しばらくは慣れないかもしれないけど……って皆集まって何してるの？

小太郎　あ、未来……実はさ。

時間経過。

夢　勝手にすれば。

未来　なるほどね。ねえ、どう？（夢に聞く）

効果音「グサッ」

夢以外　グフォ！

夢以外、矢印が刺さったように倒れる。

小太郎　（起き上がって）まあ、でもそう返すってことは、名前決めてもいいってことだよな？

夢　別に。

すみれ　本当？　よかった。
しおり　じゃあ早速決めようよ！
奏汰　何がいいかなあ……。

しばらくの間。木魚の音と「チーン」という音。

雄太　全っ然思いつかねえ。
夢と雄太以外　同じく。
夢　……何なの。
未来　あっ！　はーいはいはいはい！
しおり　はい、未来。
未来　「夢」はどう？
夢　……夢。
夢と先生以外　……夢？
未来　ありゃ、あんまし良くない？
すみれ　むしろ。
小太郎　いや。
しおり　いいんだけど。
雄太　イメージに。
夏希　あって。
奏汰　ない。

効果音「ガーン」

未来　そ、そっかあ。
すみれ　うん。でも……すごくいい名前だと思う！
小太郎　俺もそう思うぜ、なんかいいなあ、「夢」って。

子どもたち、口々に「私もそう思う」「俺も」という。

しおり　じゃあ、今日からこの子の呼び名は「夢」、それでいい？
夢以外　うん！
夢　……勝手にして。
夢以外　あはは……。（苦笑）
夏希　それにしても「夢」かあ……ねえ、皆の将来の夢って何？
夢以外　夢？
未来　先生は……できれば彼氏が欲し（い）。
雄太　俺はもちろんプロの野球選手！　いつかホームランを打ってやんだ、カッキーン！ってな！
小太郎　いいぞ雄太！
夢以外の女子　ナイッスボールー！☆
未来　って、私の話は!?
雄太　はえ？？
未来　もーいいよっ。
しおり　私の将来の夢は、平成ジャンプのの山田涼介サマと結婚すること♡
奏汰　僕は、科学者とかカッコいいな、って思うよ。
すみれ　私は素敵な主婦♪憧れちゃう。
夏希　すみ姉、それわかるー！
小太郎　俺は！

夢と小太郎以外　漫画家！
小太郎　あれ、何で知ってんだ？
雄太　だって、小太郎しょっちゅう言ってんじゃん！
奏汰　それで覚えてないって凄い。
すみれ　それだけ思いが強いってことだね。
小太郎　ひひ……。（笑）
未来　小太郎の漫画面白いよね！
しおり　わかる！　ねえ小太郎、また漫画見せてよ！
小太郎　え〜？（照）まあいいぜ？
雄太　よっしゃあ！

舞台にいる皆、ストップモーション。両袖から、未来と子どもたちをイラスト化した（マンガっぽく）絵が描かれているパネルを持った黒子たちが出てきて、パネルたちがリレーのように階段を駆けあがっていく姿を観客に見せる。声は本人たちの声で当てる。トランペット吹きの休日が流れる。

ナレーター（小太郎）　さあ始まりました、漫画「階段上に生きる」第６２５話、今回も数多くの選手が夢に向かって階段を上っていきます。さあ頑張ってください！
ミライ　ああどうしよう遅刻遅刻ーー！　このままじゃ大事な会議に遅れちゃう！
ナレーター（小太郎）　さて走ってきたのは朝から遅刻をしてしまったミライ選手！　今年で28歳だというのにまさかの食パンを咥えて全速力出勤！　どのような出会いを夢見ているのか我々には想像もつきませんが、ファイトです！
ユウタ　行くぜ行くぜホームランー！　カッキーーン☆

ユウタ、思いっきりバットを振る。下手端から上手端までボールが飛び、歓声が上がる。

ナレーター（小太郎）　なんてことだまさかのホームラン！　流石は我らのユウタ選手！　アツいアツすぎる！　世界の太陽ーッ！
スミレ　アツいとい・え・ば♡
ナツキ　私たちの愛妻弁当だって負けてないわ！
スミレ　ずっと応援してるよ♡健やかバランス弁当！
ナツキ　これでパワー全回復☆ガッツリスタミナ丼！

ハートを射抜く音。

ナレーター（小太郎）　キューーーーーン‼　弁当の８割が炭に見えるのは気のせいであろう！　毎日のお弁当に深い愛情を感じられるすばらしさ！　もはや芸術の域！　もはや食べるのを躊躇してしまうーーッ！

音楽のペースやパネルたちの動きが素早くなる。

ナレーター（小太郎）　っとここで皆さんのペースが早くなってきたぞ⁉　頑張れ頑張れ皆！　頑張れ頑張れ私！

ミライ　遅刻遅刻ー！
ユウタ　カッキーン！
カナタ　ミドリムシの可能性は無限大だァ！
スミレ　私からの愛、受け取って♡
コタロウ　インスピレーションを恵んでくれえ！
ナツキ　ダーリン♡もっとお料理練習するね！
シオリ　涼介きゅうううううん！♡
ナレーター（小太郎）　これからの展開が気になるところですが、今週はこれで終わり！　いつか夢に手が届く日を夢見て！では、また来週～！

黒子、ササっと両袖にはける。音楽フェードアウト。

雄太　あー面白かった、（笑）早く続き見てぇ！

小太郎と夢以外、共感する。

小太郎　また来週な。
雄太　いつになったら最終話になるのかってくらい続いてるよな、ほんとすげえよ。
しおり　早くみんなの夢が叶ったハッピーエンド、見たいなあ。
夏希　あ、ねえ。
夢以外　ん？
夏希　次はさ、夢も入れたら？
夢以外　おお！
小太郎　いいなそれ！
夏希　でしょ？　ねえ夢、小太郎の漫画面白くない？
夢　つまらない。

皆、気まずい空気。

すみれ　ま、まあ人によって感じ方はそれぞれ（だし……）。
夢　漫画家になってご飯が食べれる生活ができる人なんて、一握りなんだからやめたら？　周りの人が褒めてくれても、皆が皆面白いって感じるとは限らないし。
未来　夢ちゃん？
雄太　少し言いすぎじゃねえか？
しおり　そうだよ。
夢　事実じゃない。何が間違っているの？　それに、私たちは親から見放された身なのよ？　大人が求めない限り1人で生きていかないといけないのに、よく夢なんて見れるわね。
未来　夢ちゃん！
夏希　なんで、そんな……。
すみれ　……。
小太郎　ふざけんなよ。
すみれ　……小太郎。

小太郎、夢のもとへ踏み寄り、胸ぐらをつかむ。

小太郎　ふざけんなよ!!
未来　ちょっと小太郎!!!

小太郎と夢以外の皆、小太郎を夢から離す。

すみれ　小太郎！
小太郎　うるせえ！　おいお前！　お前に何がわかるんだよ！　何を知ってんだよ！
未来　小太郎！　落ち着いて！

小太郎、皆を振り払い、夢のもとへ再び歩み寄る。

雄太　こ、小太郎？
小太郎　おい、なんか言えよ。
夢　……。
小太郎　おい！
夢　……。
小太郎　……チッ、もういい。

小太郎、はける。

第二幕
第二場・公園の階段（舞台上の階段）、学校、小太郎の心

学校。三者面談の日。小太郎、出てくる。

小太郎　未来、呼び出して何の用？
未来　ああ、うん。この後の三者面談のことで話そうと思って。
小太郎　……ふーん。
未来　それで、改めて聞きたいんだけどさ……小太郎、イラストの専門学校に進学の方針でいいんだよね、就職とか考えてたりする？
小太郎　いや、進学でいい。
未来　わかった。

小太郎、足早にはける。三者面談。教員、小太郎、未来が座っている。

教員　じゃあ聞くけど、大橋さん。今の気持ちは進学に近いのよね。
小太郎　はい……将来は漫画家を目指しているので、施設を出た後は今までバイトで貯めたお金で生活をしながら、奨学金を借りて専門学校に行く予定です。
教員　なるほど。今まで計画的に夢に向かう努力をしてきたんだね。
小太郎　ありがとう、ございます。
教員　大橋さんは美術や国語の成績も良いですし、私も、将来彼にはそういうお仕事が向いていると思います。
未来　本当ですか？　それは良かったです。

教員　ええもちろん……ですが。
未来　……。

未来、顔をしかめる。

小太郎　……未来？
教員　大橋さんは専門学校への進学希望ということですので、実親の承諾が必要となります。それに、奨学金を借り、大学を卒業したとしても、漫画家というのは収入が安定しない職業でもあります……高校を卒業したら施設を出なくてはいけないのもありますので、その……少々難しいことがあるかも（しれません）。
小太郎　でも！　でも俺！
未来　小太郎……。
小太郎　今まで、頑張ってきたのに……実親の許可？　そんなの知ったことか！　アイツから捨てたんじゃないか！　お金だって、進学してから死ぬほどバイトすれば！
未来　小太郎、座って。
小太郎　……。
教員　とりあえず、1度お母様のほうと相談してみてください。ですが、大橋さんの将来は大橋さんが決めることです。まだ時間はありますので、就職か進学か、ゆっくりと考えてくださいね。
未来　……ええ、そうします。

舞台転換。小太郎の心。小太郎の同級生たちが階段を登っていく。小太郎も階段を登ろうとするが、そこに学校の教員、舞台に出てくる。

教員　大橋さん、あなたが夢を見るなんて無理なの。潔く諦めて、就職なさい。あなたは施設を出たら頼れる人もいないいんだから、社会のお荷物にだけはならないようにね。
小太郎　……え。

小太郎、立ち止まってしまう。夢以外の子どもたちと未来、それぞれのパネルを持って舞台に出てくる。

雄太　俺がプロなんて、どうせ無理だ。無理に決まってる。
夏希　所詮、理想で終わるのが私たちだよ。
奏汰　お金も、親も、何もない。
しおり　叶うはずないじゃない。
すみれ　理想描くだけ、虚しくなるだけだよ。もうやめてよ。
未来　自分が苦しいだけよ。
小太郎　……そんな。

6人、パネルをその場に捨てる。夢が舞台に出てくる。

夢　漫画家になってご飯が食べれる生活ができる人なんて、一握りなんだからやめたら？　周りの人が褒めてくれても、皆が皆面白いって感じるとは限らないし。私たちは親から見放された身なのよ？　大人が求めない限り1人で生きていかないといけないのに、よく夢なんて見れるわね。

小太郎　そんなの……やだ、やめてくれ。

小太郎、耳をふさぐ。同級生たちは階段を上り続ける。小太郎も慌てて上ろうとするが、それ以外の人々に「諦めなよ」などと言われながら階段をふさがれる。小太郎、人々を押しながら階段を進もうとするが、押し戻される。やけくそになりながらセリフを叫ぶ。

小太郎　クソ！……ずるい、ずるいずるい!!　なんでだよ、なんであいつらだけ！　俺が漫画家を目指すのは、ここにいる皆が夢を持つのは、幸せになろうとするのは！　そんなにおかしいのかよ!!　捨てられたヤツには、いらなくなったヤツには、そんな権利すらねえのか!!　俺の人生は俺のモンなんだろ!?　ならそれなりに好きに生きさせてくれよお!!!

舞台転換。公園の階段。三者面談の日の夜。小太郎、階段の上手端で寝込んでいる。夢と未来、階段下手端に座っている。

未来　だから、夢ちゃんも慣れてなくて色々大変だと思うけど、小太郎にはあんまり言わないであげて。

夢　わかりました。気をつけます。……あの。

未来　ん？

夢　なぜ私をここに？　施設でもよかったと思うのですが。

未来　……この公園の階段はね、小太郎にとって大事な場所だから。小太郎が、漫画家を志すきっかけになった場所。この間の漫画の舞台だってここなのよ。……どうかした？

夢　いえ……なぜ彼が、漫画家を目指すのかわからなくて。

未来　……。

夢　漫画家で成功する人なんて普通の人でも稀な存在なのに、頼れる人もいない私たちみたいな立場で夢を目指すなんて、考えられない。

未来　……そうかもね。

夢　なんで止めないんですか、彼のこと。このような施設にはそういう子どもが何人もいたはずです。その子たちの苦労を知っているんでしょう？

未来　よくわかってるんだね。夢ちゃんの言ってることは正しい。でも、小太郎の思いを考えたことはある？

夢　思い？

未来　そう。現実的な考えも大事。でも、小太郎にはそれすら無視するほど漫画に対する強い思いがあるんだよ。

夢　どういうこと、ですか。

未来　ちょっと昔の話をするけど、小太郎がこの施設に来たのは……確かまだ6歳のとき。

夢　6歳？

未来　そう。小太郎にもお母さんがいたんだけどね。今日みたいな寒い真冬の日、小太郎は1人この家の玄関に座ってて、「お母さんが、ここで待ってててって言ったまま戻ってこない。」て言ったの。それが出会いだった。それから一緒に過ごして、楽しいこともいっぱいあったけど、何年経っても、小太郎は心の底から笑わなくて。多分、お母さんのことが気がかりだったんじゃないかな。でも、ある日小太郎は笑った。

夢 ……なぜですか。

未来 試しにマンガを渡してみた。ここでね。

夢 ……単純。

未来 あはは、そうだね……でも、嬉しかったなあ。

夢 嬉しい？ 思い出よりも漫画のほうが笑ったのに。

未来 うん。だって、そこから小太郎は私たちとの思い出を漫画に残していくようになったり、今では皆の夢が叶うよう、描いて描いて描いて、ただひたすらに描き続けて、漫画家って言う夢を持てたはずだから。多分小太郎は、少しでも自分と同じような境遇の人たちを応援したり、救いたいんだと思う。笑えるように。

夢 ……。

未来 無計画に、中地半端な覚悟でやってきたわけじゃないんだよ。小太郎だって、自分の立場を誰よりも分かってる。

夢 ……。

未来 あの日、小太郎はここで漫画と出会ってすべてが変わった。「もし人生が階段で、てっぺんに自分の目指すものがあるなら、石にかじりついてでも上り続けたい。」って言ってたのをよく覚えてる。私は、そんな小太郎が大好きなんだ。……あっ、もう夜ご飯の買い出し行かなきゃ。じゃあ夢ちゃん、私このままスーパー行くから先戻ってて。

夢 ……はい。

未来、下手袖にはける。

夢 ……起きてる。

小太郎 ……バレたか。

夢 聞いてたの。

小太郎 まあな。

しばらくの間。

夢 ……この間は、ごめんなさい。

小太郎 ……別にいい。正論だったし。

夢 ……そう。

しばらくの間。すみれがやってくる。

すみれ やっーと見つけたよ、小太郎。

小太郎 あ、すみれ。

すみれ あ、夢ちゃん……ごめん、ちょっと小太郎とお話するから、先に戻っててもらっていい？

夢 ……はい。

夢、上手袖へはける。

すみれ　三者面談、どうだった？
小太郎　……察しろよ。
すみれ　……ごめん。
小太郎　すみれ。俺これから、どうなるんだ。もう18だし、ここ出なきゃいけないんだろ。あーあ、大人になりたくねーよ。ずっとここがいい……やっぱ、周りの人たちが言うように就職したほうが、いいのか？　なんて。
すみれ　それは！　それは、違うと……ってかそんなの嫌だ、って、私は思うよ。
小太郎　……なんで。
すみれ　今まで頑張ってきたじゃん。どんなに周りから小言言われても、皆を笑わせるために、ずっとずうっと。
小太郎　そっか、そう、だよな。
すみれ　夢ちゃんのこと、気にしてるの。
小太郎　……。
すみれ　小太郎は今の時期だから、焦ってるだけだよ。気にしなきゃいいんだよ。
小太郎　そんな簡単に言うな！
すみれ　あ、ご……めん。
小太郎　いや、こっちこそ……実はさっき、謝りに来たんだ、あいつ。それでちょっと、思い出して。
すみれ　そうなの？
小太郎　まあ、うん……って、なにニヤついてんだよ。
すみれ　いや、夢ちゃんも、案外優しいんだなあって。
小太郎　……あっそ。

第三幕
第三場・子ども部屋

数日後。小太郎以外の子どもたち、集まっている。

未来　ってわけ。
夏希　そっかあ。とうとう小太郎が卒業かー。
未来　うんうん。んで、さっきの続きなんだけど、夢は初めてだと思うから説明するね。ここでは毎年、18歳になって、ここの家を出ることになった卒業生を見送る皆には、その子たちに向けて応援の意味を込めたメッセージカードを書いてもらうの。
雄太　懐かしいなあ、でももういなくなっちまうんだよな……。
奏汰　寂しいね。
しおり　今までずっと一緒だったから。
すみれ　うん。でも、だからこそいいメッセージカードを書かないと！
夏希　そうだね！　んーなんて書こう……。
奏汰　僕も迷うなあ。
雄太　俺もー。
未来　まあ、まだ先のことだから、今は深く考えなくていいよ。とりあえず紙だけ配っておくね。

未来、紙を配る。夢以外、「何書く？」などと話す。

夢　……。
夏希　あ、あのさ！……夢はどんなこと書くの？
夢以外　……。
夢　……。
夏希　えっと……あ、ああっ！　夢も何も思いつかない感じ……？　う、うんわかるよ！　パッと出てこないよね～！
夢　……高橋先生。
夏希　えっ。
未来　な、なに？　どうしたの……？
夢　これ……書かなきゃダメなんですか？
未来　どういうこと？
夢　私、書く必要ないと思うんですけど。
未来　え……な、なんで？
夏希　……。
夢　そんなの、私が最初からここの人たちと関わろうと思ってなかったからです。だから当然手紙を書く義理なんてありません。これからいなくなる人へならなおさら。これから接点を持とうにも持てない人に書く必要なんてないでしょ……。
奏汰　……。
夏希　ちょっと！
夢　何？　悪いの？
雄太　悪いってわけじゃねえけどよ。
夢　ならいいじゃない。

夢、はける。

すみれ　あ、行っちゃった……。
雄太　なんなんだよ、アイツ。
夏希　もういいでしょ、私たちで書こうよ！
すみれ　だけど……。
雄太　とにかく！　メッセージカードは絶対に作ろうぜ、俺らだけでもさ。
すみれ　……う、うん……そうだ、ね。
しおり　お姉ちゃん？
夏希　よし、じゃあやろう！
未来　……わかった。頑張ってね。

夜。夢、勉強をしている。

夢　……。

しばらくすると、小太郎、袖から出てくる。

小太郎　……あーつっかれた。店長うぜー。
夢　……。

小太郎、勉強の準備をする。ワークを開いて勉強をするが、ペンは進まない。

小太郎　……チッ、あれだけこんだけやってんのに……えっと、ここは確か……はあ？　わかんねえっての！　あーもうイライラしてきた！　卒業テスト対策なんてやってる暇ねえよ！

小太郎、ワークを投げ出す。それが夢の方向に飛んでいく。

夢　ちょっと。
小太郎　あ、ご、ごめん。

小太郎、ワークを拾う。しばらくの間。

夢　……もう漫画は描かないの？
小太郎　え。
夢　……。
小太郎　……別に諦めたわけじゃない。でも、進学する以前に卒業テストがあるから。
夢　そう。
小太郎　あ、あのさ……お前こそ、いいのか？
夢　なにが？
小太郎　アイツらと喧嘩したんだろ？
夢　……喧嘩ってわけじゃない。誘いを断っただけ。
小太郎　誘い？　なんの？
夢　……。
小太郎　……まあ、仲良くやれよ？　いい奴らだからさ。

舞台転換。リビング（子ども部屋とは違う場所のほうがよい）。数日後。夢以外、カードを作っている。

夏希　ねえ、こんなのどう？
しおり　すごい！
奏汰　いいんじゃない。
雄太　おおいいな！　すげえや。
すみれ　……。
夏希　でしょ！　え、すみ姉のカードすっご！

少しの間。

夏希　すみ姉？
すみれ　……。
夏希　すみ姉！
すみれ　わっ！　ご、ごめん、考え事してた。
雄太　どうしたんだよ、今日なんか変だぞ。
すみれ　ああ……ごめん。
しおり　なにかあったの？
すみれ　……いや。その、さ。
すみれ以外　うん。
すみれ　やっぱメッセージカード、5人分だけじゃ足りないかなあって。
夏希　足りない？
奏汰　足りないって？
すみれ以外　え。
すみれ　夢ちゃんの分は？
夏希　何言ってんのすみ姉！　夢も一緒がいいって言いたいわけ？
すみれ　うん……。
しおり　お姉ちゃん……。
奏汰　いいじゃんそんなの、夢が書きたくないって言ってるんだよ？
すみれ　でも！　それでも私は、全員で書きたい。今は小太郎、結構大変な時期だけどさ。最後の最後で夢を仲間はずれにしてお別れなんて、小太郎も望んでないよ。
雄太　すみ姉、悪いけど俺はそれに反対だぜ。
夏希　私も。
しおり　ちょ、ちょっと、落ち着きなよ。
すみれ　え。
雄太　ちょっと言葉厳しくなるけどよ。俺は夢に強制してまで書かせなくていいと思うぞ。
すみれ　……なんで？
雄太　まず小太郎があああなった原因は、夢にひでーこと言われたからじゃねえのかよ。そんな奴に書かれても、俺だったら嬉しくねえ。
すみれ　で、でも！　夢ちゃん実は、あのあと小太郎に謝ったんだよ！　きっと根は優しい子だよ！
奏汰　どうせ未来に「謝れ」って言われたんだよ。
夏希　あの子ずる賢そうだしね。
すみれ　そんな……。
しおり　ちょっと皆、お姉ちゃんにそんな言わないでよ。
夏希　何？　しおりまで夢の擁護するの？
しおり　そういうわけじゃ、ないけど……私は、お姉ちゃん1人に向かって、皆でそんなこと言わないでほしいだけだよ！
雄太　出たよシスコン……。
しおり　はあ!?　なんなのそれ、自分が不都合になった瞬間にそうやって言うの、良くないんじゃない。
雄太　そーだね。そんなに嫌なら、2人で勝手にすれば。
しおり　アンタたちに言われなくてもそうするし。行こ、お姉ちゃん！
すみれ　え、ちょしおり！

しおり、すみれを連れてはける。

第四幕
第四場・公園の階段、夢の心

舞台転換。公園の階段。小太郎と夢がいる。すみれとしおり、階段に上ろうとするが袖で止まる。

すみれ　しおり、なんであんな……。

しおり　……ごめん、でも許せなくて……ん？
すみれ　あ、あの2人！

すみれとしおり、2人を客席からぎりぎり見えるぐらいまでの位置で覗く。

夢　見事な絵ね。
小太郎　そうかな。
夢　……ねえ、なんでこんな絵を描けるのに、あんな漫画を描くの？
小太郎　漫画？　ああ、あれか。それは未来から聞いたろ？　俺、好きなんだ、漫画。
夢　笑える？
小太郎　おう、だから俺も、たくさんの人を笑わせられる漫画家になる。絶対なってやる、絶対。
夢　……そう。
小太郎　……ありがとな。
夢　何が。
小太郎　なんだかんだ言ってさ。この間からずっと俺の話に付き合ってくれんじゃん。
夢　……。
小太郎　話戻すけどさ。俺、漫画家になるために専門学校行きてえんだ。でも、今まで少しも愛さずに、大切にもせずに俺のこと捨てた親の許可が必要なんだって。ひでえ話だろ？
夢　……そうね、そう。
小太郎　うん……。

しばらくの沈黙。

夢　……その人の顔は覚えているの？
小太郎　え、顔？　うん、まあ6歳の時が最後だったから、鮮明じゃねえけどな。
夢　そう……ねえ、その人、怖かった？
小太郎　おう、超怖いぜ。殴るし蹴るし、毎日毎日暴言の嵐。
夢　なんでそんな気軽に喋れるの？
小太郎　……んー、今が幸せだからかな。皆大切な家族だし。でもまあ、ここに来たばっかの頃はそう思えなかったけど。
夢　なんで？
小太郎　殴られても蹴られても、暴言を吐かれても、俺の母さんは母さんだったから。今考えたら最低な奴だったけど、その時はこの世に1人だけの母さんが大好きで、捨てられたことを自覚したくなかった。
夢　……ねえ。
小太郎　ん？
夢　私……幸せって、わからないかも。
小太郎　……わからない？
夢　笑い合うって、楽しいって、なんなの。ここにいる皆、つらい思いをしてきてるのに、それは消せないのに、笑えるの？？
小太郎　あぁ……俺バカだから、そういうの……いい感じの答えとか出せないけど……自分は不幸せだって感じてたら、つらいだろ、毎日。それに、過去は過去だ。どうにもなんないことをそんな気にしてるより、楽しい思い出作ったほうがいい。

夢　それは！　つらいことを、楽しいことで上塗りして、自分は幸せだってごまかしてるだけじゃ……。

小太郎　そんなこと……ない。

しばらくの間。

小太郎　なんで……そんなこと考えるんだ。

夢　……ごめんなさい。

小太郎　……なあ、これは話したくなかったらいいんだけど……夢の母親って、どんな人なんだ？

夢　え……。

小太郎　ああ、話しずらかったら全然いいんだ！

夢　……どんな、人だった……。

小太郎　あーご、ごめんやっぱいいわっ！　あっそうだ！　別の話し（よーぜ）。

夢　……最後まで、可哀想な人だった……。

小太郎　……可哀想？

夢　……1人で死んでしまったから。

袖にいる2人、驚いて目を合わせる。

小太郎　あっ⁉……ごめん、マジごめんっ……。

夢　そんなに謝らないで。

小太郎　あ、ああ、ごめ……わかった。

静まり返る。

小太郎　……そろそろ勉強に戻るわ。

夢　そう。

舞台転換。夢の心。皆ストップモーション。夢（幼少期）、舞台真ん中に立つ。夢、立ち上がり夢（幼少期）の後ろに立つ。ここでセリフがない役者全員、シューベルト作曲の「子守唄」を歌う。

夢（幼）　ママ。

夢の母、袖から声のみ。

夢の母　愛しているわ。

夢（幼）　ママ。

夢の母　なあに？

夢（幼）　ママ。

夢の母　大丈夫よ。

夢（幼）　ママ。

夢の母　あんな人になっちゃだめよ。

夢（幼）　ママ。

夢の母　あの人はあたしを裏切ったの。大嫌い。

夢（幼） ママ。
夢の母 なんでアイツに似ているの。
夢（幼） ママ。
夢の母 話しかけないで。貴女も私を裏切るんだわ。
夢（幼） ママ。
夢の母 邪魔なのよ、消えて頂戴。
夢（幼） ママ。
夢の母 貴女なんて産まなきゃよかった。
夢（幼） ママ。
夢の母 ねえ。
夢（幼） ママ。
夢の母 一緒に死にましょう？
夢（幼） ママ。

返事はない。「子守唄」が虚しく響くが、消えていく。

夢（幼） ママ。ママ。ママ。1人でどこへ行ったの、ママ。私も連れて行って？　一緒に行くわ。私ならママを救えるのよ、パパみたいに離れない、約束する。

返事はない。

夢（幼） ママごめんなさい、救えなくてごめんなさい。ごめんなさい。
夢 ……。

舞台転換。子ども部屋。数日後の夜。夢、画用紙とにらめっこ。そこへ、すみれとしおりがやってくる。

夢 ……。
しおり 夢。
夢 ……あなたたち、斎藤しおりと、斎藤すみれ。
しおり そう。あのね、私たち、やっぱ一緒に手紙書きたくて。
夢 ……だからそれは。
すみれ 知ってるよ！　夢ちゃん、小太郎に意地悪であんなこと言ったんじゃないって。本当に小太郎のことを思って言ったんでしょ？　皆と関わろうと思ってなかったなんて、嘘だよね。本当の夢ちゃん、もっと優しくて……。
夢 何なの。
しおり 私たち、この間見たの。小太郎と夢が話してるところ。小太郎があんなに自分のこと打ち明ける人なんて、そうそういないんだよ。私知らなかった、夢があんなに小太郎と親しくなってたこと。だから……。
夢 ……違う。
すみれ 違くないよ！
夢 違う、私、優しくなんかない。
すみれ ……お母さんのことと、関係してるの……？
夢 ……っ！　もう放っておいて‼

第五幕
第五場・子ども部屋

数日後の夕方。雄太たち、出てくる。夢、勉強している。

雄太 うううさびいいいっ……。
夏希 アンタばかあ？　１月にコート着ずに外出たら寒いに決まってんでしょ。
雄太 だって天気予報ではあったかいって言ってたぜ。なのにまさか雪が降るなんてさっ。
奏汰 平気だろ？　バカはカゼひかないって言うし？
雄太 ……へーへー。

小太郎、出てくる。

雄太 小太郎、帰ってたのか？　なあ聞いてくれよ、今日雪降ってたろ？　それで俺さー。
小太郎 ……。

小太郎、カバンを持って足早に袖へ去っていく。

雄太 小太郎？　おい小太郎ー？
夢 ……。

雄太たち、夢のことを見つめる。

夢 ……。
夏希 ……あーあ。

その日の真夜中。小太郎、夢以外の皆寝静まっている。夢、１人座っている。しばらくすると、小太郎が袖から出てくる。

夢 ……おかえりなさい。
小太郎 ……おう。

小太郎、夢を遮ろうとする。

夢 ……何があったの。
小太郎 なんでも、いいだろ。
夢 ……もし、人生が……階段なら。
小太郎 ……違う。
夢 えっ？
小太郎 皆が皆、足並みそろえて上れるわけじゃないんだったて、気づいちまったよ……不公平だよな。

小太郎、荷物を持ちはける。朝。小太郎は座り、未来は小太郎の前に立ちもめている。

未来 どこいってたの、こんな時間まで。
小太郎 ……。
未来 答えなさい。

小太郎　……。
未来　ちょっと、ずっと無視し続けるつもり？
小太郎　……。
未来　……ハア。ねえ、私がどれだけ心配したか、分かってるの？
小太郎　……知らねえよ。
未来　知らないじゃないでしょ！
小太郎　余計なお世話なんだよ！　ほっとけよ！

皆、起きる。

雄太　おいおい、朝から何の騒ぎだよ。
夢　……。
夏希　未来、怒ってるの（かな）。
未来　小太郎、あんた何もかもそうやって逃げて、何が解決するの！
小太郎　別に、逃げてるんじゃ（ねえよ）！
未来　逃げてるじゃない！　私からも、お母さんからも!!
小太郎　……別にいいだろ！　母さんだって、俺の人生どうでもいいんだよ、だから捨てたんだ！　そうだろ！

小太郎、うつむく。未来、小太郎の腕を引っ張る。

未来　ちょっと、目ぐらい合わせて話したら？

小太郎、腕を振りほどく。

未来　小太郎、最近変よ。自分のことばっかで……自分のことで頭がいっぱいなのはわかるけど、いい加減、大人になりなよ。もう子どもでいられないことくらい、小太郎が1番分かってるでしょ。
小太郎　……でも嫌なんだよ、大人になりたくねえんだよ……。
未来　それでも、自分のために向き合いなさい！　じゃなきゃ進学すらできないんだよ!?
小太郎　じゃあ別にいい、進学じゃなくていい!!　俺の人生、俺のモンなんだから自分で決めさせろよ！
未来　だからっ。

小太郎、はける。

未来　ちょっと小太郎!!

未来、小太郎を追いかける。

夏希　ねえ、どうしちゃったの小太郎……。
奏汰　家出だってさ。
雄太　マジ？　てか、今まで小太郎が家出したことあった？
夏希　ない、はず……またなんかあったんでしょ、誰か知ってる？
奏汰　知らないよ。

夏希　私も分からない。
雄太　まあそうだよな、皆寝てたし。

雄太たち、夢のほうを見つめる。

しおり　ちょっと、それやめなよ。
奏汰　でた、擁護。
しおり　あんたたち、何も知らないでずっと夢に言いがかりつけてるみたいだけど、まだ誤解って気づかないの？
夢　……。
雄太　は？　誤解？
夏希　意味不明なんだけど。
しおり　夢は、夢は意地悪したくて小太郎にあんなこと言ったんじゃない。アンタたちと違ってね。
奏汰　なにその言い方。
しおり　夢は、小太郎のことを思ったから、小太郎のこと思えたから、ああいうことを言えたんだよ。
雄太　そんなん、ただのしおりの思い込みだろ。本人の口から説明しない限りは！

雄太、夢のほうを指さす。

しおり　……夢。
夢　……どうでもいい。
すみれ　夢ちゃん!!
夢　どうでもいい!!

子どもたち、一瞬思考が止まる。

夏希　ほら、どうでもいいって。私たちのことなんか、どうでもいいって!!

夏希、夢を突き飛ばす。しおり、それを止めるため夏希を抑える。

しおり　違う！　夏希は知らないだけ！　夢が小太郎を思ってることも、夢が小太郎のことちゃんと理解しようとしてるのも!!

2人のやり取りを見たすみれ、雄太、奏汰、止めに入る。

すみれ　しおり！
雄太　夏希、手を出すのは！

しかし、2人は手を出し続ける。夢、動かない。
時間経過。雄太たちと未来、座っている。

未来　アンタたちまで……喧嘩してたって、なんでもっと早く言ってくれなかったの。
夏希　……ごめんなさい。
雄太　だって！……未来、アイツが来てから小太郎が変になったんだ。怒って当然だろ。

未来　あれは……まあ、夢ちゃんの伝え方の問題ね……んで、昨日のは何だったの。
夏希　この前、小太郎が家出して未来に凄い怒られてた時があったでしょ。
未来　うん。
夏希　それって、夢のせいなんでしょ？　小太郎、今までで1回も家出したことなかったし。
未来　……ん？
夏希　ん？　何？
未来　それは……違うと思う。私が知ってる限りは。
子どもたち　ええ!?

第六幕
第六場・小太郎の心、子ども部屋、夢の心、リビング、道

小太郎の心の中。シューベルトの子守歌（オルゴールVer）小太郎、階段を登っている。

小太郎　ハア……ハア……。

すると、階段に乗った小太郎の母が下手袖から出てきて、小太郎の道をふさぐ。

小太郎　母さん……。
小太郎の母　……。
小太郎　俺のことなんて、どうでもいいんだろ。なら、どいてくれ。
小太郎の母　……。
小太郎　……どけよっっ!!

小太郎、小太郎の母の肩を押す。小太郎の母、1度タバコを吸う。

小太郎の母　ハア……触んじゃねえよ。
小太郎　……。
小太郎の母　テメエは黙って就職してりゃあいいんだよ、あたしのATMにすぎないんだからさ。
小太郎　違う、違う！　俺は、お前のもんなんかじゃ!!
小太郎の母　あたしの物。でも愛してなんかない、邪魔なんだよ。
小太郎　邪、魔……。愛され……。
小太郎の母　愛されたい？（笑）
小太郎　……。
小太郎の母　愛されてえなら、就職してから来いよ。（笑）金稼ぐ道具として、愛してやるからさあ。
小太郎　嫌、いやだ！　なんでお前なんかにっ！

未来の声、袖から聞こえる。

未来　皆ずるい、ずるいよね。なんて自分は報われてない

んだろう。

小太郎　……え。

夢の声、反対側の袖から聞こえる。

夢　いいないいな、あいつの親は優しそうで、お金も持ってる。それに、孤独なんて知らないんだ。

小太郎　……そんなこと、思ってない。

未来　それに比べて自分はどうだ。

夢　なんで自分がこんな思いしなきゃいけないんだ。

未来　人生は階段？　でも平等じゃないだろう。

夢　皆で足並み揃えて進めればいいのに。

夢・未来　だから大人になりたくない。

小太郎　……え。

夢・未来　違うの？

未来　でももしかしたら、お母さんは受け入れてくれるかも！

夢　もし受け入れてくれたら、あいつらと平等の立場になれる。

小太郎　母、さん。

未来　お母さんだけでもいい、認めてもらいたい。

夢　もうここしか居場所はないよ。

舞台の四方八方からA４サイズの紙が飛ぶ。パネルを持った黒子４人、両袖から出てくる。

小太郎　……母さん、そう、母さんなんだっ、母さん、かあさんっ‼　俺を見てよ！　何よりも俺を見てっ！　俺の漫画を褒めて、俺の絵を見て、俺の努力のたまものなんだっ‼

しばらくの間。

小太郎の母　……なにコレ。気持ちわりい、バカみてえなゴミ。こんなのに時間を費やしてたのかよ……。(笑)

黒子たち、パネルを持って崩れる。

小太郎　あ、ああ……母さん、何で……。

小太郎の母　なあ、それよりもとっとと就職しろよな、ある程度金稼いだら、可愛がってやるって。

小太郎　あぁ……ああ……わかった、わかったよ、わかった……もう、いい。

小太郎、転がるように階段を下る。

小太郎の母　さすが、あたしの息子。

袖舞台転換。子ども部屋。

雄太　え、じゃ、じゃあ、小太郎が嫌がってたのって。

奏汰　お母さんとの、面談を？

未来　うん、専門学校への入試申請書の承諾なんだけどね。こればっかりは実親じゃなきゃいけなくて。
夏希　そういうこと……じゃあ、しおりが言ってたこと、本当かもしれない……やば……。
未来　何があったか、もうしおりからは聞いたよ。仲直りしにいくの？
夏希　……うん。しっかり話したい。
未来　私も行こうか？
雄太　いや、俺らだけで行く。
奏汰　トラブルは起こさないから。
未来　そう。

舞台転換。夢の心。夢、階段を登らず立ち尽くしている。
そこへ、雄太たちが出てくる。

夏希　あんたのせい。
夢　……。
夏希　あんたのせいで、小太郎はああなった。
雄太　お前がここに来たせいで、皆不幸になったんだ。
奏汰　しおりも、すみれも、みんなみんな。
夏希　なのにあんたは、どうでもいいんだ。

そこに、夢（幼）が出てくる。

夢（幼）　どうでもよくなんかないよ！　本当は皆救いたいよ！　でも、でも！

夢の母、出てくる。

夢の母　ママを置いて、幸せになるの？
夢　何で生きてるのか、わからない。何で生きてるのか、わからない！

舞台転換。子ども部屋。未来と雄太たち、そわそわしている。

未来　小太郎の携帯……だめだ繋がらない。
雄太　いくら探しても、外は見つからないし……。
奏汰　どこ行っちゃったわけ、夢と小太郎。
未来　これは警察に電話ね……。
雄太　え、警察？
未来　うん、そっちのほうが安心だし。探してもらうしかない。皆、私ちょっと警察署に行ってくるから、おとなしく待ってて。絶対に外には出ないこと。
奏汰　わかった……。

未来、はける。

夏希　私、もうちょっと外探してくる。
奏汰　え、ちょっと。未来に言われたばっかじゃん。
雄太　1人でか？　もう暗いし、外すげえ寒いぜ？　危ないだろ。

夏希　ダメ、まだ夢に謝ってない。それに……しおりにも、すみ姉にも。こういうの、早く解決しないと気が済まないタイプだから。
奏汰　すみ姉たちまで、何してるんだ？？
夏希　とりあえず、行ってくる！
雄太　んじゃあ俺もいく。
奏汰　はあ⁉
夏希　奏汰はいいの？……このままで。私は、なんかやだ。
雄太　俺も。こいつ1人はさすがにやべえし。
夏希　は？　やっぱ私1人で十分なんですけど。むしろアンタが足手まといなんですけど！
雄太　言ったな？　迷子ちゃんになっても知らねーから！
奏汰　……あぁ……やっぱ僕も行くよ。でもすぐ帰ること。あと未来には絶対秘密だぞ。

舞台転換。施設から公園へ続く道。しおりとすみれ、歩いている。

しおり　やっぱ、いない……か。
すみれ　もう暗いし、一旦帰ったほうが……。
しおり　ダメ。ちゃんと見つける。
すみれ　う、うん……。

2人の男がすみれとしおりに近寄る。

男Ａ　ねえ、君たちぃ？？
すみれ　えっ……。
男Ｂ　今暇？　俺らとちょっと遊ばない？？
しおり　ハア？　すみませんけど、暇じゃないの。どいてくんない。
男Ａ　ぁあ⁉　何抜かしてんだこのクソガキ！

すみれ、しおりの前に出る。

すみれ　やめてください！　妹に関わらないで！
しおり　お姉ちゃん……逃げよっ！

2人逃げようとするが、腕をつかまれる。

しおり　おい、離せよ！
男Ｂ　はは、つっかまーえたあ。
男Ａ　よわっちーの。

すると、後ろから雄太たちがやってくる。

雄太　……しおり！　すみ姉っ‼

雄太、男たちを野球バットで殴る。奏汰と夏希、その間にすみれとしおりを引っ張りはける。

雄太　はっ、ざまあ！
男Ａ　おい、クソガキ！

男B　ふざけんなっ！
夏希　雄太、早く！

男2人、子どもたちを追いかける。

第七幕
第七場・公園の階段

舞台転換。公園の階段。小太郎、階段の1番下で立っている。そこに、夢がやってくる。

小太郎　……何しに来た。
夢　……ごめんなさい。
小太郎　何だよ。
夢　私のせいで、あなたが傷ついた。全部傷つけた。
小太郎　……何気にしてるか知らないけど、お前のせいじゃない。これは……俺の問題だ。

小太郎、はけようとする。夢、小太郎の手をつかむ。

小太郎　なんだよ！
夢　私出ていく！
小太郎　……は？
夢　あの施設から出ていく！　私がここに来たから、皆不幸になった！　もう皆のこと傷つけない！

小太郎　ちげえって！
夢　だから‼……だから、諦めないでほしい。進んでほしい！

夢、包丁を構え、自分に刺そうとする。

小太郎　は？　何してんだバカ‼

小太郎、夢から包丁を奪おうとし、2人でとっつかみ合う。

雄太たち、出てくる。

夏希　小太郎、夢‼

子どもたち、夢を抑える。

夢　なんで止めるの、なんで止めるの‼……私、生きる意味がない。なんで生きてるのかわからない！　むしろ皆を傷つけた。信じてくれた人も傷つけた。誰も守れない、優しくなんかない、生きてる価値なんてない‼

皆の手が緩む。その一瞬で、夢は再び包丁を自分に刺そうとする。

夢以外　あっ‼

しおり、夢に抱き着く。

しおり　夢は優しいよ!!!

夢　……え？

しおり　夢に何があったか、わからないけど、夢が小太郎の話聞いてるときの顔、すごく優しかった!!

夏希　未来から話聞いた！　小太郎が落ち込んでたの、夢のせいじゃないって。なのに私、勝手に誤解した。傷つけたのは夢じゃない、私の方！　だから、ごめん!!

雄太　俺も!!

奏汰　……僕も。

すみれ　夢ちゃん、夢ちゃんはずっと、小太郎を助けたかったんだよね。小太郎の想いに気づけたから、ずっと小太郎と話してたんでしょ？　少しでも相談に乗って、漫画家の夢をかなえられるように……。

しおり　……ねえ夢、なんで優しいこと隠すの？　なんで生きる意味が、わからないの？

小太郎　夢……。

夢以外　夢!!

夢、包丁を落とす。

夢　……お母さん。

夏希　お母さん？

夢　私のお母さんは、自殺した。毎晩お父さんと喧嘩して、すごく怖かった。離婚して、お母さんと一緒に小さい部屋に住んだ。「あなただけが、私の光よ」って言ってくれて嬉しかった……！　でも、毎日毎日顔が変わっていって……私お母さんがつらかったのに気づけなかった、何も救えなかった！

夢の回想。夢（幼）、座って読書をしている。すると、鼻歌を歌い掃除をしてる夢の母、出てくる。

夢の母　あら、なあに？　結糸。あ、今日は何を読んでいるの？

夢（幼）　あ、ママ。

夢（幼）　今日はね、心理学の本よ！　とっても面白いの。

夢の母　へえ。いいわね、これからもたくさんの本を読んで、賢くなるのよ？

夢（幼）　うん！　私大丈夫よ！　この間のテストも、その前のテストも満点だったもの！

夢の母　さすがね、その調子で頑張ってね。

夢（幼）　もちろん！　私、ママの子どもだもの！　そういえばママ、今日は何かあるの？

夢の母　ええそうなの、今日はね、パパとの結婚記念日なのよ～！　ごちそうも、ケーキもあるわ！

夢（幼）　へえ！　おめでとう、ママ！

夢の母　ふふ、ありがとう。愛しているわ、結糸。

夢（幼）　私もママのこと大好き！　パパ、早く帰ってこないかなあ。

夢の母　そうね、今日は6時には帰るって言ってたけど……。

夢の母と、夢の父が喧嘩している。

夢の母　ちょっと貴方！　今日が何の日か覚えているの⁉

夢の父　だから、仕事が忙しかったと言ってるだろう！

夢の母　でも、今日は特別な日なのよ？　せっかく準備したのに！

夢の父　誰のおかげで飯が食えていると思ってるんだ！　金を稼いでるのは俺なんだぞ！

夢の母　そりゃ貴方のおかげよ？　でも！

夢の父　もういい、しつこい女は嫌いなんだ！

夢の父、はけようとする。夢（幼）、目をこすりながら出てくる。

夢（幼）　ママ……？　パパ……？

夢の母　何よその言い方！　ちょっと待ちなさいよ！

夢の母、夢の父の腕をつかむ。

夢の父　お前なんかの飯より、リサの飯のほうが美味いんだよ！

夢の母　えっ……？

夢（幼）　……パパ？

夢の父　……。

夢の母　ちょっと……だ、誰よ、リサって。誰なのよ‼

夢の父　……。

夢の母　ねえ、ねえ！　答えて、答えなさいよ！

夢の父　もうお前みたいな女には飽きたんだよ。お前なんかより、リサのほうが何倍もいいんだ。

夢の母　なに、なに言ってんのよ！　冗談じゃないわ‼

夢の父　冗談じゃない。もう、別れよう。

夢の母　そんな、そんな、そんな！

夢の母、夢（幼）に背中を見せて、体育座りをしている。夢、母に近づく。

夢（幼）　ママ……？

夢の母　……ハア。大丈夫、大丈夫よ。

夢（幼）　ママ？　パパは？

夢の母　結糸。貴女は、お父さんのようになってはだめ。あの人はあたしを裏切ったの。だから、あんな人になっちゃだめよ。

夢（幼）　……ママが言うなら、そうする。私、ママの子どもだもの。

夢の母　結糸……貴女だけが、私の光だわ。ずっと一緒よ。

夢（幼）　もちろん！

夢の母、鏡を手に持ち、化粧をしている。夢、母のところへ走る。

夢の母　アイツが、アイツが私を裏切ったから……あたしはこんな、こんな仕事……！
夢（幼）　ママ聞いて聞いて！
夢の母　アイツなんて大嫌いよ！　一生恨んでやるわ……チッ、なによ。
夢（幼）　あ、あのね、今日もテストで満点だったの！
夢の母　……子どもの貴女にはわからないでしょうね。ってか、貴女の顔嫌いなのよ。なんでアイツに似ているの。アイツも貴女も大嫌いだわ。
夢（幼）　ママ……。
夢の母　話しかけないで。どうせ貴女も私を裏切るんだわ。
夢（幼）　……。
夢の母　邪魔なのよ、消えて頂戴。近くに来ないで！
夢（幼）　ママ……ママ！
夢の母　うっさいわね！　貴女なんて、産まなきゃよかったのよ！
夢（幼）　……ママ……それでも私、ママのことが大好きだわ。
夢の母　……。
夢（幼）　……。
夢の母　ねえ。
夢（幼）　なあに？
夢の母　ママからの頼み……一緒に死にましょう？　死んでちょうだい。そして、また天国で会いましょうよ。
夢（幼）　えっ？

夢の母、夢（幼）の首をつかむ。

夢（幼）　マ、マ……私、愛して……るわ。
夢の母　……！

夢（幼）、ある紙を握り、倒れている。そこに母はいないが、母がいたところには椅子がある。ホリゾントに、縄のシルエットが移っている。縄のきしむ音。

夢（幼）　生きて……る？　あ、あれ？　ママ？　ママ？……ん？　なに、これ。「ごめんね」？……え。

夢（幼）、天井を見上げ、その瞬間呼吸を荒げ、後ろに下がる。

夢（幼）　っは、は、はアッ……ま、ママ……な、なの？ママ？　ママ……！

縄のきしむ音が響く。回想終了。

夢　……それでここに来た……本当は、本当は皆に幸せになってほしい。誰1人傷つかないでほしい。……けど、そう思うたびにお母さんの顔を思い出した。「なんで私のこと、救ってくれなかったの」「なんであなただけが幸せなの」って、もういないはずなのに私に言うの。だから怖かった、ここにいる皆と笑い合うのが怖かった。関わりたくなかった。そのまま時間が経って、気づいたら皆、傷つけてた……だから、ああ私、生きるだけで人のこと傷つけちゃうんだって、あの時お母さんと一緒に死ねればよかったたって、何度でも思って、生きる意味が分からなくなった……でも本当は、ずっと、笑いたかった‼

しばらくの間。

小太郎　幸せになっていい‼　いいに決まってる！
夢　……なんで。
小太郎　俺話聞いて思った、夢のお母さん、夢に幸せになってほしいんだって。
夢　なんで、そんなこと言えるの。私なんて、偶然生き残っただけで！
小太郎　ごめん……本当のことはわからない。けど俺、夢のお母さん、夢のことまで殺せなかったんだと思う。夢には、自分みたいにならずに、別の幸せを見つけてほしかったたって（思う）！
夢　だから！　なんでそんなこと言えるの！　私お母さんのこと、ママのこと、少しも助けてあげられなかったた……こんな子どもの幸せなんて……望むわけないじゃない‼
小太郎　……手紙、「ごめんね」って書いてあったんだよな。
夢　手紙？
小太郎　生かそうと思わないと、手紙なんて残さないんじゃ、ないか？……死んだら、誰にも読まれない、だろ。
夢　……ぁ。
小太郎　お母さんは最後まで夢の幸せを望んでた。……けど、それは夢にとっての幸せじゃない。優しい自分、そして優しいお父さんと一緒に過ごし続けること、それが夢にとっての幸せ。でも、それは2度と今の自分にはできない。結果、夢だけを残す行動をとった……だから、遺言として……夢には、違う幸せを見つけてほしいって、きっと願ってる。俺は、そう思うぞ。
夢　……ママ、ママ！　なんで、1人で、残したの！　1人じゃ、幸せになっても意味ないの！　なのに、なん、で……！
しおり　1人じゃないよ‼
夢　ぇ？
しおり　夢、家族になろうよ‼
夢　家族？
しおり　血が繋がってないとか、関係ない。今ここにいる皆。夢と小太郎がいなくなって、必死に探して、ここにいるんだよね？　それって、2人のこと大好きだから、失いたくないから、だよね……？　そんな気持ちになれるって、すごいことじゃん。皆の優しい気持ちとか、そういうかけがいのないものが詰まってるんだよきっと。それって、血が繋がってるってことよりも大切だと思う。だから皆、お互いのことを想う「家族」だよね……？夢の人生も小太郎の人生も……皆の人生、きっと自分たちのものだけじゃない。ここまで、皆色んな人生があった。死ぬほどつらい思いも、楽しい思いもしてきた。これから苦しいことがあるかもしれない、つらいことしかないかもしれない。でもそれでも！　幸せをつかみ続けるために、生きていかなきゃ。私たちは、不幸じゃない！　力強く生きてる!!

しおり、階段を駆けあがる。

夏希　私も生きたい！　自分のためだけじゃなくて、誰かのためにも生きたい！

夏希、階段を駆けあがる。

雄太　俺も生きる!!!　プロの野球選手になって、皆を幸せにする！

雄太、階段を駆けあがる。

奏汰　僕も、生きるよ。誰かに必要とされる人になりたい、人のために生きたい。

奏汰、階段を駆けあがる。

すみれ　私も、生きていきたい。皆でずーっと幸せでいたい。

すみれ、階段を駆けあがる。

小太郎　そうだよな、皆家族だよな、支え合える。１人じゃないって俺ももうわかったから、怖くない。今まで不安だった。でも、しっかり自分の将来と向き合える自信がついた。お前らがいるから。おっしゃ、絶対有名な漫画家になってやる!!

小太郎、階段を駆けあがる。夢、１人で立っている。

しおり　夢。

しおり、手を差し伸ばす。他の子どもたちも、目を合わせ手を差し伸ばす。

夢以外　夢／夢ちゃん……!!

夢、その手を握り、階段を上がる。

夢　幸せ……。
しおり　うん、幸せ！

パトカーの音。未来が走ってやってくる。

未来　いた!!って、アンタたち!?　何やってんの!?

第八幕
第八場・子ども部屋、客室

舞台転換。子ども部屋。数日後。小太郎以外の子どもたち、手紙を書いている。

夏希　あ、そういえば……しおり、すみれ。この間は、ごめん。喧嘩して、夢だけじゃなくて、しおりとすみれにも迷惑かけて。

雄太　俺、ひでえこと言っちまったって思ってる。本当にごめんな。

奏汰　僕も、あんな態度取って……ごめんなさい。

しおり　な、そ、そんなに改まらなくても……別にもう過ぎたことだし……。

すみれ　むしろ、あのとき守ってくれてありがとう。本当に危なかったのに。

雄太　ははーん、やっぱ持ってって正解だったろ？　あのバット。

夢　バット……？

しおり　まーたそうやって調子乗るー。

奏汰　そーだそーだ。

夏希　そーだぞーだ。

雄太　うるせー!!

雄太以外　うるさ……。

雄太　なんだお前ら！……って夢、何裁縫してんだ？　手紙は？

夢　……お守り、作ろうかと思って。手紙はもう書き終わった。

しおり　夢ったら昨日徹夜してまで考えてたよねー。お、て、が、み。

夏希　あららなあに書いてたのー？

夢　……あ、え、いや……そんな大したことじゃ。

夢以外　ふう〜ん？？？

すみれ　まあまあ、いいじゃん？　それより、いいね、お守り！

夢　皆も、作ったら……？

しおり　作りたい！

夏希　うんうん！

雄太　俺も俺も！

奏汰　え、雄太が裁縫？　似合わなー……。

雄太　な、黙れえい！　くっそー、ゼッテー小太郎の兄ちゃんが喜ぶようなの作ってやる！

すみれ　あ、そういえば小太郎……面談、今日だったよね。

しおり　そっか！……大丈夫、かなあ。

夏希　見に行ってみる？

子どもたち　えっ。

奏汰　さすがにそれはまずいって。

夏希　だって、気になるじゃない。確か1階の客室だったはず。

夏希、はける。

すみれ　と、止めに行かなきゃ。
子どもたち　うん！
奏汰　本当は皆も気になってるだけでしょ……。ま、僕も行くけど。

子どもたち、はける。
舞台転換。客室。小太郎と未来、小太郎の母が座っている。端のほうに子どもたちがいる。

夏希　って、結局皆気になってんじゃん。
子どもたち　シーーッ……！
小太郎　……。
未来　……。

小太郎の母、たばこを取り出そうとする。

未来　あ、あの。
小太郎の母　何？
未来　施設内は禁煙です。
小太郎の母　チッ……あっそ。

小太郎の母、たばこをしまう。長い間。

小太郎　……母さん。
小太郎の母　何。
小太郎　……俺、なりたいんだ。漫画家に。なあ、見てくれよ、俺ここに来てからたくさん描いたんだ！　成績だって、美術も、国語も5取ってるんだよ！

小太郎、今まで描いた大量の絵や、通知表を見せる。

小太郎　だから……頼む。

小太郎、震えた手で入試申請書を渡す。

未来　……小太郎。
小太郎の母　……。
小太郎　……母さん……？
小太郎の母　……。

小太郎の母、大量の絵や通知表をじっくり見て、申請書に目を通し、判子を押す。子どもたち、嬉しそうにする。

小太郎　母さん⁉
小太郎の母　……死んでも知らねえぞ。大人になれよ、小太郎……もういいな、帰っても。
未来　ええ、あ……はい。
小太郎の母　……ハア……母さん、か。

小太郎の母、席を立ち、子どもたちがいるほうへ出ていこうとする。子どもたち、焦って出ていく。小太の母、出ていく。

小太郎　……未来、これ……。
未来　うん。
小太郎　……母さん、俺のこと！……でもなんでだ？　今更、俺のことなんか……。
未来　小太郎の努力がやっと恵まれたんだよ！　きっと小太郎がここまで頑張ってなかったら、お母さんだって背中を押してくれなかっただろうし。
小太郎　そうか……そうなのかな。

第九幕
第九場・子ども部屋、公園の階段

舞台転換。子ども部屋。小太郎のベッド周りは片づけられている。小太郎、トランクを持ち上手側、子どもたちと未来は下手側にいる。

夏希　本当に、行っちゃうんだね。
奏汰　この部屋から3人もいなくなるなんて、しばらくは慣れないね、僕ら。
すみれ　そうだね。
しおり　なんか、やっぱ寂しい。
雄太　うっ……く、クソ……！　もう会えないのかよお！
夢　……。

雄太、ワンワン泣く。

小太郎　泣くな雄太、「漢」だろ？？
雄太　で、でもよおう！
しおり　ちょ、あんた泣きすぎー。
奏汰　寂しいのはわかるけどさ。
未来　何かあったら、本当にすぐ帰ってきていいんだよ、ここが実家だもん。
小太郎　わかってる。……たっく、未来は本当に心配性だな。
すみれ　間違いないね。
未来　間違いないよ！

夢以外、笑う。

夏希　あ！
雄太　ん？
夏希　大事なもの忘れてる！　ほら、アレだよ！
奏汰　あー、アレね。
雄太　あああ！　俺も分かったぞ！
しおり　そーだそーだ、私も作ったの！
すみれ　忘れちゃうとこだった。
小太郎　どうかしたのか？
夏希　じゃあ、せーので渡そうよ！
雄太　そうだなっ！
奏汰　うん。

夏希　せーの！
夢・小太郎以外　はいっっ!!
小太郎　うおっ、すげえ！　なんだ、これ。
夏希　小太郎の幸せを祈る、お守りだよ！　お手紙も……って、夢、さっきから黙っちゃってどうしたの？
しおり　プレゼントは？
雄太　そうだぜ、あんなに頑張って作ったのに。
すみれ　この機会を逃したら、もう渡せないよ？
小太郎　………夢？
夢　ごめんなさい……！

夢、逃げるように袖へ走る。

未来　ゆ、夢っ!?　ち、ちょっと！

未来、袖へはける。

小太郎　……あ、ありがとうみんな！　大切にするね！
小太郎以外　うん……。

小太郎、皆から受け取る。

夏希　小太郎、あの、小太郎？
小太郎　あ、うん、ありがとう、な……ってバスの時間ヤバ！　遅れちまう。
雄太　……もう、行くのか。
すみれ　もう、なんでこうギリギリなの？
小太郎　めんごめんご！

しばらくの沈黙。

小太郎　じゃあ、行くわ。未来と夢によろしく。
夏希　……うん。
雄太　元気でな……うっ、俺無理なんだよこういうの！

雄太、再びワンワン泣く。

しおり　もう、泣いてばっか！
雄太　いいだろ別に！
奏汰　全く、相変わらずだね。
小太郎　また会おうな。
すみれ　次会う時も、この雰囲気がいいな。
しおり　そうだね！
小太郎　んじゃ、じゃあな！
小太郎以外　じゃあね／じゃあな！

小太郎、はける。静まり返る部屋。

しおり　静か。
奏汰　静かだね。
雄太　静かだなあ。
夏希　……寂しいね。

すみれ　うん。

そんなやり取りをしていると、袖から未来が出てくる。

未来　はあ、だめだ。部屋全部探したけど、どこにも夢いないよお‼
奏汰　静かじゃなかった。
未来　って、小太郎たちは⁉
雄太　もう今さっき行っちまったぜ。
未来　が、ガーン！
夏希　って待って？　本当にくまなく探したの？
未来　そりゃあ探したよ！
しおり　んじゃあ、まさか外にいんの⁉
雄太　今なら間に合う、夢探すぞ‼
未来　賛成賛成！ってか、私もお見送りしたいし！

舞台転換。公園の階段。小太郎、トランクを持ちながら登っている。

小太郎　よいっしょ、よいしょっ……相変わらずここの階段は長えなあ！

小太郎、一旦休む。ふいに上を見る。

小太郎　おぉ、満開の桜だ……すっげえ。……でも、この景色とはしばしのお別れか……あの時は気づかなかったな、こんなに綺麗な場所だったなんて……ふっ……冬の蕾のうちはまだ子どもだったんだな、俺。そして春になった今、桜は開花、そして俺も大人になっていく……うっひょおーうわかっこよ、流石すぎんだろマジで。

袖から制服を着た夢が出てくる。

夢　……何それ。
小太郎　え……って、夢⁉って、って！　せい、ふく……。

袖から、残りの子どもたちと未来が出てくる。

しおり　やっぱここか……って、夢、なんで制服？
未来　よかったあ、間に合って……ゼエゼエ……年かな。
小太郎　皆……な、何しに？
雄太　そりゃ、やっぱ最後は全員でお見送りだろ？
夏希　そうそう！
小太郎　なーんか安心したぜ。なあ夢、さっきはどうしたんだ？
夢　……ごめんなさい、私……。
しおり　私？
夢　……離れたくないと、思ってしまった。きちんと見送るべきなのに、これを渡してしまったら……本当に、離れてしまうから。怖くて、素直な気持ちで、渡せない……渡せないの！　ごめんなさい……。
しおり　……夢。

すみれ　夢……泣いてるの？
夢　ぁ。
雄太　……俺もだ!!　俺も、俺も離れたくねえ！　ずっと、一緒がいい!!
夏希　私も!!　皆とずっと、ずっとふざけてたい！　誰とも離れたくない！
奏汰　僕もだ、僕も、誰にもかけてほしくない!!!
しおり　私だって、私だって、皆ともずっと一緒にいたい！
すみれ　あの家で、皆と笑顔でいたい!!!
小太郎　俺、俺、いつまでもお前らのために漫画描いて、皆と楽しく笑いてえよ!!　何年も、何10年も、何百年後もずっと!!
未来　私も、皆と、ずっとずうううううっと！　暮らして、皆の笑顔をたくさん見てたい！

皆、子どものように泣きじゃくる。

夏希　夢、夢の思いは、ここにいる全員、同じなんだよ！　誰だって子どもなの！……でも、でも最後は、悔いの残らないようにお別れするんだよ！　そうでしょ、皆。
夢以外　うん！／おう！
夢　……うんっ！（深呼吸をして）……小太郎。
小太郎　？
夢　夢野結糸。私の名前。
夢以外　え？
夢　糸を結う、って書いて、結糸。離れてても、ずっと一緒！……さようなら……！

夢、お守りを渡す。

小太郎　ありがとう、ありがとう！……結糸？
夢　夢でいい。小太郎、私、学校行くことにした。
小太郎　学校？
夏希　私たちと同じ学校に？
夢　うん。……不安だけど、皆といれば、怖くないから。私頑張る、だから小太郎も。
小太郎　……おう！　あ、そうだ。俺も夢に渡し忘れてたものがあったんだ。
夢　……私に？
小太郎　おう。これ……喜んでくれるといいんだけど。

小太郎、夢に1冊の自由帳を渡す。袖から、夢のパネルを持った黒子が出てくる。

夢　これは……？
すみれ　凄い！　夢も小太郎の漫画の世界に入ってる！

子どもたちと未来、「見せて！」と言い、「凄い！」などと言う。

小太郎　忙しすぎて話とかは書けなかったけど……俺、夢だけでも描きたかったんだ。

夢　……小太郎……！
小太郎　ん？
夢　……ありがとう！
皆　あっ！
しおり　笑った……。
小太郎　……なあ、……未来。
未来　ん？
小太郎　俺、やっぱ漫画家がいい。自分の為じゃなくて、誰かのために書きたい……ってなると、大人になるのも、そう悪いことじゃねえよな？
未来　もっちろん！……案外苦しいことだけじゃないんだよ、大人の世界は。楽しいことも、知らないことも、子どものままじゃ気づかなかったことが無限に広がってる。自分が思ってる以上に、いつも世界は広いよ。
小太郎　そっか！　楽しみだな、大人になるって。
夏希　いいね、大人って！
すみれ　早く大人になりたいなあ。
しおり　私も私も！
雄太　俺も、早く大人になりてえ！
奏汰　雄太には、まだまだ月日がかかりそうだけど。
雄太　ハア!?

皆、ワッと笑い出す。

小太郎　っおし、そろそろ行くかな。皆、カツ入れてくれ。

皆、次のセリフでそれぞれ小太郎の背中に手を当てる。

夏希　もっちろん。グッドラック、小太郎！
すみれ　にしても、まだまだ階段は続くね。
しおり　意外と短いかもよ？
未来　それが人生ってもんよ。
雄太　これは人生の階段だからな！
奏汰　雄太のくせに、いいこと言うじゃん。
夢　応援してるから……！

皆、背中を押し出す。

小太郎以外　……行ってらっしゃい!!!

子どもたち、最後までお別れの挨拶を叫ぶ。両袖から、皆の夢が願ったことを示唆するイラストの描いてあるパネルを持った黒子が出てくる。小太郎、階段を駆けあがりながら叫ぶ。

小太郎　行ってきまああああああす!!!

小太郎、袖にはける。舞台に桜吹雪。子どもたちと未来、全力で手を振り、黒子たちもワイワイする。

閉幕。

春の終わり

林 祐希＋内田素子

登場人物
春
夏
秋
冬
妖精（春）1
妖精（春）2
妖精たち（冬）
妖精たち（夏）
影

初演日
2020年1月13日
令和元年度 相模原市立中学校創作劇発表会
初演校
相模原市立中央中学校

相模原市立中央中学校、2020年12月5日、神奈川県中学校演劇発表会。

幻想的な音楽とともに幕が上がる。

舞台は薄暗い。小さな明かりが人影とともに揺らめいている。

舞台奥には平台が2段。上段には夏・秋の季節神が、下段には冬・春の季節神がいる。春夏秋冬ともに、ステッキを振りながら舞っている。どうやら季節神として四季を司る仕事をしているようである。

春と冬が舞いながら衝突する。同時に夏と秋が去る。

冬　なんでさっきから邪魔ばっかりするの？
春　ごめん……。
冬　しかも、初めて魔法が成功しそうだったのに……。
春　それは、私もだし……。
冬　春のことは聞いてないよ。それに最近春、妖精たちに仕事頼みすぎじゃない？　たくさん仕事頼んでたよね？
春　た、沢山は頼んでないよ！　ただ、少し忙しかっただけなの！
冬　ふーん。
春　それにさ、妖精に頼んでたって言っても、桜を咲かせるのだって私にしかできないし！　そ、それを言うなら冬だって妖精に仕事頼んでたことあったじゃん！
冬　いつ？　私が何を妖精に頼んでたの？
春　この間……冬、妖精たちに温度調節の仕事頼んでたでしょ！
冬　それは仕方がないでしょ。あの時私は調子が悪かったんだよ。そのくらい分かってくれない？
春　それで、冬の妖精がミスしちゃってさ、春ぐらいの温度出してたし！
冬　妖精なんだよ？　ミスぐらいしちゃう時もあるで(しょ)。
春　冬はずっと私のことをいらないって思ってたんだよね?!
冬　そういうことじゃないでしょ？
春　でもさ……
冬　もういい！

冬、春とすれ違いざまにストップモーション。同時にホリゾントの色が変わる。直後に暗転。

季節は冬。冬の澄んだ空気を感じさせる明かりで満たされている。

舞台手前には四季の椅子。下手から春夏秋冬の順に並べてある。

春夏は椅子に座っている。秋は歩き回りながら本を読んでいる。

舞台奥の平台では冬が舞っている。1段上の平台では冬の妖精たちが舞っている。

明るい音楽とともに、季節神たちの日常が始まる。

夏　次は春かぁ～……暇だあああぁ！　春、暇だぁぁぁぁ！

春の妖精が下手から登場する。春の肩を叩き合図を送る。

春　あ……夏、ごめん！

春は春の妖精と共に下手側へ移動し、しばらく会話を続ける。

夏　えっ……（秋のほうを向いて）秋、暇だぁぁぁぁぁぁ！

夏　もういいし……１人で遊ぶ！　手を挙げろ！　撃つぞ！……秋ぃ！　秋ぃ！　暇だ暇だ暇だ暇だ暇だ……。

秋　うるさいですね！　今本読んでるのわからないのですか？

夏　読んでる……のか？

秋　そうですが。

夏　歩き回って読むとか……まあいいや。何読んでんの？

秋　聞きたいのなら教えてあげましょう。

夏　あーうん。

秋　この本はですね。「眼鏡二百三十六種類の謎・上巻」です。

夏　「眼鏡二百三十六種類の謎」？　なんだその変な本。

秋　何?!　変ではないですよ!!

春と春の妖精は下手に去っていく。

夏　あーうん。それで、どんな話なんだ？　その……眼鏡うんたらかんたらの……過去？

秋　なぞ。

夏　そうそう、みぞ！

秋　謎！

夏　それでどんな話なんだ？

秋　仕方ありませんね。……まず、これは眼鏡のお話なんですよ。

夏　眼鏡……？

秋　はい、物語はざっくり言うと、カオスです。

夏　カボス?!

秋　カオスです。

夏　どんなところがカオスなんだ？

冬が冬の妖精たちとともに下手に去る。

秋　眼鏡たちが戦うのです。

夏　それは確かにカオスだわ！　だーけーど！　それ、本当に眼鏡が２３６種類出てくるのか？

秋　出てきます。えーパリ・ナス・セミオート・レキシントン・ボストン・ウェリントン・オーバル・ラウンド・ブロー・アンダーブロー・ヘキサゴン・オクタゴン・スクウェア・ボックス・スポーツ・セル・メタル・ナイロール・コンビネーション・バレル・ティアドロップ・フォックス・ツーポイント・オート・ナローティアドロップ・バタフライ・ナロースクウェア・スクウェアフェミニン・ペンタボン……。

春と春の妖精が下手から戻り椅子に座る。春の妖精たちは上手へと去る。

夏　も、もういい……よろしゅうございますです……あーーーー口調がああああああ!!!!

秋　こちらはそんな話し方をした覚えはないのですが……。

夏　あー秋と話してると調子が狂うわ。（春に向かって）春もそう思わない？

春　（他のことに気を取られている様子で）え……あ、うん、そうだね。

夏　春……？

冬、下手から登場する。

冬　あ、春がいる。（春に向かって）そろそろ冬が終わるよ、次は春でしょ？　頑張って。

春　うん！（空元気を出して）春の準備してくるね！

春、下手に退場し、間もなく奥の平台に現れる。ステッキを持ち忘れている。

夏　冬。

冬　何？

夏　今、冬って何か月あるんだ？

冬　みんなと同じ3か月だけど。それがどうかしたの？

夏　最近、冬の時期が長くなったようなぁ～……。

冬　そう？

夏　悪い……気のせいかも。

本を読んでいた秋も会話に加わる。

秋　みんなも気づいていると思うのですが、最近、春の様子がおかしくないでしょうか？

夏　ほんとそれな！　冬、なんか知らない？

冬　ごめん。分からない。

秋　そうですか。

冬　多分だけど、春、なんか悩み事があるんじゃない？

夏　悩み事？　あー確かに。春って悩み事があると、すぐにぼーっとなるもんな。

春の妖精が下手から登場する。妖精たちは春がステッキを忘れていることに気づき、春に伝える。春はステッキを取りに下手に去る。

冬　えぇ。

秋　確かに、そんな気もしなくもないようなくないような……。

夏　お前気づいてなかったのか?!……だとしても、何に悩んでるんだろうな?……うーーーーーーーーーん……。

秋　それがわかってたら、今ごろ、こんなふうに話していないんですよ。

夏　ですよねー。……んー、何なんだー、一体ぃぃぃぃぃ！

秋　声に出しても何も解決しませんからね。
夏　あはっ……。
秋　はぁ……。
夏　この話に関係してるかわかんねーけど、春は……ま、いいや、何でもない。

下手から春が息を切らしながら現れる。

春　忘れ物しちゃった～。
夏　春！
冬　(近寄って) 春、何か私たちに隠し事してない？
春　え？　隠し事なんてしてないよ？
冬　しらを切っても無駄。春って、昔から隠し事があると、すぐに口数が減るよね。
夏　春、何年一緒にいると思ってんだよ。
春　何年？
夏　……2千年以上！

その場の空気が凍りついたかのように静まり返る。皆の動きも止まる。

夏　だ、だからぁ……力になりたいっていうかぁ、頼りにされないと寂しいっていうかぁ……。
秋　そうですね。我々がいるのに頼ってくださらないなんて……。
冬　春、話してみて。
春　……確かに悩んではいるけど、みんなに話すような内容じゃないから……。それに、みんなには余計な心配かけたくないし……。
夏　言ってみてって言ったら、言えるレベル？
春　まぁ、言えないこともないけど……。
秋　じゃあ教えてくれよ。
冬　春の力になりたい。
春　でも……。
夏　べ、別に春が隠し事してるのが寂しかった訳じゃないんだからね！
秋　これが俗にいうツンデレですか。
夏　ツ、ツンデレなんかじゃないんだからね！
冬　(呆れ顔で) まだやるの？
夏　まあ、今のは冗談でさ……春、本当に、話してくれない？
春　分かった……そこまで言うなら、話すね。……実は、1年前から、春の力が使いづらくなっている気がするの。
冬　春の力っていうことは、花が咲かなくなったってこと？
春　気のせいだと思うんだけどね。……あと、咲かなくなったというよりも、咲きづらくなったという方が正しいかな。
夏　春、考えすぎだって。少し時期が遅れただけだろ。
春　……そうかな？
冬　うん、よくあるよ、雪を降らせる時期が遅れること。
秋　それが事実かどうかは分からないですけど、考えすぎは毒だと思いますよ。今のうちにゆっくり休んでください。

舞台手前は暗くなる。夏、秋、冬の動きは止まっている。舞台奥の平台上のみが明るい。平台下手から、物思いにふけっている春が登場する。

春　みんなは気のせいって言ってくれたけど……やっぱり心配になってきちゃった。花がなくなったらどうなるんだろう……。

春の妖精たちが平台上手から登場する。

妖精1　春さん、もう少しで桜の季節ですね！　あの辺りに桜を咲かせられますか？

春　うん、分かった。

妖精2　はい！　お願いします！

春が1段上に登り、下手袖の桜の木に向き合うようなしぐさをする。ステッキを振る、が、桜は咲かない。

春　え……？

もう1度ステッキを振る。焦るように2度、3度繰り返すが、桜は咲かない。

春　なんで……？　なんで咲かないの？

妖精1　春さん？　どうしたんですか？

妖精2　……まさか、春さん、桜が（咲かなくなったんじゃ）。

春　（振り切るように）待って！　大丈夫、咲かせられるから！

ステッキを闇雲に振るも、徒労に終わる。

春　（動揺しながら）嘘、嘘………！　咲かない（なんて）。

妖精1　春さん……！

春　何？

妖精1　1回、他の季節の方々も呼んできましょうか？　もしかしたら桜が咲かない原因がわかるかも（しれませんよ）。

春　い、嫌だ！　知られたくない！

妖精2　でも、このままでは気づかれてしまうと思います。

春　そ、そうだけど……。

妖精1　春さん、皆さんに知らせましょう。きっと皆さんも春さんの気持ちを分かってくれると思いますよ。今から呼んでくるので待っていてください。

妖精たちは下手へ駆け出そうとする。

春　待っ（て）。

春の妖精を引き留めようと1段下に降りると同時に、妖精たちは歩みを止める。

妖精2　（春の様子を伺いながら）春さん……行っては駄目ですか？

春　（悩んだのち、決心したように）……分かった、お願い。ごめんね……本当にごめんね。

妖精2　謝らないでください！　困っているときはお互い様ですよ。

妖精1　そうですよ！　それでは行ってきます！

春　行ってらっしゃい……。

妖精たちは下手に去る。春は、上手側に3、4歩足を進めるが、力なく崩れ落ちる。そのままストップモーション。明かりが切り替わり、舞台奥が暗く、舞台手前が明るくなる。それに合わせて夏、秋、冬が動き始める。

3人で春という季節について語り合っている。

冬　何か、春は出会いの季節って言われるの、いいよね。

夏　確かに！

秋　まあ、それと同時に別れの季節でもありますけど。

冬　そこもまたギャップでいいじゃない？

秋　ギャップ、なのですか？

夏　でも、出会いの季節って言われると、確かにいいイメージは持つものだよな。

冬　でしょ？

夏　そういえば、ふと思ったんだけど、春と冬ってスゲー仲良しだろ？　喧嘩とかってしたことあんの？

冬　……1回だけ。

秋　そこの2人でも喧嘩するんですか……。

夏　意外！　したことないと思ってた！……（秋を見て）秋とは仲良しだもんな！

秋　え？

夏　え？

夏・秋　え？

春の妖精たちが、下手から3人のところへ駆け込んで来る。

妖精1　（息を切らしながら）た、大変です！

秋　あなたたちは……。

夏　誰だっけ？

妖精1　春さんに仕えている妖精です！

妖精2　そうです……ってそれどころじゃないんですよ！

夏　もしかして、春に何かあったのか?!

妖精1　……桜が……。

冬　桜が？

妖精2　さ、桜が……咲かないんです。

冬　今、何て？

妖精1・2　桜が、咲かないんです！

夏・秋・冬　え？

妖精2　とにかく、ついてきてください！

全員で下手に退場する。再び照明が切り替わり、奥が明るくなり手前は暗くなる。
間もなくして、平台下段の下手から、妖精、夏、冬、秋の順に登場する。春が動き始める。

妖精1　春さん！
妖精2　春さん大丈夫ですか？（妖精1・2は同時にセリフを言う）
夏・秋・冬　春！
夏　春、桜が咲かなくなったって本当か？
春　あ……みんな。……どうしよう……桜が咲かなくなっちゃった……。
冬　春……。
秋　いったい何があったのですか？
春　さっきさ、花が咲きづらくなったって話、したよね
……？
冬　……ああ。そうだね。
春　それが、桜にまで影響されるようになったの……。
夏　え？　やばくね、桜は春を表す花なのに……。
春　どうしよう、桜が、花が咲かないよ……このままじゃ何も残らなくなる……。
夏　何もって……。
春　花が咲かない、桜も咲かない、温度調節もできないのに、他に何が残るっていうの？　怖い……怖いよ！
夏　だ、大丈夫だって！
冬　そうだよ。
春　……いつか消えちゃうのかな？

ゆっくりと闇が深くなり、暗転。

数日後。季節は春のまま。4人の季節神は、春の妖精を交えながら今後のことについて話し合っている。
春、冬は中央の床に座っている。夏、秋はそれぞれの椅子に座っている。妖精たちは夏、秋の後ろに立っている。
舞台が明るくなる。

秋　今は、春の妖精に仕事を任せているんですよね？
妖精1　はい、ですけどー。
妖精2　そろそろ私たちの力では限界です……。
秋　そうですか。
春　また、妖精たちにお世話になっちゃった……。
妖精1・2　大丈夫ですよ！
冬　みんな、春の今の状況はわかっているから。
夏　いつでも、頼ってくれよな。
春　みんなごめんね。
夏　なんで謝るんだよ。困っているときは、お互い様だ。
春　うん。夏、ありがとう。
夏　（照れながら）べ、別にー、何もしてないからぁ……。
妖精1　それでは、私たちは仕事に戻ります！
妖精2　また来ますね！
春　ありがとう、行ってらっしゃい。

妖精たちは下手に去る。

夏 でも、桜が咲かないって、相当やばいな……。

冬 ……春の力が弱まっているのは、いったい何が原因なのかしら……。

春 ……私、もう1回挑戦してみるね！

春が下手に向かい、袖に入ろうとする直前に、上手から影が現れる。全身黒ずくめな上にフードを目深にかぶっているため、顔が見えにくい。一目で怪しい存在だということが伝わる。

影 （現れるや否や）やあやあ、四季の皆さん、こんにちはーー。

言い終わりを待たずに目がくらむような強い光が差し込み、2、3秒ほど影の姿が見えづらくなってしまう。

夏 （光が消え去ってから）誰だ、お前？

影 まあまあ、そんなに警戒しないでくださいよ。……そうですね、影とでも名乗っておきましょうか。

秋 ……あなたは、どうしてここに来たのですか？　第一、ここは我々神と妖精しか入れないはずですが。

影 うーん……こう見えてもわたし、一種の神ですから。

夏 ……あ、思い出した！

秋 どうしたのですか

夏 こいつ、つい最近、春を訪ねてきたやつだ！　その時に春はいなかったけど……話しかけようとしたらどっかに行っちゃったんだよ！

影 はい。以前、夏さんとお会いしましたね。皆さんは、私がここに来た理由を分かっていらっしゃいますか？

春 知らないけど……。

影 そうですか……ここに来た理由は、ある人の願いを叶えるためなのですが……。

冬に目をやり、目が合うと、一瞬にんまりと笑う。

影 どうやら私の間違いだったようです……では、また。

下手袖に向かいゆっくりと歩き出す。それに合わせて、四季たちは少し身を引く。

影 （冬のそばを通り過ぎるや否や）あ！　思い出しました！……冬さん……。

冬 何ですか？

しばし間をとり、ゆっくりと冬の方に振り返る。

影 あなたが「消えろ」なーんて言わなければ、春さんがこんなことにはならなかったはずなのに……。

影、下手に去る。去った後、春、夏、秋は冬の方を見る。

夏　冬……？　どういうことなんだよ？

秋　冬、教えてください、あなた、影っていう方と何か関係しているのですか？

冬　私、知らない！　あの人も‼「消えろ」なんて言った覚え、ないわよ！

春　……冬の、せいなの？

秋　春……。

春　(遮るように) ねえ、「消えろ」って、いつ言ったの？

冬　だから！　言った覚えがないって……‼……あ……。

春　何？　何か思い出したの？

冬　一つだけ……思い当たることが……ある。

春　何？　言って……？

冬　前に、春と喧嘩したでしょ？

春　喧嘩？……あー、そういえば、そんなこともあったね。

冬　私も春も、イライラして。その時、春に言ったじゃん。

春　……なんて言ったっけ？

冬　………「春なんて消えちゃえ」って……。

回想場面へと転換していく。舞台手前が暗くなると同時に、秋と夏は上手袖に消え去り、春と冬は平台上に上がっていく。

春と冬は対峙し、口論をしている。

春　冬はずっと、私のことをいらないって思ってたんだよね？

冬　そういうことじゃないでしょ？

春　でもさ……。

冬　もういい！(立ち去るために春のそばを通り過ぎた後、立ち止まり、振り向いて) 春なんて消えちゃえ！

回想が終わる。ゆっくりと明かりが戻る中、春、夏。秋、冬は元の場所に戻る。

春　何でそんなことを、簡単に口に出して言うの？

冬　……あの時は……状況が、あれだった……そ、それに……本当に消えるなんて思わないよ！

春　でも、現に今、ここで消えかけてるんだよ？……分かる？

冬　分かってるよ！

春　冬は昔からそうよね。その場で思ったことをどんどん言っていって。やたらと周りを振り回す。……少しは良くなってるって思ったのに、ちっとも変わってないじゃない！

冬　それを言うなら、春だって変わってないじゃん！　自分の仕事をぎりぎりまでため込んで、最後の最後でその仕事を手伝う羽目になっているこっちの身にもなってよ！……春さ、手伝ってもらっているのに、自分からお礼を言ったことないでしょ？　しかも、最近ずっと妖精たちに温度調節の仕事を任せっきり！　春だって言えないじゃん！

春　そんな風に思ってたんだ……じゃあ、そんなのが消えてくれて、嬉しいでしょうね！
冬　そこまでは言ってない！
春　……冬なんて嫌い！　冬だって消えちゃえ！
冬　え？

春、言い捨てて下手に去ろうとする。すかさず夏が止める。

夏　春！　落ち着け。
春　落ち着けって……夏は自分が消えないから、そんなことが言えるんだよ！
夏　……確かに、確かに消えねえけど……でも、春。冬も悪気があって言った訳じゃないんだぞ？　誰だって、その場の雰囲気でついポロっと言っちゃうこと、あるだろ？
春　あるけど……。
夏　だったら、冬を許してやればどうだ？
冬　私、春に酷いこと言ったよね……それで春の力が弱まって、消えそうになって……！　春が消えちゃったら、どうすればいいかわからないよ……ごめん……春……。
春　……冬……。
夏　（重い空気を振り切るように）春、心配すんな。春に何かあったら、俺がぜってー守ってやるからな。
秋　えぇ。
冬　みんなで協力すれば、春は消えないと思うの。
春　うん……でも、冬。これだけは確認させて……。
冬　……何？
春　本当に、悪気はなかったの？
冬　悪気なんて、1ミリもなかった。
春　……分かった。
夏　（春と冬の様子を確認してから）これで一件落着だな！
秋　そうですね！……って、何も解決してないですよね？
夏　ですよねー。

やっと和やかな雰囲気に戻り始める。

春　……私、ずっとみんなと一緒にいたい！
夏　……（しっかり向き合って）春、お前は消えない。
春　消えたらどうするの？
夏　その時はー、その時は……、（秋を見て）な、秋？
秋　まぁその時は、私たちが全力で春をお守りします。それに、あなたがいなくなったら、誰が春の仕事をするのですか？
夏　確かに。
冬　春は絶対消えない。
春　（噛みしめるように）私、消えないから……！　絶対、消えないから……！

ゆっくりと舞台が暗くなり、中央のサスライトのみが光る。

春、中央のサスライトに向かって進んでいく。暗がりの中を、上手から中央サスに向かって影も近づいて来る。

春　だって春は、四季に絶対、必要だもんね。

いつの間にか影が春の背後に回り込んでいる。背後から春を取り込んだ瞬間、舞台は闇に包まれる。暗転。

長い時を経ている。

季節は冬。冬の澄んだ空気を感じさせる明かりで満たされている。

舞台奥の平台では冬が舞っている。1段上の平台では冬の妖精たちが舞っている。

明るい音楽とともに、季節神たちの日常が始まるかのように思える。

だが、舞台手前には、4つではなく3つの椅子。夏、秋、冬の順に並べてあるが、春の椅子があったはずの場所には何もない。

夏　秋……暇だあ！

秋　（本を読んでいる）……。

夏　秋……！　暇だ暇だ暇だ暇だ暇だ……!!

秋　今、本を読んでいるのがわからないのですか？

夏　分るけどさーって、それ、前に読んでた「眼鏡なんちゃらかんちゃらのつぼ」？

秋　なぞ！

夏　そう！　なぞ！……下巻、出たのか？

秋　ええ！　出ましたとも。

夏　ちなみに最後はどうなるの？

秋　それはあなた自身で読んで確かめてください！

夏　っち、つれねーな。秋、話は変わるんだけどさ、気になることがあるんだよね。

秋　何ですか？

夏　三季ってさ、なんで冬だけ6か月なの？　1人、4か月ずつでいいじゃん！

秋　そんなことを言われても、私も知らないのですよ。しかし、確かにおかしいですよね。我々夏と秋が3か月ですから、もう1人季節の神がいたかのようですね。まるで、冬が、そのもう1人の季節の神を取り込んだかのよう。

夏　なーにカッコつけてんだよ！

秋　か、カッコつけてなど、いません！

夏　はは！

冬が仕事を終え、下手から登場する。

冬　次は夏の番だよ。

夏　おう！　分かった！　冬、お疲れ様。

秋　今年も桜がきれいでしたね。やはり冬の名物は、桜と雪ですよね。

夏　そういえば、冬。どうして去年は桜が咲かなかったんだ？

冬　確かに……どうして桜が咲かなかったのかしら？　体調を崩した覚えはないし……忘れちゃった。
夏　冬は忘れっぽいなあ！　じゃあ、そろそろ行ってくる！
冬　行ってらっしゃい。

夏、下手に去り、間もなく平台下手から登場し、平台上で舞い始める。

秋　そういえば、冬。最近、花の咲く時期が遅れている気がするのですが……。
冬　最近、花を咲かせるのが遅くなっている？
秋　まったく……。本人が気づいてないとは……。
冬　……疲れたのかな？
秋　そうかもしれませんね。ゆっくり休んでくださいね。
冬　その話で思い出したんだけどさ……。
秋　なんですか？
冬　この前、夢の中に傘を持った少女が出てきて、私に何か言ってきたの。
秋　なんて言ってきたのですか？
冬　えっと、「冬、大変でしょ？　もう少しの辛抱だからね。」って。
秋　「もう少しの辛抱」……？それって、どういう意味でしょうか……？
冬　分からない……。……なんか疲れた。散歩してくる。

中割り幕が閉まり始め、椅子が見えなくなる。舞台上は薄暗くなり始める。秋は中割り幕の中へ消え去る。
激しい雨音が聞こえてくる。
中割り幕は、人一人が通れるくらいの隙間が空いている。
冬が下手から現れる。

冬　最悪……夏ったら夕立にしないでよ……。

影が上手から登場する。

影　やあやあ、冬さん、お久しぶりです。
冬　……誰ですか？
影　わ、忘れられているなんて……しくしく、悲しいです。まぁ、忘れさせたのは私なんですけどね。
冬　どういうことですか？
影　(無視して) 冬さん、どうですか、願いが叶った気分は。
冬　願い……？
影　(問いかけには答えず) ほんと、何であるんでしょうねぇ～、季節たちによる「潰しあい」。
冬　「潰しあい」？……夏と秋が……？……2人に何かあったんですか？　教えてください！
影　落ち着いてください。……季節たちによる潰しあい。なんて、愚かなものなんでしょうね。……私も、かつてはその1人だった……。……私は、親友だと思っていた相手に、言われてしまったのです。「消えろっ」と……。すると、みるみる力が……。おっと、ついつい話しすぎてしまいましたね。

冬 ……何の話をしているんですか？

影 冬さん、あなたは、冗談で言ったあの言葉が、現実になるとは思わなかったでしょう？

冬 ……あの言葉……？

影 大切なものは、失ってから気づく。言ってはいけないことは、言ってから気づく……。

冬 大切なもの？　何を言って（るんですか）。

影 そういえば。自己紹介がまだでしたね。私、神と言っても、「疫病神」です。あなたは、そんな神に、大切な大好きな友達、いや、親友を売ってしまったのです。

冬 大好きな……親友？

影 やはり冬さん、故意的に言ったのではないのですか？……ま、これからは、言動には気をつけてくださいね。（去ろうとする）

冬 待って！

影 （振り向いて）何ですか？　あなたに話すことは、もう、ないのですが？

冬 大好きな親友って誰のことですか？　私にとっての親友は、夏と秋しかいません。いったい誰のことなんですか？

影 誰って言っても……あなたが忘れているだけですよ。

影が上手に退場する。いつの間にか、中割り幕の向こうから、黒い傘を差した春が近づいてきている。

春は、黒い布をまとっている。傘のせいで表情も見づらい。声も幾分低くなったように感じられる。

冬 もう、夏……！（去ろうとする）

春 待って。この傘、どうぞ。

春は冬に歩み寄り、無理やり押し付けるように傘を渡す。

冬は、それが春だとは気づいていない様子である。

冬 あ、ありがとうございます……？

冬は下手側に退場しようとする。春が呼びとめると同時に舞台上下手にそれぞれサスライトが当たる。

冬は下手サスの中へ、春は上手サスの中へと入る。２人は、傘をさしたまま、前方を向いて会話する。

春 冬さん、あなたは十分頑張りました。もう我慢する必要はありませんよ。

冬 ……あなたは誰ですか？　ここは、私たち神と妖精しか入れないはずですが？

春 冬さん、思い出せないのですか？　約束……しましたよね？

冬 約束？　私、あなたと何かを約束しました？

春 春って、四季に絶対必要ですよね？

冬 春？　四季って何ですか？……もしかして、三季のことを言ってるんですか？

春 （少し動揺して）えっ……三季？

冬　日本は、三季でできているんですよ。私と夏、秋の3人で三季です。
春　……3月からの月って誰の季節なの？
冬　それは、私ですね。なぜか分からないですけど、私だけ6か月あるんです。不思議ですよね。
春　（わざとらしく）ねー……なんでだろうね？……（声を低めにして）なぜだと思います？
冬　なぜ……ですか？
春　――あなたが、私を消したから。
冬　え？　消した？……わ、私が……あなたを……？
春　はい。あなたが、私を。……早く行きましょう？
冬　え？　どこへですか？
春　とおーっても遠い場所ですよ。
冬　遠い場所って……？？……行きませんからね！
春　いいえ。――あなたは、必ず行くことになる。だって、もう思い出せないのでしょう？
冬　……え……？

春は傘を閉じてはっきりと顔を見せる。閉じた傘の持ち方、立ち姿が毅然としている。
冬は、向き合っていた存在が春であるということにやっと気づく。

冬　もしかして……春？　春?!
春　やっと思い出したんだ？

春が1歩前に進むと、反対に、冬は1歩退く。

冬　いや、来ないで！
春　冬、もう1回聞くよ？
冬　な、何？

春、怪しげな笑みを浮かべる。

春　春は、四季に絶対、必要だよね？

冬、傘を取り落としたまま、その場に立ちつくす。
春、笑みを浮かべたまま、その様子を見つめている。
音楽が高まる中、ゆっくりと闇が深くなる。

――幕――

ココロノムスビ

橘 里多

登場人物

［人間界］

椛《もみじ》　出雲大社にやってきて日の浅い巫女。

きり　京子先生の娘。押さない頃から舞の稽古を受けていた。

梅　きりの取り巻き。桃と双子。

桃　きりの取り巻き。梅と双子。

すみれ　去年までの神等去出の舞い手。なぜか今年はやめると言い出す。

京子　神楽の先生。かつて出雲大社の巫女をしていた。

津田　水引職人。出雲大社のいろんなことを知っている。

愛子　はじめの彼女。

はじめ　愛子の彼氏。

［神の世界］

オモヒカネ　神力が下がったことにより、様々な悩みを抱える気象の神。

アマテラ　天照大御神。神の世界の中心的存在。

ウズメ　神の世界の癒し系キャラ。

オオクニ　神在祭の司会進行担当。大国主命。出雲大社に祀られている。

スサノオ　神の世界のチャラ男。好きなものは酒と女。

ツクヨミ　神の世界の根暗。好きなものは酒とゲーム。月に住んでいる。

電電　Wi-Fiの神様。実在する神ではない。

式神たち　オモヒカネの手下。オモヒカネの言うことを聞かない。いっぱいいる。

横浜市立日吉台西中学校、2019年12月28日、初演。

【第1場】

幕開き。波の音。そして雨の音。すこしずつ雅楽の音楽。数人の出雲大社の巫女が外で雨に打たれながら海辺で神迎祭《かむかえさい》の舞を踊っている。薄暗い明かり。雷が鳴り、土砂降りに。式神たちが巫女たちを取り囲む。かろうじて舞が終わった巫女たちが急いではける。しばらく式神による嵐の踊りが続き、式神たちがはけると同時に中割りが閉まる。きり、梅、桃、椛が雨から逃れるように急いでやってくる。

きり　今年の神迎祭、雨なんて最低。

桃　11月の暮れだし、濡れると耐えきれませんね。

きり　今までこの日に雨が降ったことなんてなかったのに……。

タオルを手にした津田がやってくる。

梅　津田さん。お疲れ様です。（津田に気がついた巫女たちが礼をする）

津田　雨の中大変じゃったね（椛に）お、あなたが椛さんですかい。

椛　はい。

津田　水引を作っている津田ですよ。（巫女たちにタオルを配りだす）

椛　よろしくお願いします。

巫女たちは濡れた装束をタオルで拭っている。

津田　ああそうそう、今年から神等去出《からさで》を舞う人が変わるみたいね。

巫女　え!?（一同ざわつく）

椛　あの……神等去出って？

津田　ああ、椛さんにとっては初めての神在祭《かみありさい》だからねえ。

きり　神在祭って説明したよね。

椛　はい。出雲大社は全国の神さまが旧暦の10月にこの出雲大社に集まる。その神様をお迎えする期間が神在祭。

津田　そう。だからここでは旧暦10月のことをかみなしづきの神無月、ではなくて神在月《かみありづき》って言うんだよ。見えなかったけどさっきの舞で八百万の神を迎えたんだよ。

椛　わあ、出雲大社ってやっぱりすごいですね。

津田　で、その神様を逆に元の神社にお送りするのが神等去出祭。そこで踊るのが神等去出の舞。この神在祭で1番重要な奉納舞なんだよ。

きり　巫女の中の巫女が舞うの。1人だけしか舞えないのよ。

桃　神楽の大先生である京子先生が、毎年舞い手を決めるのよ。

梅　いままでずっとすみれさんが務めていたのに、どうして……？

桃　津田さん、何か知ってることありませんか？

津田　そうさねえ……今、出雲大社は御遷宮をやっているじゃろ。60年に1度の、大事な節目の時期じゃ。人間で言う還暦と一緒さね。そういうことなのかもしれないねえ。
椛　出雲大社もいろんなお宮が次々に修理されていますもんね。
津田　そう。またすべてが新しくなると同時に一からやり直し。それも縁のひとつさね。お宮の修理をしたり、御屋根をふきかえたり……ああ、あれも新しくされるんじゃよ。神等去出の神楽鈴。
椛　神楽鈴!?
きり　なによ急に。
椛　あ、いや、すみません。
津田　さあ、風邪をひくんじゃないよ。神在祭ははじまったばかりじゃからの。
巫女たち　はい。

津田はけると同時に京子先生とすみれ登場。

京子　みなさん、ご苦労様。
巫女たち　京子先生。（揃ってお辞儀をする）
京子　今年はあいにくの雨で大変だったわね。無事に終わって良かったわ。
梅　あの、神等去出のことなんですけど……すみれさん、今年は踊らないって本当ですか。
すみれ　本当よ。
京子　だれか踊ってみたい人はいる？
きり　やります。

梅と桃が拍手。

京子　じゃあ、きりにお願い……。
椛　（くいぎみに）あの、私立候補していいですか。
巫女たち　えっ。（驚く）
きり　あなた、来たばっかりなのに何言ってんの。
桃　きりさんの言う通りよ。
すみれ　来たばっかりで挑戦するのは大変なんじゃない？
椛　でも、どうしても今年がいいんです。わたし、前の神社でも奉納舞は舞ってました。練習をがんばりますのでおねがいします！
京子　……じゃあ、ちゃんとお稽古したあとみせてもらうでいいかしら。いっておくけど時間はないわよ。
椛　はい！　ありがとうございます！

京子すたすたとはけていく。態度が豹変する梅と桃。

梅　ちょっと、何を考えてるの？
桃　きりさんは京子先生の娘なんだから。
椛　（驚いて）え、そうなんですか。
梅　かなうわけないでしょ。
きり　（梅と桃を遮って）あのさ、いっとくけどそういうの関係ないわ。でも神等去出を踊るのは私よ。

双子拍手。

きり　椛さん。

椛　はい。

きり　絶対に負けないわ。

椛　……はい。

颯爽と去っていくきりを、梅と桃が追ってはけていく。気圧されて背中を見つめることしかできない椛。その様子を見守っていたすみれがすかさず声をかける。

すみれ　なかなかの宣戦布告だったわね。

椛　すみれさん。

すみれ　きりは小さいときから京子先生に稽古をつけてもらっているから、かなりの舞い手だよ。

椛　でも、挑戦したいんです。

すみれ　そっか。応援する。いつでも見てあげるからね。

椛　ありがとうございます！

【第2場】

すみれ、椛はける。中割が開く。そこから神々が出てくる。出雲大社に到着した神々。厳粛な空気が張りつめる中、その空気を破るように、オモヒカネが大きなくしゃみをすると式神たちがわあわあ叫びながら走り回って神議《かみはかり》の場を荒らす。ホリの色がちかちか変わったり、せわしない様子の舞台上。翻弄される神々と、それを追い払おうとするオモヒカネ。

オモヒカネ　おい式神ども静かにしろよ。ここは神議の会場だぞ。いうこと聞けってば！

そこへオオクニヌシノミコトが怒りながら入って来る。

オオクニ　しずかにさせろよオモヒカネ!!

オモヒカネ　（慌てて）さーせん！（式神たちに）しっしっ。

神々が必死に追い払おうとするが、言う事を聞かない式神たち。

アマテラス　（式神たちに）ちょっとあっち行きなさいよ！

スサノオ　なんだよこいつら。

ツクヨミ　ちょ、俺のswitch返せ！（式神たちとswitchを取り合う）

てんやわんやになりながら、なんとかしてオモヒカネが式神たちを追い払う。

オオクニ　（一段落してから、やれやれという感じで咳払いをして）それでは神議に入る。皆も知っての通り、今年は60年に1度の式年遷宮《しきねんせんぐう》の年だ。

みんな　はいっ。

オオクニ　その時期に慣例でやらなければならないものが

ありますそれは……。
神々　それは？（真剣に）
オオクニ　健☆康☆診☆断☆で〜〜す！

神々、またきたか、という感じのリアクション。
ホームルーム中の教室のようにざわざわしている。

ウズメ　やだ〜太ってたらどうしよう。
スサノオ　うずめちゃんが太ってても大好きだよ。
アマテラス　きも。
ツクヨミ　あいつ月でかぐや姫にふられてたよ。
電電　データによりますと、スサノオ君がウズメさんに振られる確率は120％ですね。
ツクヨミ　数値バグってんじゃん。
オオクニ　というわけで先日行われた健康診断の結果を返す。

それぞれとりにくる。みんなが結果を見て一喜一憂する。

ツクヨミ　やばい。肝臓の数値が。
オオクニ　飲みすぎだ。
アマテラス　悪玉コレステロール値が高いわ。
スサノオ　悪玉だから仕方ないんじゃないの。
アマテラス　なんですって！　実の姉になんてこと言うのよ！（スサノオに掴みかかり、取っ組み合いになる）
オオクニ　電電明神、データで送るぞ。（ipadみたいものをいじって送信する）
神々　データ？　いいなあ。
アマテラス　消せるもんね。
電電　改ざんもできますね。

それぞれ結果にワイワイする。
結果に愕然としたオモヒカネの声が喧騒を切り裂く。

オモヒカネ　あの、オオクニヌシ様！
オオクニ　なんですかオモヒカネ。
オモヒカネ　おれ、アレルギー反応星よっつついてるんですが。
ツクヨミ　ハウスダスト？
スサノオ　（みんながよってきてオモヒカネの健康診断結果を見て）……こいつ。
ツクヨミ　まじで。
オモヒカネ　神力が。
神々　12％?!
オモヒカネ　信じられない。
アマテラス　だから、式神が言うこと聞かないのね。
ツクヨミ　つか、12パーだったら天気操れなくね？
アマテラス　天気の神のくせに。
ウズメ　それで今日の神迎祭雨だったたってわけ？
アマテラス　ちょ〜寒かったんですけど海からお宮に入らなきゃいけないし。
電電　私のパソコン、やられるところでした。

ウズメ　ウズメのフェラガモの靴汚れちゃったんだけど！

　口々にオモヒカネを責める神々。アマテラスのひときわ大きい声が響く。

アマテラス　そうだ、この間の伊勢神宮の神嘗祭《かんなめさい》、雨だったんですけど！　伊勢神宮雲一つない晴天にしろってラインしたでしょ！　私太陽の神よ！

オモヒカネ　申し訳ありません!!　ですがアマテラス様、最近これでもかってくらいうまくいかず……。

アマテラス　何それ！　こんなスタンプ返しといて。（と、神々を指差す）

神々　任せてにゃん！（揃ってスタンプの真似をする）

オモヒカネ　いや、そんなのもってないっす。

アマテラス　うるさいわね。まじやくたたず！

　わちゃわちゃする神々。

　雨の中、下手からカップル（愛子とはじめ）が相合傘でいちゃいちゃしながら参拝に来る。

愛子　今日も雨だね。

はじめ　そうだね。

愛子　でもいつもより、かっこいいよ。

はじめ　ありがと、愛子もかわいいよ。

愛子　ま、せっかく神社に来たんだし、お祈りしよ。

はじめ　そうだね。

　お賽銭を入れ、がらんがらんと鈴の音が鳴る。礼と柏手をしてお祈りする2人。その様子に気がついたアマテラスとオオクニが、オモヒカネの背を押す。

アマテラス　あら、誰か来たわよ。

オオクニ　ほら、オモヒカネ。行って来い!!（オモヒカネ、嫌そうに行く）

愛子　私たちの幸せがずっと続きますように。

はじめ　声に出すなって。（いちゃいちゃする）

オモヒカネ　はーっくしょん!!!（大きなくしゃみ）

アマテラス　ちょっ馬鹿っ。（くしゃみをしたことでオモヒカネが2人に見えてしまう）

愛子　キャーーーー!!（オモヒカネを見て失神する）

はじめ　愛子ー!!　不審者！　不審者出ました!!!

　カップル叫びながらはける。

　慌てふためく神々。

オモヒカネ　え!?　なんで見えちゃったの？　見えないはずなのに。

電電　（PCを見ながら）ヤホーによりますと、神力が下がったオモヒカネがくしゃみをしたはずみで姿が人にみえてしまったらしいです。

オモヒカネ　まじで？　そんなことあるんすか？

ツクヨミ　ハウスダストアレルギー。

スサノオ　だれかナノイーエックスつけろ～!!

舞台上をどたばた駆け回る神々。その様子を見て呆れるオオクニ。

オモヒカネ　あの、いったいどうしたら神力がもどるんですか？
神々　さあ？
ツクヨミ　オモヒカネいくつだっけ？　ほら遷宮《せんぐう》の年くるし、厄年。なんじゃね？
オモヒカネ　厄年！
スサノオ　まあ、ある意味人生の試練というか試験みたいなもん。
オモヒカネ　試験？
ウズメ　それに合格すれば、神としてのランクが上がるってゆーか。
オモヒカネ　なるほど。
ウズメ　神も試練を乗り越えて成長するんですよ。
アマテラス　私も若い頃やったわーなつかしー。
オオクニ　あれえ、アマテラスってえ、いくつだっけえ？
アマテラス　殺す。

【第3場】

転換。中割り閉まる。

上手のみ明かり。
夜、沈黙の中、独りで舞の練習をする。
椛の衣擦れの音だけが舞台上に響いている。
椛、ふとため息をつき、へたり込んでしまう。

椛　はあ～だめだ。ぜんぜんうまくいかない。これじゃ絶対間に合わない。

そこへすみれが通りすがる。

すみれ　あれ、椛ちゃんどうしたの。
椛　あ、すみれさん　少し悩んでしまって。
すみれ　そっか。大丈夫？　あと10日だもんね……。
椛　大丈夫です。

すみれがうん、と頷いて去ろうとする。はけるぎりぎりで椛が呼び止める。

椛　……あ、あの、すみれさんって、去年まで神等去出を踊ってらしたんですよね。
すみれ　そうだけど？
椛　神等去出の神楽鈴って、ご覧になったことありますか。
すみれ　そりゃあ、あるけど……（何かを察して）詳しいことは教えられないわ。
椛　えっ。
すみれ　神等去出を踊った人だけが知るものなのよ。

椛　そうですよね……すいません。

なんとなく沈黙が生まれる。

すみれ　急に今年は踊らないとか言っちゃって、みんな困ってるよね。ごめん。

椛　そんなことないです！……でもどうして？

すみれ　私、結婚するんだ。

椛　え！　おめでとうございます！

すみれ　ありがとう。結婚したら向こうのお家に入るから出雲を出なくちゃいけないの。御遷宮に合わせていい区切りだなとは思うんだけど、でもやっぱり急に辞めちゃうことになってみんなに迷惑かけることに。

椛　（かぶせて）そんな！　迷惑なんかじゃないです！　神様が結んでくださったご縁じゃないですか。ですからすみれさんはすみれさんのご縁を大切にしてください。

すみれ　そうね、椛ちゃんの言うとおり。奥で神様が一生懸命会議なさってるのに、こんなことといったら罰があたるわ。

椛　会議？

すみれ　私たちがお迎えした神様は、この神社で神議《かみはかり》っていう会議をなさっているの。縁結びの話し合い、男女だけじゃなくてあらゆる人の縁。

椛　じゃあ、ここで私がみなさんとお会いできたのも神様が結んでくださったご縁ってことですね。

すみれ　そういうこと。さあ、練習みてあげるよ。

椛　はい！……それにしても、神様って本当にすごいな。きっと今も寝る間を惜しんで人の縁を結んでらっしゃるんだろうなあ。

【第４場】

中割りが開き、神の世界。照明変化。
なぜかヒーローの音楽がかかり神々が１人ずつ出てきてポーズをとる。オモヒカネだけ周りに流されてやってる感じで困惑がある。

アマテラス　みんな！　いくわよ！

みんな　おう！

アマテラス　アマテラスレッド！

オモヒカネ　オモヒカネーゴールド！

ウズメ　ウズメピンク！

電電　電電Wi-Fi！

スサノオ　スサノオイエロー！

ツクヨミ　ツクヨミパープル！

みんな　我らジャパニーズゴッド！

袖からかなりお怒りの叫びに近いオオクニの声が聞こえる。

オオクニ　何やってるんですか！

みんな　仕事ですが何か？
オオクニ　何の仕事ですか‼（怒りながらどすどすどす歩いて入って来る）
みんな　あれ……なんだっけ？（とぼける）
電電　これです！　東京都在住の寺田心君からのお願いですよ。
アマテラス・スサノオ　（寺田心風に）レンジャーに会いたいんですぅ～。
オオクニ　これは3歳児のお願い事でしょ⁈　俺たちがするのはえ！　ん！　む！　す！　び‼‼‼！
電電　オオクニさんこれからそういうのはデータ化っすよデータ化。
オオクニ　データで全部できるわけじゃないんです。
アマテラス　全部ＡＩにまかせちゃえばいいのよ～ねっオモヒカネ？
オモヒカネ　えっ、はい。（適当に答える）
オオクニ　良くないですから！　ねえオモヒカネ！
オモヒカネ　えっ、はい。（適当に答える）
アマテラス　ちょっと！　何あっさり裏切ってんのよ！
ウズメ　ねえ、ウズメおなかすいた。
スサノオ　オモヒカネ、お供え物とってこいよ。
オモヒカネ　え、自分っすか。
ツクヨミ　お前しかいねえだろ。　暇なの。
アマテラス　あたしタピオカミルクティー。
ツクヨミ　俺ニンテンドープリペイドカード。
ウズメ　ウズメウォーターメロンシュガーがいい。

電電　iPhone12で。
オオクニ　俺ミカン。
スサノオ　俺ちゃお10月号。
みんな　おねがいしまーす。
オモヒカネ　お供え物にそんなものあるかな。（神々、明るく送り出してはける）

オモヒカネ、仕方なくとぼとぼ歩く。
ホリ薄い青。外に出る。ふと止め雨雲を見上げるオモヒカネ。じとじと雨が降っている。

オモヒカネ　晴れろ！

カップルが相合傘をさしながら出てくる。
式神たちが出てきて雨の身体表現。

愛子　今日も雨だね～。
はじめ　そうだね～。
愛子　でも、はじめと相合傘できて、嬉しいな。
はじめ　俺も嬉しいよ。（いちゃいちゃする）

その様子を見ていたオモヒカネ。空に向かってすうっと息を吸い、念を唱える。

オモヒカネ　は・れ・ろ！

雨と風が強くなる。式神たちの身体表現が激しくなる。傘で防ごうとするが引き離され、吹っ飛んでいく愛子とはじめ。

はじめ　愛子～!!

愛子　は～じめ～!!

オモヒカネ　はーれーろ!!

天気が変わり雪に。式神たち雪の身体表現。
音楽はクリスマスのロマンチックな曲がかかる。
いつの間にか相合傘に戻って隣同士くっつくカップル。

愛子　雪ねえ。

はじめ　そうだね。

愛子　ホワイトクリスマスね。

はじめ　そうだね。

愛子とはじめが見つめあいそして、傘を陰にして2人はキスをする。いい感じの雰囲気で下手にはける。

オモヒカネ　最悪だ……。くそ！　なんでだよ！（少しいら立ちながらはける）

【第5場】

上手から椛とすみれが会話をしながらやってくる。外に面した渡り廊下のような場所で、2人はしんしんと降る雪を眺めている。

すみれ　この時期に雪が降るなんて。今までこんなことあったかしら。

椛　異常気象ですかね。

2人の背後からきりの鋭い声が刺さり、振り返る。
きりの一歩後に梅と桃。

桃　練習してもむだなんじゃない。

椛　きりさん……。

きり　今年の神等去出を舞うのは京子先生の娘であるこの私よ。

梅　きりさんは3歳の時から稚児舞《ちごまい》を舞ってらしたんだから、格が違うわよ。

梅・桃　ねー。

桃　きりさんの舞は完璧よ。

梅　あなたみたいに下手な人が舞ったら、神社の名に傷がつくじゃない。

きり　そこまで本当のことを言わなくていいわ。

桃　きりさん、なんてお優しい。

梅　新入りのあなたが舞えるような代物じゃないことくらいわかるでしょ。さっさと諦めたら。

きり　……。（梅、桃に。少し呆れたように）あなたたち、少し外して頂戴。

桃　え、でも……。

すみれ　ほら、私たちは行きましょ。

すみれが梅と桃を連れてはける。はける3人を見送る椛。おずおずときりの方を振り返る。対峙するきりと椛。鋭い眼差しで椛を見つめるきり。押し負けてきりの眼を見れない椛。

椛　……。

きり　私の家が、代々出雲大社にお仕えしているのは知っているでしょう。

椛　はい。

きり　私は生まれたその日から、家の名に恥じない巫女になるよう仕込まれてきたの。神楽だってそう。神楽の師匠である京子先生は私の親だけれど、「おかあさん」と呼ばせてくれたことはないわ。

椛　……。（きりの心中を察するが、返す言葉が見つからない）

きり　神等去出の舞い手は名誉ある役職。それくらい厳しい世界で生きてきて、ようやく踊れるようになるものなの。私は神等去出を踊るために幼いころから練習を重ねてきた。やっと巡ってきたチャンスを。みすみす逃すわけにはいかないわ。

椛　……はい。

きり　あなたは、どうしてそこまで神等去出を踊りたいの。

椛　……。（小さな声で）私は。

きり　どうしてなの。

椛　……私は！

京子　（さえぎって）それくらいになさい。（袖からやってくる）

2人　京子先生。

京子　それぞれ練習しているところを見させてもらったわ。

2人　……。（2人とも罰の悪い顔をする）

京子　あなたたちには足りないものがまだあるわね。

椛　足りないもの？

京子　それが何かがわかった人が神等去出を踊ることができそうね。

椛　なんですかそれは。

京子　それは自分で考えなさい。そしてそれが自然と舞に表れるでしょう。さ、休憩にしますよ。

きり　はい。

椛　私はもう少し。

京子　好きになさい。

【第6場】

静かになる舞台。

舞の練習をする椛。

あてもなく歩いているオモキカネが舞台上にやってきて、椛を見つけ、周りを興味深く見つめる。

最悪のタイミングでオモヒカネがくしゃみする。
オモヒカネの姿が椛に見えてしまう。

椛　だれ？　だれ？　だれだれだれ!!!!　京子先生！　すみれさん！　助けてー!!!（舞台上を駆け回る）

オモヒカネ　変な人ではありません。オモヒカネです。

椛　……オモヒカネとか言ってますよこの人!!!!

オモヒカネ　神なんです。マジでマジで。

一騒ぎして少し落ち着いてきてから。

椛　神様？　えっえっ…………すみませんでしたあっ!!!!（ひれ伏す）

オモヒカネ　いや全然大丈夫だけど……こんな夜遅くまで舞の練習なんかして、どうしたの？

椛　いや……。（間）……実は私新入りなんですけど。神等去出をどうしても踊りたくって。

オモヒカネ　あ、そうなんだ。去年いなかったね。今まで同じ人が踊ってたけど人間界も遷宮でひと区切りってことかな。

椛　そうみたいです。……ところでオモヒカネ様は何の神様なんですか？

オモヒカネ　僕は気象とか天気の神だけど。

椛　そうなんですね。あっ、お願いです！　神等去出祭は晴れにして下さい!!!!（勢いよく礼をする）

オモヒカネ　えっ。

椛　神迎祭は雨だったんですけど、わたし、京子先生がおっしゃっていた足りない何かをきっと見つけて神等去出を踊るので、お願いします！

オモヒカネ　あ、そんなこと、余裕だし？（とついいってしまい、しまったという表情になる）

椛　ありがとうございます！

オモヒカネ　（ごまかすように）にしてもこんな遅くまで頑張れるなんて、すごいね。

椛　はい。新参者が神等去出を踊るなんて無謀でうまくいかないことだらけだけど、絶対にやりたい！っていう気持ちが背中を押してくれるといいますか。

オモヒカネ　そっか、強い気持ちが原動力なんだね。

椛　そうです。……でも神様方の方がご立派ですよ。毎日縁結びのお仕事をなさっているんですよね？

オモヒカネ　……う〜ん、そうだね！（つとめて明るく笑ってごまかす）

椛　私も負けないように頑張ります！

オモヒカネ　じゃ、頑張って！　あ、僕のことは内緒で頼むよ。

椛　はい。（と言ってはける）

【第7場】

いつの間にか神々がオモヒカネの後ろに立って見ている。

アマテラス　いい子ねあの子。
オモヒカネ　わ、びっくりした。
オオクニ　あんな真っすぐで、ひたむきな子、なかなかいないよな。
アマテラス　あたしさ、思うんだけどさ。お賽銭ちゃらんといれてさいろいろ願い事されるじゃない。
オオクニ　でも、なんの努力もしねーんだよな。
ウズメ　お願い事だけするんだよね。
オオクニ　そういうやつの縁は結びたくないっつーか。
オモヒカネ　そうなんですね。
アマテラス　そう。ねえオモヒカネ。
オモヒカネ　はい。
アマテラス　あの子をすこし見守ってみたら？
オオクニ　なんかわかるかもよ。
オモヒカネ　なんかってなんすか。
オオクニ　分からないけど。
ウズメ　何事も挑戦が大事よ。
アマテラス　さ、私たちはそろそろ会議やりますか。すぐに来なさいよオモヒカネ。
オモヒカネ　はい。

オモヒカネを残して去っていく。
一人舞台上にオモヒカネを突然ほこりが取り囲む。
オモヒカネは少し歩くとくしゃみが止まらなくなる。

オモヒカネ　なにこれ？？　ほこり？？

今までで1番大きなくしゃみをする。

オモヒカネ　はーーーーっくしょん!!!!

雷が落ち、今まで1番激しい嵐になる。嵐の夜。
式神たちによる嵐の舞。式神たちに呑み込まれるように囲い込まれ、オモヒカネは倒れみ、動けなくなる。式神たちは、ばらばらにはけていく。
舞台の中央で一人横たわるオモヒカネ、その周りに神々がやってきて、オモヒカネを見つめる。

ウズメ　ちょっと、やりすぎたんじゃない。
アマテラス　でも、この子にとっては必要なことよ。
ウズメ　どうするの、もし起きられなかったら……。
オオクニ　神として民を守るためなんだ。
ウズメ　でも……。
アマテラス　（さえぎって）大丈夫よ。あの子は必ず合格できるもの。厚い雲の向こうには、必ず青空が広がるのよ。

不安げなウズメの背中を、アマテラスがそっと抱きよせる。

オオクニ　今のお前には大切な試練なんだ。何とか乗りこえろ。
アマテラス　あなたを信じて、待っているわよ。

雨の音が強くなりゆっくりと暗転し、同時に中割りが閉まる。

【第8場】

次の日の朝。すみれの結納に使う水引を見るため、津田の水引工房に訪れた椛とすみれ。工房には津田の使う小さな作業机があり、結び途中の水引や使う工具などが置いてある。その周りを囲むように、美しい水引の作品がかかってるパネル、結納で使う華々しい水引細工が入った箱がいくつか置いてある。

すみれ　こんにちは。

津田　ああ、いらっしゃい。すみれさん、いろいろできてますよ。

椛　わあ、素敵。（と言って水引の作品を見る）

津田　椛さん、水引を見るのははじめてかい。

椛　ご祝儀についているものくらいしかみたことありませんでした。

すみれ　最近はご祝儀袋に印刷ですませてたりしますものね。

中割りが少し開き、オモヒカネが椛を見守りに出てくる。椛が津田の周りをうろうろ歩いたり、津田の手元を眺めたりしている。

昨夜の嵐もあり、ときどきふらついてしまう。

津田　椛さん。これが淡路結び。これには秘密があるんじゃよ。（箱から水引の作品を出して椛に渡す）

椛　そうなんですか？

津田　ほどいてごらん。

椛　ほどく？　あれ。どうやって。（何とか解こうとする。色々試すが、上手くいかない）

オモヒカネも椛が解く様子を見る。

津田　（笑って）ほどけない結び方なんじゃよ。

椛　ほどけないんですか。

すみれ　そう。西洋のリボンはほどける結び方だけど、水引はほどけない結び方をするのよ。

椛　どうしてですか。

津田　縁《えにし》じゃ。

椛・オモヒカネ　えにし？

津田　（うなずいて）「えん」と書いて「えにし」と読む。人と人の縁をこうやって結んでいくんだよ。それが水引じゃ。日本人はそういう願いを込めて水引をつくったんじゃよ。

椛　人と人の縁。

津田　ここ出雲にはたくさんの人が縁を結びにやってくる。その心をしっかりとほどけないように結ぶのがわたしの役目さ。
オモヒカネ・椛　心を、結ぶ。
津田　……椛さん、あんたはそれを探しに来たんじゃないのかい。
椛　えっ。（目を見開き、顔を上げる）
津田　神等去出のすずも新しくなってしまう。だから、今年でなければいけないんじゃな？
椛　……はい。
津田　自分の道を信じるんじゃよ。
椛　はい‼（津田の眼を見つめ、しっかり頷く）

椛がはっきりと意志を示し、嬉しいような、置いていかれて寂しいような表情のオモヒカネ。

津田　（すみれに）さあ、すみれさん。結納まで津田のばばがちゃんと仕上げておくからね。心配せんでええでな。
すみれ　はい。ありがとうございます。
津田　ゆっくり見ていきなさい。

津田はける。

椛　すみれさん、わたし。津田さんからすてきなヒントをもらった気がします。
すみれ　そうなの？
椛　はい。
すみれ　テスト、頑張ってね！
椛　はい！
オモヒカネ　心を……結ぶ。

何かを見つけそうで、一言一言かみしめるように大切に言うオモヒカネ。

【第9場】

転換。
いよいよテストの日、音楽がなり始め、椛ときりが舞のテストを受ける。厳しい目つきで見る京子。すみれ、梅、桃はそれを見つめている。京子の側には高杯《たかつき》が置いてあり、布がかかった神等去出の神楽鈴が置かれている。

京子　はい、そこまで。
椛・きり　ありがとうございました。
京子　それでは舞い手を決めましょう。
椛・きり　はい。（緊張感が走る。固唾を呑む巫女たち）
京子　今年の神等去出は……椛さんに舞ってもらいます。
巫女たち　えっ。（驚く）
きり　ど、どうしてですか⁉　わたしは教えていただいたとおりに舞ったつもりです。
椛　わたしはきりさんほど上手に踊れませんでした……。
京子　そうね。舞の技術だけだったらきりのほうが上でしょう。

きり　それじゃあどうして。
京子　きりは、何に気を付けて踊ったの？
きり　私は先生がいつもおっしゃる通り目線や指先に気を付けて舞いました。
京子　椛さんは？
椛　……立候補してからは、どう踊るかに気を取られてばかりだったんですけど……。舞を踊る意味を考えてみたんです。
きり　意味？
椛　この舞は神社の奉納舞として舞われる踊りで……。神等去出は神様をお送りする舞だと伺いました。どうしてこんな踊りができたのかを考えたんです。
京子　それで？
椛　そうしたら、巫女は神様と人間を結ぶためにいるのではないかと思ったんです。水引がほどけない結びのように、神等去出の舞もほどけない結びなのではないか、と……。

間。京子の眼がふっとゆるむ。

京子　……早苗さんも同じことを言ってたわ。
椛　えっ。（驚く）母が？
京子　これを探しに来たんでしょう。（京子高杯の布を取って神楽鈴を取り出す）この鈴は神等去出のときにしか使わない神楽鈴。そしてこの鈴の柄にはこれまで神等去出を踊った巫女の名前が刻印されている。でも御遷宮に合わせてこの鈴は奉納されて、使えなくなってしまう。（間）この鈴を手にできるのは今年で最後……。

間。

椛　……はい。
すみれ　早苗さんは。……亡くなったの？
椛　……はい。
すみれ　……いつ？
椛　私が産まれて、すぐに……。

間。

すみれ　そう……。

間。椛の感情が少しずつあふれ出す。

椛　わたし、母を知らずに育ちました。母との記憶はありません。母のことを知りたくて父に尋ねたら、出雲大社で巫女をしていた、と……。母が働いていたこの神社で少しでも母が生きていたという事を確かめたくて……。
京子　みてごらんなさい。（と言って神楽鈴を渡す）

椛は神等去出の神楽鈴を手に取り、柄に刻まれた巫女の名前を一つ一つ確かめる。やがて母の名前を見つける。

椛　……竹原早苗……おかあさん…………!!!

京子　素晴らしい巫女だったわ。この神社の巫女長で津田さんとも仲が良かったのよ。

椛、静かに涙を流す。

京子　早苗さんも今のあなたと同じことを言っていたわ。人と人との縁を結ぶ手助けをするのが私たち巫女の仕事だ、って。

椛すすり泣く。京子の口調が和らぐ。

京子　椛さん、記憶がなくても、あなたと早苗さんは母と娘という縁《えにし》でしっかりとむすばれているのよ。例え離れ離れになっていても、決してほどけることはないわ。

椛　はい。（涙を見せまいとするが、堪えきれず涙を流しつづける）

京子　きり。

きり　はい。（ハッとして）

京子　舞はただの手順ではありません。そこに心がのってこそ、巫女の舞になるのです。

きり　……はい。

京子　さ、もう少し稽古をつけるから顔を洗っていらっしゃい。

心配そうにきりに駆け寄る梅と桃。大丈夫よ。というようにきりは微笑んで見せる。3人がはけ、涙を拭う椛に寄り添いはける。

それを見届けてから京子もはける。それをいつからかみている神々。

オモヒカネ　アマテラス様。人は短く、終わりのある命を生きるもの。生きる時間が限られているからこそ、その分強い気持ちを持っているんですね。

アマテラス　ほう？

オモヒカネ　そしてその気持ちを「ご縁」って形でそっと後押しするのが、神の役目なんじゃないかな、って。神として出来ることを精一杯して、椛ちゃんに素敵な縁を見せてあげたいです!!　なんか、おれわかったような気がする。

アマテラス　あら、本当？

オモヒカネ　いまなら晴れ、できるかもしれない。おれ、椛ちゃん応援したいです。晴れにしてやりたいです！

アマテラス　そっか。ふふふ。

ウズメ　じゃ、私たちも帰りの支度しよう。

みんな　は〜い。（神々は和やかにはけていく）

【第10場】

中割りが開き神等去出祭の日。

祭りの会場。じとじと雨が降っている。

アマテラス　雨なんですけどー。
スサノオ　大丈夫なのかよ。
ウズメ　何パーセントの神力に戻ったの？
電電　昨日の計測では０パーセントでした。
みんな　え〜〜〜〜。
ウズメ　神等去出始まっちゃうよ〜。

神等去出の衣装を纏った緊張気味の椛。手には母の名が刻まれた神楽鈴を持っている。見送る巫女たち。

すみれ　雨で残念だけど、しっかりね。
京子　早苗さんもきっと見てるわ。
きり　私の分まで、しっかり舞ってきてよね。
椛　はい。（深く頷く。しっかりと目をあわせ、清々しく微笑みあう２人）

椛が立ち位置につく。オモヒカネが深呼吸をする。

オモヒカネ　晴れろ……晴れてくれ…………晴れろ!!

雨の音が少しずつ消え、鳥の鳴き声が聞こえる。それに気がつき、おそれながらも目線を上げ、空を見るオモヒカネ。厚い雲が割れ、その間から一筋の光が差す。光はすこしづつ広がり、深い青空が少しずつ見えてくる。ホリが青に変わる。
椛、差し込んだ光に気がつき、顔を見上げる。オモヒカネが約束を果たしてくれたと分かり、久しぶりに見えた太陽に微笑み、ありがとうと言うかのように一つ深呼吸をする。
神等去出の舞が始まる。舞と共に神々しい鈴の音だけが響く。その様子を見て微笑む巫女たち。

オモヒカネ　晴れた…………!!

オモヒカネを見守っていた神々の顔が緩む。

オモヒカネ　合格でいいんじゃねえの？（うれしそうに）
オオクニ　試練乗り越えたんじゃないですか？　アマテラス様。
アマテラス　ええ。オモヒカネ、合格っと。（チェックリストにチェックする）これでワンステージ上がったわね。
ウズメ　これで正解だったんだね。
オオクニ　良い縁を見つけられたな、オモヒカネ。
アマテラス　信じてよかったわ。おめでとう。（かみしめるように）
スサノオ　さ、俺らも帰ろう。

神様はゆっくりとはけていく。舞が終わった椛は青空を見上げる。舞台上に残り同じ空を見上げる椛とオモヒカネ。

椛　また来年！（と、晴れやかな笑顔でオモヒカネに手を振る）

オモヒカネは感謝の思いを胸に、爽やかに椛に手を振り返す。

椛にはオモヒカネの姿はもう見えないが、存在を感じ取り、返事のように微笑み返す。

やわらかな光に包まれ、神楽鈴の柔らかな音が鳴り閉幕。

ほどけない縁は、これからも続いていく。

あとがき

　私が中学2年生の頃、偶然古事記を手に取り読んだことが、この作品を生むきっかけとなりました。古事記と言われると、難解であるとか、堅苦しいといったイメージがあり敬遠されてしまいがちですが、少しでもその印象が和らぐようにと本作では敢えて軽快に書いております。この作品を通して日本の古典に少しでも親しみを感じていただければと思っております。

　また、実際に出雲大社で行われている神事を基に執筆いたしましたが、物語を作るにあたって事実とは異なる設定をいくつか用いておりますので、ご理解いただけますと幸いです。

　この作品は、大好きな横浜市立日吉台西中学校演劇部の後輩たちが初演し、神奈川県大会でも上演される予定でした。しかし、新型コロナウイルスの影響で県大会が中止になり、上演することが叶わずに涙ぐむ後輩たちのことを想うと、私もまた締め付けられる思いでした。しかし、そんなせわしない情勢の中でも、先生をはじめ沢山の方のご協力を賜り、こうして本作を送り出すことができ、感謝の気持ちでいっぱいでございます。

　最後になりますが、本作が皆様に愛され、そして皆様がかけがえのないご縁に恵まれますよう、心からお祈りしております。

シゲさん家《ち》

森江穂波

登場人物

加藤《かとう》重正《しげまさ》　通称シゲさん。おでん屋の店主。60代後半。6、7年前に妻を病気で亡くしている。おでん屋は、シゲさんが3代目。余命宣告をうける。

相島《あじしま》和人《かずと》　ヤンキー。通称カズ。チンピラに絡まれた灯をかばってけがを負い、おでん屋で介抱される。その時に食べたシゲさんのおでんの味に感動し、常連さんの勧めもあって、シゲさんのあとを継ぐために弟子入りする。22、23歳。

加藤《かとう》灯《あかり》　高校生の時から店を手伝い始めたが、料理が下手くそなので簡単なものしか作らせてもらえない。やる気はあるが、少々不器用である。相島のことを、警戒している。

勝山《かつやま》大蔵《たいぞう》　飲んだくれの常連。シゲさんとは中学校からの付き合い。建築業を営んでいる。

赤木《あかぎ》義徳《よしのり》　シゲさん、勝山とは中学校からの付き合い。おでん片手に熱燗をちびちびあおるのが赤木流。元公務員。

野田《のだ》美玖《みく》　31歳。独身のホラー作家。常連客。

高山《たかやま》智司《さとし》　27歳の会社員。常連客。上司がパワハラ気味。

相島《あいじま》多佳子《たかこ》　22歳の時に和人を生むが、夫に逃げられ、それからずっと、女手一つで和人を育て上げてきた。

田垣《たがき》美江《みえ》　エステサロンを経営している常連客。51歳。

光吉《みつよし》隼人《はやと》　25歳のエリート会社員。灯と合コンで知り合う。

浦野《うらの》穂乃花《ほのか》　灯の友達。合コンの企画者。

チンピラ2人(アニキと舎弟)　灯に絡む。

ヤクザ2人　カズの兄貴分たち。

合コン参加者数名　穂乃花の企画した合コンに灯と参加する。

場面

都会の街角にあるおでん屋。

1年を通して、主に冬。

日暮れから夜更けにかけて、主に夜。

注

☆のセリフ・動作は同時に進行する。

第一場

音楽（「エジプトの幻想」）で緞帳がひらく。

全明り。緞帳が上がりきったら音楽はフェードアウト。

下手寄りにおでん屋。上手袖寄りに褪せた暖簾のついた引き戸があって、ぶっきらぼうにお品書きが書き殴られた、ホワイトボードが立て掛けてある。店内は、舞台奥、つまり常連客の向こうに、年季の入ったお品書きやらホッピーのポスターやらが貼られた戸板が、数枚あり、店の壁を再現している。

常連客（大蔵、義徳、実玖、智司、美江）で賑わっている。

おでん屋。上手側から客が1人入ってくる。

智司　ただいまー。
全員　おかえりぃ。

☆智司がコートを脱ぎながら空いている席に座る。

智司　☆あー寒い寒い。灯ちゃん、お通しと生頂戴、あと……シゲさん、おでんは大根とたまご。
☆シゲさん　あいよ。
☆灯　はーい。
灯　智司さん、遅かったですね。
美玖　彼女でも出来たん？

皆で口笛吹いたりしてひやかす。

智司　やっだなぁ、そんなんじゃないよ。今日、突然上司にプレゼン頼まれちゃってさぁ。慌てて準備してたんだよ。
灯　あちゃー……。お疲れさまです。
大蔵　なぁんだ、とうとうお前にも彼女ちゃんができたかと思ったのによう。
智司　俺だって、そっちの方が良かったですぅー！
大蔵　がっはっはっは。
灯　お待たせしました、生ビールとお通し、あとおでーす。
智司　はーい、あれ？　お通し、いつもと違うね。
灯　はい！　まだ試作品なんですけど。食べてみてもらえますか？
美玖　揚げ出汁豆腐？　美味しそうじゃん。私も頼もうかな。
灯　ありがとうございます。
義徳　試作品なんて珍しいな。シゲ、お前が企画したのか？
シゲさん　いや、こいつがやった。俺は知らん。（咳き込む）
大蔵　なにっ。
灯　大蔵さんはいかがですか？
大蔵　う、うーん。いや、せっかくだけど遠慮しとくよ。もうお腹いっぱいかな……。
美江　まー、せっかく若い女の子が勧めてくれたのに。

大蔵　（小声で）うるせぇっ、俺はいいんだよ！
美江　じゃあ、私がもらうわ。灯ちゃん、私にもくれる？
灯　はいどうぞー。

大蔵と義徳以外の客が灯の作ったお通しを食べ始める、が、あまりの不味さに、息が止まる。一瞬ストップモーション。しかし、灯の手前吐き出す訳にもいかず、目を白黒させながらも飲み込もうとする。

智司　うぐっ、な、なぜ揚げだし豆腐がこ。んな味に……。
美玖　……こ、これはひどい……ごふっ
智司　ちょっとシゲさん／
シゲさん　／俺は知らん。（咳き込む）
美江　あ、あんたたち、もしかして分かってたわね……。
大蔵・義徳　古株なめるな。
灯　あのー、どうでしたか？
☆智司　あ、うん。
☆美玖　え、えーとね。
☆美江　あー、えー……。
智司　お、美味しかったよ、ちょっと天界へ召されかけたけど……。
美玖　ど、独特な味付けだよね。い、一応何入れたのか教えてもらってもいい？
灯　え？　普通に揚げ豆腐におつゆと、大根おろしをかけただけですけど……あっ、そういえば、大根おろしが辛かったから、砂糖を混ぜました。
美玖　げふっ。
灯　あっ、あと、みょうがを添えました。
美江　いや、これ、みょうがじゃなくてささがきしたゴボウだと思う。
灯　えっ、マジですか。
智司　どうりで土臭いと思ったわ。
大蔵　どこをどう間違えたらみょうがに見えるんだ。
シゲさん　ゴホッゴホッ……そういえば、炊き込みご飯にいれようと、ゴボウをささがきした気がする。
全員　それだ！
灯　ご、ごめんなさい！
美江　あら、いいのよ別に。
智司　（おでんを頬張りながら）創作意欲があるのはいいことだよ……あー、おでんうまっ。温まるぅ……。シゲさんお替りー。
美玖　そうそう、気にしないで……じゃー、口直し……じゃなくて仕上げにもう一杯頼もっかな。
義徳　おい、やめとけ。血圧注意されたんだろうが。
智司　どうかしたの。
美江　なんかね、美玖ちゃん、今日の健康診断で血圧注意されちゃったんだって。

健康診断という言葉に、一瞬動きを止めるシゲさん。少し心配そうに声をかける灯。

智司　あー、美玖さん飲んだくれだもんね。

美玖　あぁん？
智司　あ、うそうそ冗談っ何でもないでぇす!!
美玖　あんたねぇ、調子乗ってるとマジでぶっとばすよー？
智司　うわーもうキレ方からして、飲んだくれって感じぃ。
美玖　やかましいわ、独り身の分際でごちゃごちゃ抜かすな独り身ぃ!!
智司　なっ、べ、別に今それは関係ないし、てかあんたも非リアだろー?!
シゲさん　……うるせえぞ、痴話喧嘩は外でやって来い。
智司　☆痴話喧嘩じゃないやいっ!!
美玖　☆痴話喧嘩じゃないやいっ!!

シンクロしすぎて周りは思わず吹き出す。
美玖と智司はブツブツ言いながら食事に戻る。

大蔵　あ。そういえばよう、シゲ、今日店の入口に求人募集の貼り紙みてぇのがあったんだが、ありゃぁ一体何だ？
智司　あーそれ俺も見た気がする。
美玖　珍しいね。てか、初めてじゃない？　そういうの。
義徳　お前、今まで求人募集なんぞ出したことなかったじゃないか。どうした急に。
シゲさん　…………あんまり言いたかぁないんだが、実はここ最近体を壊してな。

大蔵　確かに咳が多い気がするな。
美江　大丈夫なの？
シゲさん　……大したことはねえさ。ただ、もしもの事があった時この店を継いでくれる奴がいねぇんだ。なんせ、娘の灯はお通しもろくに作れねえし……。
大蔵　確かに、店を任せるには、ちょっとなあ……。
灯　ぬぬう……。
シゲさん　親父から継いだ店だしできるだけ店は続けたいが、もし誰も来なけりゃ、皆には申し訳ないけど潔く店を畳ませてもらう。
義徳　お前、そんなに悪いのか。
シゲさん　……なぁに、ただの風邪だ。でもこの歳だしよ、なにもないって訳じゃあない。
大蔵　……この先の事を考えて、だろ。
シゲさん　……ああ。

皆、少し重い雰囲気。

智司　……まぁ、まだ畳むとは決まってないんだし、そんな暗い顔したってしょうがないでしょ！
美江　そーね。
美玖　飲も飲も！　シゲさんの健康を祈って乾杯でもしよ！
大蔵　お前はお冷でも飲んどけ高血圧。
美江　おっさんはちょっと黙ってて♡（圧）
灯　ふふふ。

義徳　乾杯だ乾杯っ。
智司　ほら、大蔵さん音頭お願いしますよ。
大蔵　おう。えー、ごっほん、それではぁシゲの健康と、この店の末永い繁盛を祈って……乾杯!!
皆　かんぱぁい!!

皆で乾杯をする。
和やかな雰囲気。
ゆっくりと暗くなっていく舞台。まるで暗い先行きを暗示するかのように、最後はぷつんと光が消える。

第二場

求人募集を出してから1ヶ月が経過。
下手花道に大蔵と義徳がいて、将棋を指している。
下手花道明かり。

大蔵　求人募集をだしてから、今日で1ヶ月だが……。
義徳　特に何も音沙汰はないな。
大蔵　どうするよ？　このままじゃシゲの野郎、店を畳んじまうぜ。
義徳　ああ……。だが、あいつは1度決めた事はなかなかなかなか曲げないぞ。
大蔵　そうだけどよ。でもあの店がなくなったら、俺たちは一体どこで飲めばいいんだよ。あそこで俺は何十年も酒を飲んできたんだ。それに、今回はどうもただ事じゃない気がしないか？
義徳　たしかにな。普段のシゲなら風邪をひこうが、お構いなしに店を開いてた。女房のめぐみさんが亡くなった後だって、灯ちゃんと2人でやってきてたのによ。……考えたくはないが、本当はシゲ、風邪じゃなくて何か重い病気かもしれないぞ……。

第三場

店内にいる皆。どこか重い空気。

シゲさん　今日で、募集を出してから1ヶ月だが、残念だが誰も来ていない。
全員　えっ。
シゲさん　皆本当に申し訳ない。店はできる限り続ける予定だったが……俺ももうこの年だ。そろそろ疲れたし、ゆっくり余生を過ごそうと思う。
美玖　シゲさん。
大蔵　……お前、やっぱり／
シゲさん　／申し訳ない。(咳き込む) すまないが、今晩はもう店じまいさせてもらう。俺は先に休ませてもらうから、灯、のれんしまっといてくれ。

シゲさん下手にはける。

灯　……わかった。
智司　本当に店、畳んじゃうの？
義徳　……おそらくな。灯ちゃんだけでやっていくのは厳しいだろうし……。
美玖　仕方ないよ……。

みんなうつむく。

智司　（ぼそっと）……嫌だ。
美江　え？
智司　嫌だよ!!　俺、もっとシゲさんのおでん食べてたい。普段コンビニ弁当ばっかだけど、時々ここにきてシゲさんのおでん食べて、酔っぱらって皆とくだらない話してさ、そしたら会社の嫌なこととかも全部忘れられてさ……ここが俺の家なんだよ！
美玖　……私もね。うまく、お話が書けなくて、すんごくネガティブな気持ちになっても、ここにきたら、温かいおでんとお酒があって。私以外にも、それを求めてる人がここにいて。安月給の冴えないサラリーマンとかさ。
智司　俺？（指さす）
美玖　奥さんに逃げられそうなビール腹の中年オヤジとかさ。
大蔵　俺？（指さす）
美玖　服のセンスない赤字ギリギリのエステサロンやってるおばちゃんとかさ。
美江　あ、私？（指さす）
美玖　そういうさ、なんか私よりもイケてない人たちに囲まれてるとさ、私の人生も満更じゃないかもって思えてくるんだよね。
3人　はああ?!
智司　あ、あんただって飲んだくれの売れないホラー作家じゃないかぁ！
美玖　な、なんですってぇ！……今のは半分ジョーダンよ！
3人　半分なんかい！
美玖　でもさ、ここに来ると、皆、色々嫌なことあるんだろうけど楽しそうで、私も一緒に笑ってるうちに、なんか楽しくなっちゃって。やっぱり、私にとっても、ここが、このお店が自分の家なんだよ。
3人　うんうん。
美玖　私だって、このお店、なくなってほしくない。もし続けてもらえるなら、給料もらえなくたっていいから、皿洗いだってなんだってするよ。
常連客皆　でもなぁ、肝心の料理人がいないからなぁ……。

ガッチャーン!!　外で何か割れる音がする。

灯　なんだろ、見てくるね。

灯が表にでる。上手花道にチンピラが2人。客はストップモーション。
上手花道明かり。

アニキ　あっれー、かわいい姉ちゃんがいるじゃん。
舎弟　っすねー。おい、あんた、ちょっと俺らと仲良くしよーよ。

チンピラが灯を捕まえようとする。

灯　ちょ、ちょっと、やめてくださいっ！　はなしてっ。

3人で揉みあっているところに和人が通りかかる。

和人　おい、何やってんだ！
アニキ　うるせぇなぁ。さっさと失せな。そしたら、見逃してやるよ。
和人　んだとぉ、てめー。
舎弟　ああん？　口の利き方がなってねぇなぁ。誰に向かって言ってんだよ。こっちゃぁ森戸が原組の組員だぞ。ガキはすっこんでろや。
和人　ふざけんなごらぁぁぁぁぁ‼

和人がチンピラになぐりかかる。アクション。灯も戦う。なんとか、撃退する。

アニキ　くそっ、おぼえてろよ！　おい、行くぞ！

アニキだけ先に上手袖に履ける。

舎弟　おい、おめぇら。ぜってー復讐してやっからな。覚えとけよ、俺たちゃ森戸が原組だからな‼　今回は仕方なく負けてやったが、次ゃぁ容赦しねぇ。鉄パイプでボコボコに殴り飛ばしてピーマン食わせて便所に放り込んでやっからな、首洗って待っとけよぉ‼

アニキがひょっこり上手袖から顔を出す。

アニキ　馬鹿野郎、てめぇ話がなげぇんだよ。そこは、首洗って待っとけよ、だけでいいの！
舎弟　えっ、そーなんすかっ‼
アニキ　マニュアル読んでねぇのかお前。あんまり決め台詞なげぇと迫力減るんだよ！　ほら、早く行くぞ！　アニキを待たせるたぁ何事だ！
舎弟　さっ、さーせん。いいかお前ら、〝顔〟洗って待っとけ‼

ぽかんとしている灯と和人。
チンピラが上手袖にはけると、ぼろぼろになった和人がたおれる。

灯　きゃあっ大変！

灯が和人を店の中にいれる。
全体明かり。

美江　うわ、どうしたのその人。
灯　私が、ヤクザに絡まれてたのを助けてくれたの。
義徳　派手にやられたな。とりあえず、床にねかせようか。
美玖　灯ちゃん、何か冷やせるやつない？
灯　あっ、氷持ってきます！

みんなで床に座布団をひき、和人をねかせる。

和人　う、うーん。

和人が気がつく。

美江　気がついたわよ！
大蔵　おい、大丈夫か。
和人　（殴られた顔を押さえて）は、はい、いってっ……。
あ、あれ、ここは……。
義徳　おでん屋だよ。
灯　あ、あの、さっきはありがとう。その、お礼と言っちゃあなんだけど……。

灯がおでんをもってくる。

灯　おでん、たべる？
和人　えっ、いいんすか。
灯　うん。

和人がシゲさんのおでんを食べ始める。

大蔵　うまいだろ。
和人　めちゃくちゃうめえ、こんなん初めて食べました！　なんか、懐かしいな……あれ？……このおでんってもしかして四国の方の味付けですか？
常連客　……えっ？
大蔵　……兄ちゃん、良くわかったな。確かにシゲは、四国出身だ。
灯　あっ、そういえば出汁は、愛媛のものを使っています。
義徳　……あんた、いい舌を持ってるじゃないか。何の仕事をしてるんだい？
和人　それは……。（黙ってうつむく）
義徳　……まぁ、いい。あんた、この店で働く気はないか？
全員　へっ⁉
和人　あ、ありがてえけど、俺なんかをこの店に雇ったら、店に迷惑がかかりますよ……大体俺、料理なんてほとんどしたことねえのに……。
義徳　そんなことは問題じゃない。これから勉強していけばいいだけの話だ。実はな、この店は今、跡継ぎがいなくて、経営危機に直面してんだよ。
和人　マジすか。
義徳　ああ。だからな、俺はお前の舌と、さっきの腕っぷしの強さを見込んだのさ。どうだ、働く気はないか？
灯　ちょ、ちょっと、勝手に話を進めないでくださいよ！

和人が土下座する。

和人　お、俺をここで働かせてください‼

灯　はぁ⁉　きゅ、急にそんな事言われても……ていうか大体／

和人　／頼んます！　俺、皿洗いだってトイレ掃除だって何でもやります、この店で働きたいです‼　そしてあわよくば、おでんを作りたいです！　お願いします！

みんなざわつく。

智司　いいんじゃない。

灯　えっ。

美玖　そうね、ちょうどこのお店の料理人がいなくなりそうなところだし。

灯　ええっ。

大蔵　いいところに来てくれた。

灯　ええぇっ。

常連客皆　よしっ、こいつ跡取りにしよ。

灯　えぇえぇえぇえぇえぇえぇえぇえっっっ⁉　なんでそういう発想になるんですかぁ……。

美玖　いいじゃんいいじゃん。こいつの根性、気に入ったわ。

智司　俺、シゲさんにいってくるね。

灯　ちょ、ちょっと！

智司、シゲさんを呼びに下手袖にはける。が、すぐにもどってくる。

智司　オッケーだってさ。

灯　はぁーーーーーー⁉

和人　これから、お願いしゃっす‼

和人、頭を下げる。皆で和人に話しかけたり、相談しあったりしているが、灯は納得できず、じたばたしている。（皆スルー）

ゆっくり暗転。

第四場

朝方。

引き戸とホワイトボードは片付け、店内を広くする。

シゲさんが厨房で和人におでんの作り方を教えている。

灯は１人、上手で食器をふいたりしている。

シゲさん　そこはこう……そう、そう。んで、最後に竹まいて焼けば、ちくわが出来る。

和人　すっげー、こうやって出来るんだな……あの、師匠。

シゲさん　なんだ。

和人　そろそろ、出汁の作り方教えてくれませんか？

シゲさん　出汁は教えない。
和人　へっ？
シゲさん　お前は舌がいい。自分で作ってみろ。
和人　そんなー。
灯　（2人を見る）……。
シゲさん　それに、お前に色々教え始めて、もう1ヶ月はたった。そろそろ味も覚えただろ。
和人　で、でも。
シゲさん　……正直言って、俺はお前をこの店の跡継ぎにするかまだ決めかねている。
和人　……。
シゲさん　だから、あえて出汁はお前に作らせる。おでんは出汁が命だ。出汁で全てが決まる。だから、毎日作れ。俺の味を完璧に真似ろとは言わない。お前の出汁を作ってみろ。出汁の出来次第でお前に店を継がせるか決める。
和人　…………うっす。
灯　……はぁ。
シゲさん　灯。
灯　……何。
シゲさん　すまんが、買い出し行ってきてくれないか。
灯　…………わかった。
シゲさん　？

シゲさん、灯の様子を少し疑問に思うが、何も言わずに下手袖にある店の裏口にはける。灯も買い物袋を持ってはけようとする。

和人　あ、あの灯さん！
灯　……何？
和人　俺、もっともっと頑張るんでよろしくお願いします！（頭を下げる）
灯　……申し訳ないけど、私あなたのことまだ認めてないから。
和人　……。
灯　どこの馬の骨かもわからないような人に、私たちの店を、私たちの家を任そうとか思えない。それぐらいなら、お店畳んだほうがマシ。
和人　……。（黙って頭を下げ続ける）

灯、和人をおいてはける。

和人　……馬の骨、か…………。

和人、軽くため息をついて顔をあげ、調理場に戻ろうとすると、店にヤクザらしき人物が2人入ってくる。

和人　さーせん、まだ準備中でして……ってアニキぃ?!?!
アニキ1　カズ、探したんだぞ。
アニキ2　お前、組抜けるってどーいうことだよ。
和人　……さーせん。でも俺は、もう足洗うって決めたんです。
アニキ1　あのなぁ、俺らの世界はそう簡単にほいほいやめられる道じゃねえんだよ！　お前ぇ、組長にもさんざん助けてもらった義理があるだろーが、恩を仇で返すってのか？

和人　っそうじゃねえ!!!!

アニキ2　おい、何だその口の聞き方はぁ?!

アニキ2が和人を蹴る。

和人　っ……アニキ、違うんだよ。

アニキ1　何が違うってんだよ。

和人　………俺は、ガキの頃から悪さばっかりしてきました。面倒見てくれてた人にも、有り難えって気持ちすら持たず、恩返しなんか未だに出来てねえ。毎日毎日、外ほっつき歩いて、暇さえあればケンカに明け暮れてた大馬鹿野郎だ。確かに、組長には本当に世話になったっす。でも、俺は、やさぐれてた俺の気性を買ってくれたんだ。でも、俺は、このままじゃいけねえ気がします。やり直せるなんて思っちゃいねえけど、それでも今まで世話んなった人たちに、何かすこしでも良いから返したいんす！

アニキ2　……それで？　俺たちの恩は無かったことにすんのか？　ああ？

和人　っ本当っに……すいません。こんなの許されることじゃねえのは承知してます。でも、俺は……。

アニキ2　ふざけんなよ!!　おめぇ／

アニキ1　／帰るぞ。

アニキ2　はあ？　なんでだよ、こいつは俺たちを／

アニキ1　／根性なしをわざわざ組に戻してやる義理なんざねえ。

アニキ2　……！

アニキ1　それによ、良いじゃねえか。こいつには夢っちゅうもんがあるらしい。俺なんか、そんなもん見ることすら許されなかったんだ。夢を追えるだけ良いじゃねえか。俺たちはこいつの兄貴分だぜ。組にもどしてえけどよ、それだけが俺たちのすべきことって訳じゃねえと思うぜ。

和人　アニキ……。

アニキ2　……。

アニキ1　帰るぞ。

アニキ2　ちっ。

アニキたち、はける。
アニキ2は途中にあった椅子を腹立ちまぎれに蹴り飛ばす。
和人は彼らの姿が見えなくなるまで頭を下げ続ける。

第五場

下手花道、和人の家。
ほの暗い下手花道明かりのみ。
多佳子が家計簿を見ながら、和人の帰りを待っていると、和人が帰ってくる。多佳子は慌てて家計簿を座布団の下に隠す。

多佳子　あ、お帰り。

多佳子　遅かったね。夜ご飯作っておいたけど、食べる？

和人　……いらねえ。

多佳子　……そっか。じゃあ、私明日も仕事だからもう寝るね。

多佳子　おやすみなさい。

和人　……。

多佳子は小さくため息をついて部屋を出る。
和人は座布団から少しはみ出している家計簿に気づき、手にとってぱらぱらとめくるが、予想以上に苦しい内容に驚く。

和人　こんなに厳しかったのか……おふくろ……すまねえ。俺が、俺がもっとちゃんとしていれば……すまねえ……。

暗転。

第六場

開店前の店内。和人は出汁の味をシゲさんにみてもらっている。美味しくない。

和人　どうっすか

シゲさん　こんなん客に出せるか。(出汁の注がれた小皿を和人に突き返す)

和人　っ、さーせん。

シゲさん　カズ、お前何を考えてこれを作った。

和人　……材料の分量とか、火加減とか……っす。

シゲさん　道理で、味がしねえ訳だ。

和人　え？

シゲさん　いいか、料理ってのはな、誰かのために作るもんだ。店だったら客のために作るし、1人暮らしだろうと自分のために作るし、お前のおふくろさんだって、お前を思って作る。

和人　……。

シゲさん　俺だって誰かを思って作ってる。客のこと、灯のこと、死んだ女房のこと、……。だからこそ、俺の料理を食べに何度でも客はここに通ってくれる。料理を通して、俺たちは会話をしているんだ。

和人　会話……。

シゲさん　今のお前は誰を思ってこの出汁を作った？　誰のためにこれを作った？　それが分かるようになってこないと、いつまでたっても客にお前の味は届かないぞ。誰かの味を真似て作ることも技術の向上には繋がるかもしれない。だが、俺は心を込める事こそが、1番大切だと思う。

和人　……分かりました。

シゲさん　お前は、舌が良い。少しの味の違いでも、すぐに気づけるようになるはずだ。それを生かして、お前の味を出してみろ。

和人　うっす。
シゲさん　……いつかお前が1人前になったら、前掛けでも仕立てるか。
和人　えっ、いいんすか?!
シゲさん　1人前になったら、な。
和人　うっす！　師匠、俺、もっと頑張ります。今後もご指導お願いします、師匠！
シゲさん　……分かったから、その師匠っていうのやめてくれねえか。いつの時代だ。
和人　承知しました師匠！
シゲさん　………………。
和人　あっ。さーせん、師匠ってちょっとダサいっすかね……よしっ、次からはマスターと呼ばせていただきます、師匠っ、じゃなくてマスター！
シゲさん　……もう、好きにしろ。

第七場

下手花道、多佳子が和人の帰りを待っている。
第五場のときよりも明るい下手花道明かりのみ。
和人が帰ってくる。

多佳子　お帰り。
和人　…………ただいま。
多佳子　……ご飯、作ってあるけどもう外で食べちゃった？
和人　ああ、……。（昼のシゲさんの言葉を思い出す）でもせっかくだし食べるよ。
多佳子　（少し嬉しそうに）そっか。じゃ、ご飯、温めてくるね。
和人　いい、自分でやるから、大丈夫。
多佳子　良いから良いから、座ってて。

多佳子がむりやり和人を座らせて、食事の準備をし始める。

和人　……おふくろ。
多佳子　ん〜？
和人　俺、ヤクザやめたよ。
多佳子　（驚きながらも少し笑って）……そっか。
和人　へへ。

ふたりともどこか嬉しそう。
どこかで優しい音楽が流れながら。
穏やかに夜が更けてゆく。

第八場

全明り。
今日もおでん屋は、常連客で賑わっている。
上手から客が1人入ってくる。

美玖　ただいまー。
皆　おかえり。
美玖　あっついねー今日も！　家からちょっと歩いただけで汗だくだよ、灯ちゃーん、生一つちょうだーい！

しばしの沈黙。しばらくして和人がやってくる。

和人　さーせん、生一つっすね！
美玖　あれ、カズ君じゃん。灯ちゃんいないの？
和人　うっす、今日は何か用事あるみたいで。
美江　友だちにお願いされたから、合コン行くらしいわよ〜。
智司　若いよなぁ。
美江　でも、あの子が店休むの珍しいわよねぇ。
大蔵　確かになぁ。学生の時なんかテスト前でも店に顔出してたっけか。
美江　何かあったのかしら。
和人　…………。（何か思い当たる節）
美玖　まぁ、彼氏ぐらいそろそろ欲しい年頃でしょ。
智司　たぶんそうかもね。
シゲさん　おいカズ、冷やしおでん出来てんだぞ。（咳き込む）さっさともってけ。
和人　（はっと我に返る）う、うっすマスター、只今！
シゲさん　……。
大蔵　何だマスターって。
シゲさん　……てめえには関係ねえ。
大蔵　ありゃりゃぁ、怒っちゃったよマスター。
シゲさん　……。
美玖　へへっ、私にも冷やしおでんちょうだーいマスター！
智司　マスター、ホッピーおかわりー！
シゲさん　マスターマスターうるせえ。
常連客皆　さーせんマスターっ!!
シゲさん　……おい灯、さっさとこいつらに……いないんだった。
大蔵　灯ちゃんはいないぞマスター。
シゲさん　やかましいわ。

和人がビールを美玖に持ってくる。

和人　お待たせしやした、生ビールでーす。
美玖　ありがとー。

少し会話が途絶え、急に皿の触れ合う音や箸の音が大きく聞こえる。

智司　……なんか、灯ちゃんがいないと静かだね。
大蔵　看板娘みてぇなもんだからなぁ。
美玖　あの子、料理は下手だけどいつも笑顔で、よく話題ふってくれるもんね。
義徳　灯ちゃんがいるといないとじゃ店の雰囲気が大分違

うよな。

ふと気づくと、外から雨音が聞こえている。
だんだん早くなる雨足。

美玖　……灯ちゃん、傘持ってったかなぁ。

第九場

暗転。
上手明り。
穂乃花と灯がいる。

穂乃花　ごめんね灯、急にお願いしちゃって。お店の方、大丈夫だった？
灯　うん、大丈夫。てか、別に私いなくても成り立ってるっぽいし。
穂乃花　へー、そうなの？　まぁ、今日はお店忘れて楽しもうよ。良さげな人ばっかだから！
灯　……うん。

上手花道に移動。
既に皆いる。

参加者1　遅いよ穂乃花ー。
穂乃花　ごっめーん、あ、この子、灯っていってね、私の友達なの。
灯　よろしくお願いします。
参加者2　まぁまぁ座って。

2人とも席につく。
皆近くの人と、話し始める。
灯の隣の席は隼人。

隼人　灯ちゃん、だっけ？　俺、光吉隼人っていいます。よろしくね。
灯　よ、よろしく。
穂乃花　あのね灯、隼人さんってエリート会社員なのよ。
隼人　やめてよ穂乃花ちゃん、大したことないさ。

店員がお冷とお絞りを持ってくるが、灯以外誰もお礼をいわない。

隼人　灯ちゃんはお仕事何してるの。
灯　わたし、ですか。
隼人　ちょっと待って、当ててみる。えー、美容師とか、パティシエかな。
灯　違います。(どこか上の空)
隼人　違う？　えー、じゃあスタイリスト、いや、レディース雑誌の編集者、とか？
灯　いえ、おでん屋の手伝いです。

沈黙。
灯はキョトンとしている。

隼人　は？

灯　（吹き出す）え、ダッサ。

隼人　いや、今時おでん屋とかレトロすぎっしょ。誰が行くのよそんなん。

灯　え、（言葉を失う）

隼人　いや、もうちょっとおしゃれな仕事してるかと思った。顔可愛いし彼女にしてあげようかと思ったけど、萎えたわ。

隼人は灯から興味をなくし、他の子に話しかける。
呆然としている灯。しばらくして、怒りが湧き上がってくる。

灯　……っ、何が、おでん屋の何が悪いんですか！

隼人　は？

灯　おでん屋のどこが悪いわけ?!　あんなにあったかいところ、他にないわよ！　お客さんだってあんたなんかと違って優しいし、お父さんだって真心込めておでんを作ってる。行ってみたこともないくせに知った風な口を聞かないで!!

隼人　（唖然）

穂乃花　ちょ、ちょっと灯、別に隼人さんもそこまで悪気があって言った訳じゃ／

灯　／うるさい！　いい、隼人さん、あんたみたいにデリカシーのない人、こっちから願い下げよ!!　エリート会社員だかなんだか知らないけどねぇ、そうやって他人を条件づけてしか見られない自分を恥ずかしく思いなさい!!!!

灯、我に返る。

灯　わたし、なんでここにいるんだろ。

灯カバンを持つ。

灯　帰ります。

穂乃花　ちょ、ちょっと灯ぃ!?

止めようとする穂乃花を振り切って灯は上手袖にはける。
暗転。

第十場

閉店後のおでん屋。
中央明かり。
和人が1人モップをかけている。
ため息をつく和人。

と、灯が上手から、店に飛び込んでくる。

和人　おわぁっ！　あ、灯さん!!　おおおお帰りなさいませですぅ!!!（びっくりしすぎて何やら訳のわからない事を口走る）

和人に構わず、灯はずんずん店内を進み、一席に座り込んで突然大声で泣き始める。状況がわからず、固まる和人。

和人　え？　え？　俺なんかした？　え？

泣き続ける灯。
和人は慰めようかどうか迷うが、やり方が分からないので、とりあえず自分の作ったおでんを持ってくる。

和人　……。（恐る恐る）食べます？

灯　（泣きながらおでんを頬張るが突然泣き止む）……美味しい。

和人　あ、あざっす。

灯　これ、あんたが作ったの？

和人　うす。

灯　……なんか、あったかいね。

和人　冷やしおでんですけどね。

2人で軽く笑い合う。

灯　……私さ、和人くんにひどい事いったよね。

和人　大丈夫っすよ。気にしてないんで。

灯　でも、ごめん。

和人　いえいえ。

灯　……和人くんってさ、なんでこの店で働こうと思ったの。

和人　……俺んち、母子家庭なんす。

灯　うん。

和人　ガキの頃に親が離婚して、そっからずっとここまで、おふくろが育ててくれたんですけど。父親がいないってことに何でか分かんないすけど、俺すごく劣等感もって。それで、グレたんです。学校サボって町ぶらついて、暇さえあれば喧嘩して。次第に組にも出入りするようになって。……おふくろは何も言わなかったけど、きっと悲しんでたんじゃねえかな。でも、あの人は、毎日俺に、温かい飯を作ってくれた。どんなに俺が夜遅くまで外ぶらついてても、必ず美味い飯を作って待っててくれてた。今になってやっとその有り難さってえのが身に沁みて分かってきたんです。マスターのあのおでんを食べて、今まで気にもとめなかったおふくろの優しさに気づけたんだ。ありがとうって言いてえ。ごめんって謝りてえ。でも、俺はもう謝り方も忘れちまったんです。今度こそ言おう、今度こそ謝ろうって思っても、おふくろの顔を見たら、何も言葉がでてこない。

せりあげる涙で思わず声がつまる。

和人　……でも、マスターに、おでんの作り方を教えて頂いて分かったんだ。口じゃなくても気持ちは伝えられるんだって。マスターのおでんは、心があるんです。食べる人に想いが伝わってくるんだ！　俺は、口じゃ素直にものを言えねえけど、これならおふくろに感謝を伝えられるんじゃないかって思ったんです！……でも、こんな未熟者の俺じゃあ、絶対そんな事出来ないって、今は分かります……。

灯　……出来るよ。

和人　え？

灯　お父さんが、いつも言ってる。大事なのは心だって。和人君だって、伝えたい気持ちがあるんでしょ？　ならそれを、込めたら良いじゃない。きっと伝わるよ。

和人　……そう、思います？

灯　私は、伝わったよ。さっき食べた和人くんのおでんから、暖かさを、ね。

和人　………そっかぁ。

灯　うん。きっと、大丈夫。

和人　……おす！　俺、もっと頑張ります……ってもうこんな時間?!　さーせん灯さん、すっかり遅くなっちまいました！　帰りましょう帰りましょう!!

灯　そーだね、帰ろっか。そういえば、さっきから言ってるマスターって何なの？

和人と灯が、和やかに何か話しながらはける。

静かに暗転。

第十一場

シゲさんの容態が急変し、入院してから半月ほどたった。
下手花道に美江と美玖がいる。

美江　急な入院だったわね、シゲさん。

美玖　本当に……。本人は風邪って言ってたけど、全然そんな事ないじゃない。重病ですよ重病。

美江　たぶん、彼も求人募集出した時に既に分かってたのね。

美玖　……いっつも無理するんだから………。

下手袖にはける。

第十二場

全明り。舞台中央、病院なので、戸板と引き戸、ホワイトボードは片付ける。
見舞いにきた和人と灯。
シゲさんはベッドに寝ている。

シゲさん　どうだ、店の方は。

和人　うっす。

シゲさん　……ああ。ところで、あれはもってきてくれたか。

和人　マスター、一時はどうなることかと思いましたけど、体調も安定してきたそうで、本当良かったっす。

シゲさん　そりゃぁ何よりだ。

灯　なんとかやってるよ、和人くんが頑張ってくれてる。

和人が、持っていた手提げ袋からタッパーを取り出す。

シゲさん　ああ。

灯　お父さん、おでん食べるの久しぶりでしょ。

和人　まだまだ下手くそですが。

シゲさん、和人の作ったおでんを頬張る。

シゲさん　……。

和人　ど、どうっすか。

シゲさん　カズ、お前今回は何を考えて作ったんだ。

和人　……マスタ……シゲさんに、店の感じを届けて、元気だしてもらおうって考えてました。

シゲさん　……そうか。(タッパーを見つめながら) うん、あったかいな……。

和人　っありがとうございます!!

シゲさん　確かに味はまだ荒削りだ。だが、お前の思いは伝わってきた。……もう、お前は俺がいなくてもあの店を充分もり立てていけるさ。

和人　……そんな悲しいこと言わずに、また一緒におでん作ってくださいよ。

灯　そうよお父さん。皆待ってるんだから。

シゲさん　……ありがてえな。けどよ。(何か言いかけるが、激しく咳をする)

2人共慌てて駆け寄る。

シゲさん　(荒い呼吸をつきながら) 灯、いつもお前には面倒ばっかかけてたな……すまなかった。

灯　(目に涙を浮かべながら) 何よ今更。

シゲさん　色々と俺に思うことはあったかもしれねえな。母さんが死んでからは、ずっと店の手伝いばかりやらせて、学生らしいことをなかなかさせてあげれなかった。

灯　いいの、私がやりたくてやったことだもん。

シゲさん　そうか……お前みたいなのが娘で、俺は本当に幸せ者だな。

灯　それも今更だよ。

シゲさん　(笑うが、すぐに咳がでてくる) カズ、お前に渡したい物がある。

和人　なんすか？

シゲさんが、ベッドの横においてあった紙袋を和人にわたす。

中身をだしてみると、それはシゲさんの前掛けだった。

和人　これって……。
シゲさん　お前のを仕立ててやる約束だったが、どうやら果たせそうにない。俺の使い古しだが、よければ使ってやってくれ。
和人　……うす。（瞬きして、涙があふれるのをこらえようとする）
シゲさん　（薄く微笑む）カズ、それちょっと着てみてくれ。
和人　（無理やり笑おうとする）へへっ、俺なんかに着こなせますかね？

和人が前掛けをつけて、思わず溢れた涙を拳で乱暴に拭う。

和人　……シゲさん、どーです？　似合ってますか？

返事はない。

灯　……お父さん？
和人　っ、シゲさん？　マスター？

灯に握られた手も、握り返さない。
和人が泣きながらナースコールを押す。
騒がしくなる病室内。涙を流しながら、シゲさんの名を呼び続ける２人。
暗転。

第十三場

重く静まり返った店内。
引き戸の横のホワイトボードには、何も書かれていない。

大蔵　シゲ。
智司　くそっ……もっと早く、気づいていれば……。（堪えきれず、嗚咽する）
美玖　（言葉が出ず、美江と抱き合って泣いている）
義徳　……シゲの野郎、何も言わずに逝きやがって。
灯　……。（思わず顔をそむける）
和人　（１人だけ顔を上げている）……皆さん、確かにシゲさんは亡くなりました。でも、あん人の心はここにあります！
皆　……！
和人　……俺だって、完全に立ち直ったわけじゃねえ。でも、俺たちがいつまでもくよくよ泣いているのは、シゲさんの望みじゃねえと思うんです。
美玖　……確かにね。
和人　それに俺は感じるんだ。あの人は、ちゃんと俺たちの心の中で生きてるって。
義徳　……ああ、お前の言う通りかもしれんな。
和人　残った俺たちに出来るのは、シゲさんの遺したこの店を、より繁盛させていく事じゃねえでしょうか。

大蔵　……言ったな小僧。

和人　へ？

大蔵　そう言ったからには、お前、シゲのおでんの１００倍上の味を出しやがれい‼

常連客　そーだそーだ。

灯　ふふふ、あんた、自分でハードルあげちゃったね。

和人　ぐぬぬ……じょ、上等だこらぁ!!!　１００倍どころか、３００倍うまいおでんをつくってやらぁ、いつか‼

皆　いつかなんかい‼

またにぎやかになる店内。

シゲさんの死を悲しんでいたが、皆和人の言葉で前を向きはじめる。

だんだん暗くなる店内。

ホリゾントが空色になる。

第十四場

明るい雰囲気の店内。

店外のホワイトボードには「おでん」と3文字でかでかと書き殴られている。

ホリゾントを見せるため、店奥の戸板の並べる間隔を広くする。

いつもの通り、常連客で賑わっていると（その中には、和人のの兄貴分だった兄貴1もいて和人のおでんを美味しそうに食べている）、客が2人連れで上手から入ってくる。

美江　ただいま。

皆　おかえりー。

多佳子　……。（照れくさそうに）た、だいま？

皆　（更に大きな笑顔で）おかえりーっ！

穏やかに音楽がフェードイン。

褪せた前掛けを着けた和人が困ったような、それでいて嬉しそうな顔をしながら、おもむろにおでんを差し出す。

皆それとなく、おでんを食べる多佳子の方を見守っている。

一口静かに飲み込んで、やがてにっこりと微笑む多佳子。

口を開けて、何かを言うが、次第に大きくなる音楽に紛れて、はっきりとは聞き取れない。でも、見守っている和人と、周囲の人の嬉しそうな顔から見るに、何か良いことだったのは違いないだろう。

また賑やかになる店内、１人、灯が観客席の遠くの方を、誰かに呼ばれたような気がして振り返る。他の人は一瞬ストップモーション。音楽も少し小さくなるが、灯がにっこり笑うと、元通りになる。

新たに客が、入ってきた。

和やかな雰囲気のなか、ゆっくりと緞帳が降りる。

おわり

上演の手続き

これまで、わが国では著作権を尊重する考え方が普及しておらず、学校演劇脚本の上演に際しても、著作権は、ほとんど無視されていたといってよい状態でした。しかし、著作権尊重の見地から、学校演劇脚本の上演に当たっては、少なくとも、つぎのようなことが守られるべきだと考えます。

著作権の尊重と、その正しい考え方の普及は、教育上からも重要な課題といえますので、ぜひご協力をお願いいたします。

(1) 義務教育段階での、学校での教育上の目的による学校演劇の上演については、著作権法の特例として著作権者の了解がなくても脚本を利用することができることになっています(二〇〇三年の著作権法改正による)。ただし教育現場以外での上演については、著作権者に上演の許諾を求める必要があります。

(2) しかし、作品および著作権尊重の立場から、本書収載の作品の上演を希望する際は、上演届(次頁参照)を、晩成書房までお送り頂くようお願いいたします(**作者連絡用切手を添えて**)。到着次第著作権者に連絡します。

(3) プログラム等を印刷する際は、必ず著作者名および掲載書名を表示してください。

(4) 脚本を、上演台本として必要な部数に限って複写(コピー)することは許されますが、それを他に配付したり、頒布したりすることは許されません。その必要がある場合は許諾を求めてください。

(5) 上演に際し、著作物の一部を改める際は、上演届にその旨を記し、改変された台本をお送りください。

中学校創作脚本集2021編集委員会

晩成書房 殿

年　　月　　日

学校（または団体）名

所在地　〒

電話

担当者名

上　演　届

このたび、『中学校創作脚本集２０２１』（晩成書房刊）収載の作品を、下記のように上演しますので、ご連絡いたします。

記

1. 脚本題名	
2. 著作者名	
3. 上演目的	
4. 上演期日	
5. 出 演 者	
6. そ の 他	作者連絡用切手貼付欄

中学校創作脚本集２０２１編集委員会

代　表　山下秀光　神奈川県中学校文化連盟演劇専門部顧問
元 全国中学校文化連盟理事長
元 神奈川県中学校文化連盟会長
元 神奈川県中学校文化連盟演劇専門部会長

事務局　大沢 清　元 全国中学校文化連盟副理事長
元 神奈川県中学校文化連盟演劇専門部 事務局長
横浜市立中学校演劇研究協議会 顧問
横浜市立中学校部活動（演劇）指導員

〒252-0013 神奈川県座間市栗原 1278-7

中学校創作脚本集２０２１

二〇二一年 七 月一〇日 第一刷発行
二〇二四年 四 月 一 日 ＯＤ版発行

編　者　中学校創作脚本集２０２１編集委員会
発行者　水野 久
発行所　株式会社 晩成書房
●〒101-0064 東京都千代田区神田猿楽町二-一-一六-一Ｆ
●電　話 〇三-三二九三-八三四八
●ＦＡＸ 〇三-三二九三-八三四九
印刷・製本　株式会社 ニッタプリントサービス

乱丁・落丁はお取り替えします
ISBN978-4-89380-504-1 C0074
Printed in Japan

中学校創作脚本集 2020

中学校創作脚本集編集委員会 編

●定価二、二〇〇円＋税 ISBN 978-4-89380-497-6

ゲキを止めるな！＝斉藤俊雄
SHO-GEKI 小劇＆笑劇作品集＝斉藤俊雄
stranger＝杉内浩幸
贈り物にハンカチはよくないのかもしれない。＝原作・木村直香 脚色・太田由風
アイルランドの魔法の風＝渡部園美
Make Someone Smile ～わらしべ長者～＝大柿未来
闘うグリム童話＝大柿未来
ウムイ～サンゴからのメッセージ～＝kanabun
カラフルピース＝鈴木仁志
おかみちゃん！＝橘里多＋横浜市立日吉台西中学校演劇部
女傑症候群（ヒロインシンドローム）＝田島光葉
保健室でティータイム＝彼ノ矢恵美
ブドリ～宮沢賢治作『グスコーブドリの伝記』より～＝横山淳子

最新中学校創作脚本集2017

最新中学校創作脚本集編集委員会 編

●定価各一、二〇〇円＋税 ISBN 978-4-89380-473-0

改訂版 二つの名前／愛のかけはし～38度線のマリア 望月カズ～／奇跡の集落・吉浜、命～生かされた命、伝える使命～／三本脚の猫／GHOST FRIENDS／いちご・いちえ／あやかしの夜／タイムトンネル／白いキャンバスに線を描く

最新中学校創作脚本集2018

最新中学校創作脚本集編集委員会 編

●定価各一、二〇〇円＋税 ISBN 978-4-89380-477-8

なつの思い出／向日葵の未来／ファントムシップとパブロピカソの旋律／旅立つときに／雪とパイナップル／「Alice」より／イツカ、ドコカデ、君ト／フクギの雫～忘れたくても忘れられない、忘れてはいけない～

中学校創作脚本集 2018

中学校創作脚本集編集委員会 編

●定価二、〇〇〇円＋税 ISBN 978-4-89380-484-6

つばさ ～創作にチャレンジしたい人たちのための創作劇～＝斉藤俊雄
ちょっと、メロス＝平成二十九年度 茅ケ崎中学校演劇部
10years ～希望の桜～＝仲間 創
法廷劇「償（つぐな）い」＝山城美香
ゲキブの扉＝柴田静香
そこまでも＝見山紗月／補筆・横浜市立大綱中学校演劇部
冥界のスープ＝西沢遥輝／補筆・横浜市立大綱中学校演劇部
『アイ』＝三浦結衣／潤色・ちかだよしあき
嘘象物語＝鈴木仁志

中学校創作脚本集 2019

中学校創作脚本集編集委員会 編

●定価二、二〇〇円＋税 ISBN 978-4-89380-489-1

イマジン＝斉藤俊雄
みんなの歌＝中原久典
くるみとすももと黒崎くん＝横山淳子
花は咲くII 少女前へ＝板垣珠美
地下室クラブの遠藤くん＝久保とみい
悲劇『鬼人間―おにんげん―』＝原案・村上裕亮／脚本・久保美咲仲間創
10years ～夜明けのコスモス～＝仲間創
流星の命＝村中恵李花
ハルヤくんの野望＝浅田七絵
こころのとびら＝稲垣 凜
藍の風が吹くとき ～いのちの理由～＝辻村順子

中学生のドラマ 全10巻　収録作品一覧

日本演劇教育連盟 編／定価各2,000円+税

1 現代を生きる 978-4-89380-178-4

バナナ畑の向こう側＝榊原美輝／コーリング・ユー＝堀 潮／ハコブネ1995＝須藤朝菜／最終列車＝つくい のぼる／ひとみのナツヤスミ＝高橋よしの／逃亡者―夢を追いかけて＝溝口貴子／グッイ・トイレクラブ＝いとう やすお

2 学園のドラマ 978-4-89380-189-0

Ⅱ年A組とかぐや姫＝深沢直樹／石長比売狂乱＝網野朋子／絆(きずな)＝鮫島葉月／マキ＝浅松一夫／わたしはわたし＝森田勝也／閉じこもりし者＝正 嘉昭／蝶＝古沢良一

3 戦争と平和 978-4-89380-195-1

長袖の夏―ヒロシマ＝小野川洲雄／無言のさけび＝古沢良一／残された人形＝東久留米市立大門中学校演劇部／消えた八月＝森田勝也／戦争を知らない子どもたち＝平久祥恵／ガマの中で＝宮城 淳／砂の記憶＝いとう やすお

4 いのち―光と影 978-4-89380-266-8

墓地物語～夏の終わりに～＝新海貴子／ステージ＝上田和子・田口裕子／リトルボーイズ・カミング＝堀 潮／黒衣聖母＝網野友子／梨花 イファ＝高橋ひろし／mental health―病識なき人々＝渋谷奈津子／まゆみの五月晴れ＝辰嶋幸夫

5 宮沢賢治の世界 978-4-89380-293-4

猫の事務所＝如月小春／月が見ていた話＝かめおか ゆみこ／どんぐりと山猫(人形劇)＝伊東史朗／星空に見たイリュージョン＝深沢直樹／太郎のクラムボン＝古沢良一／セロ弾きのゴーシュ(音楽劇)＝和田 崇／ジョバンニの二番目の丘＝堀 潮

6 生命のつながり 978-4-89380-329-0

だあれもいない八月十日＝佐藤 伸／森のあるこうえん……＝高橋よしの／おいしーのが好き！＝吉原みどり／コチドリの干潟(うみ)＝いとう やすお／めぐり来る夏の日のために＝仲西則子／母さんに乾杯！―命のリレー―＝大貫政明／スワローズは夜空に舞って 1978年を、僕は忘れない＝志野英乃

7 友だち・友情 9784-89380-345-0

デゴイチ＝正 嘉昭／ときめきよろめきフォトグラフ＝斉藤俊雄／涙はいらねえよ。＝泰 比左子+前川康平／迷い猫預かってます。＝志野英乃／DIARY～夢の中へ～＝新海貴子／けいどろ＝上原知明／チキチキ☆チキンハート＝山崎伊知郎

8 家族って、なに 9784-89380-401-3

おもいでかぞく＝浅田七絵／あーたん・ばーたん＝松村俊哉／現代仕置人―消えてもらいます＝新海貴子／開拓村のかあさんへ＝高橋ひろし／彫刻の森へ＝照屋 洋／マイ・ペンフレンド＝伊藤あいりす・いとう やすお／なずなとあかり＝高橋よしの

9 夢―ファンタジー― 9784-89380-421-1

BON VOYAGE～良き船旅を～＝正 嘉昭／ストーンパワー＝照屋 洋／未完成＝森 澄枝／鬼平あらわる！＝神谷政洋／ベンチ＝福島康夫／PE! PE! PE! PENGUINS!!～2011～＝西川大貴／Alice～世界がアリスの夢だったら～＝西本綾子

10 絆―北から南から 9784-89380-433-4

銭函まで＝竹生 東・室 達志／Huckleberry friends＝志野英乃／ふるさと＝斉藤俊雄／グッジョブ！＝山﨑伊知郎／覚えてないで＝南 陽子／LAST LETTERS FROM MOMO＝松尾綾子／朗らかに～今、知覧に生きる～＝永田光明・田代 卓(補作)